살아가세요

눈이 부시게

이상휴 작가

눈이 부시게 1

일러두기

1. 이 책은 작가의 드라마 대본 집필 형식을 최대한 따랐습니다.
2. 드라마 대사는 글말이 아닌 입말임을 감안하여, 한글맞춤법과 다른 부분이 있더라도 대사 표현을 살렸습니다.
3. 말줄임표와 띄어쓰기는 한글맞춤법과 다른 부분이라 해도 대사 시 호흡의 양을 다양하게 표현하고자 한 작가의 의도를 반영했습니다.
4. 쉼표, 느낌표, 마침표 등의 구두점도 작가의 의도를 따랐습니다. 마침표가 없는 것 역시 작가의 의도입니다.
5. 이 책은 방송 전 집필한 대본으로 방송되지 않은 부분이 포함되어 있습니다.

이남규 · 김수진 대본집

눈이 부시게 1

용어 정리

S#	Scene. 장면. 같은 시간, 장소에서 이뤄지는 행동, 대사, 사건이 나타나는 한 장면을 의미한다.
(D) / (N)	낮/밤. 씬 내의 시간대를 의미한다.
(E)	Effect. 효과음. 주로 화면 밖에서의 소리를 장면에 넣을 때 사용한다.
(F)	Filter. 전화 수화기를 통해서 들려오는 소리.
(O.L)	Over Lap. 오버랩. 현재 장면과 다음 장면이 겹쳐지는 효과. 앞 사람의 대사가 끝나기 전에 시작한다는 의미.
[FLASH BACK]	플래시백. 과거에 나왔던 씬을 불러오는 것. 주로 회상하는 장면이나 인과를 설명할 때 넣는다.
(Na)	Narration. 해당 화면 속의 소리와 별도로 밖에서 들려오는 등장인물의 설명체 대사.
(F.O)	Fade Out. 페이드아웃. 화면이 서서히 어두워지는 기법.
(F.I)	Fade In. 페이드인. 어두웠던 화면이 서서히 밝아지는 기법.
[INS]	Insert. 씬 안에서 다른 씬 삽입할 때. 무언가에 집중시키거나, 특정 부분을 클로즈업할 때 사용.
Cut To	씬 내에서 화면이 전환될 때 사용한다.
몽타주	편집된 장면들을 짧게 끊어 붙여서 의미를 전달하는 화면을 말한다.
(ON) / (OFF)	화면 밖의 대사가 화면 안에서 들릴 때 사용. / 화면 밖에서 들리는 대사나 효과음.

차례

작가의 말

이남규

〈눈이 부시게〉 대본 작업을 할 때 나의 상태는 최악! 더 한 표현이 없어 최악이라고밖에 말할 수 없는 최악이었다.

육체적으로는 바보 같은 자가 면역이 내 피부를 병균으로 생각해 공격 중이었는데, 무협 영화에 필살기 이름 같은 '천포창'이란 질병이었다. 정신적으로는 공황장애 말기쯤, 연두부 같은 정신세계가 대본 작업과 스트레스로 인해 사정없이 흔들리고 있었다.

전혀 눈이 부시지 않은 시간을 살며, 〈눈이 부시게〉 라는 드라마를 쓰고 있었다.
어찌 보면 난 내가 쓰고 있는 드라마의 주인공, 갑자기 나이를 먹어 더 이상 눈부실 수 없는 혜자였다.

그래서였는지, 다른 드라마를 쓸 때처럼 작가와 작품 사이의 거리두기가 잘 안됐다.
유난히 드라마의 주인공에 빠졌고, 드라마 대사에 빠졌다. 내가 혹은 김수진 작가가 쓴,(물론 대부분 와! 하며 이 대사 좋다 하는 부분들은 김수진 작가의 작품이다) 대사들에 감정이입이 됐고, 구원 정도는 아니지만 위로를 받을 수 있었다.

〈눈이 부시게〉 대본집을 보는 수많은 독자분들 그리고 수많은 또 다른 혜자들.
그들도 나처럼 그 어떤 위로를 받았으면 좋겠다.
눈이 부시지 않은 날을 살며 눈이 부신 날은 찾아오는 게 아니라 찾아가는 것이라는 걸 알았으면 좋겠다.

기획의도

시간이란 무엇일까?
왜 사람들은 같은 시간 속에서도
서로 다른 삶을 살아가고 있는 것일까?

여기, 자신에게 주어진 시간을 채 써보지도 못하고 빼앗겨
노인이 되어버린 25세의 억울한 여자가 있다.
그리고 자신에게 주어진 시간을 스스로 내던져 버리고
하루빨리 늙어 세상을 떠나고 싶어하는 26세의 남자가 있다.

시간을 주무르는 능력을 가졌음에도, 시간 앞에서 아등바등거리기만 한 여자.
누구보다 찬란한 시간을 가졌음에도, 시간 앞에서 무기력하기만 한 남자.

같은 시간 속에 살아가지만 서로 다른 '시간'을 지닌 그들을 통해
시간의 의미를 다시 그려보고자 한다.

등장인물

김혜자 (25세)

시간을 되돌리는 능력뿐?인 무능력한 취준생

성실한 아버지와 자상한 어머니 밑에서 긍정적이고 배려심 있게 성장했다는 자기소개서 첫 줄처럼, 어쩌면 지극히 평범한 대한민국 25세 젊은이.
철없다는 소릴 들을 정도로 밝고 명랑하다. 불의를 보면 못 참는 걸크러시 한 면모도 있다. 가장 큰 장점은 제 주제를 잘 파악한다는 것.

지극히 평범한 그녀지만 단 한 가지 특별한 것이 있다면, 바로 또래보다 조금 '나이 들어 보인다'는 것이다.
이런 '노안'을 갖게 된 것은 아빠의 택시를 타고 가족들과 바다로 놀러 갔던 그날, 모래사장에서 우연히 '시계'를 줍게 되면서부터였다. 시곗바늘을 돌리면 시간을 되돌려주는 신비한 시계는 혜자를 '시간 능력자'로 만들어주었다. 혜자는 아침에 5분 더 자기 위해, 쪽지 시험을 다시 보기 위해 시계를 돌렸고, 시계는 그만큼 혜자의 시간을 남들보다 빨리 흐르게 만들었다.

처음엔 선택받은 히어로인가 싶었지만, 제 주제를 잘 파악하는 게 장점인 만큼
스스로 그 정도는 아니다 싶어 고심하던 그때, 집에 놀러 온 오빠 친구들의 "니네 동생 목소리 죽인다"라는 말에 꽂혀 '아나운서 지망생'이 되었다.

하지만 현실은… 졸업반이 되도록 마이크 한 번 제대로 못 잡아본 화석선배.
신문방송학과에 들어가 대학교방송국 아나운서가 된 것까지는 딱 좋았는데…
면접은커녕, 1차 서류부터 광탈!
아나운서는 목소리 하나 예쁜 걸로는 턱없이 부족했고, 그 예쁜 목소리도 같은 꿈을 꾸는 이들 사이에선 눈에 띄지 않았다.

그.런.데. 대학교방송국 연합 MT에서 만난 그 사람, 이준하는 정반대의 사람이었다.
입학하자마자 교내 방송국에 들어와 신입생 최초로 메인앵커자리에 앉은 것은 고사하고, 탈인간급 스펙에 준수한 외모, 세상 여자 대학살 수준의 꿀보이스까지 가졌다는 전설의 소유자. 여자애들은 모두 그 애에게 잘 보이려 틈만 나면 애정 공세를 펼쳤지만, 혜자는 잘 알고 있었다. '완벽한 남자는 절대 나와 연결되지 않는다'라는 것을…

그러나 세상에 '절대'라는 법칙은 없다는 것을 알려주기라도 하듯 계속해서 그 애와 부딪혔다. 포장마차에서 우동을 먹다 만나도, 동네 입구 버스정류장에서 만나도, 준하를 만날 때면 꼭 시계를 사용하는 기분이 들었다. 가지런한 미소와 함께 날리는 팩트폭행에 마치 시간을 돌릴 때처럼, 혈압이 올라가고 주름살이 늘어날 것만 같았으니까.
늘 동네 어귀에 앉아 둘을 지켜보던 할아버지는 이상한 소리를 해댄다.
'가랑비에 옷 젖는 줄 모른다더니 둘 다 홀딱 젖는 줄 모르네!'라고…
할아버지 말대로 가랑비에 젖었던 건지, 준하를 만나며 조금씩 촉촉한 기분이 들 때쯤… 혜자의 인생에 가랑비가 아닌, 강력한 허리케인이 찾아오고야 말았다.

이준하 (26세)

기자 지망생, 꿈을 향해 앞만 보고 내달리는 경주마 같았던,
모든 것이 과거형이 되어버린 남자.

언론인 스펙은 기본, 훤칠한 외모로 수트발, 화면발까지 잘 받는 반인반신 급에 신뢰감 뚝 뚝 묻어나는 언변과 취재할 땐 물불 안 가리는 강직한 성품으로, 졸업과 동시에 3사 언론사의 최종면접만 남은 예비 언론고시 3관왕.

금수저라는 소문과 달리, 실상은 중학교 때부터 그의 손을 거치지 않은 알바가 없다. 알코올중독에 도박에까지 손을 댔던 아버지로 인해 어머니가 일찍이 집을 나가면서 할머니 손에 자라왔다.

그래서일까, 그의 지인들은 말한다. 그에겐 '보이지 않는 벽'이 있다고. 그는 늘 다정히 대해주어 모든 문을 활짝 열어놓은 것처럼 보이지만 정작 가장 안쪽의 방충망만은 절대 열어주지 않는 사람이라나.

그런데 방충망을 비집고 들어오려는 이가 나타났으니, 그것은 바로 혜자.
처음 만났을 때부터 자신과 전혀 다른 유형의 사람이라는 걸 본능적으로 알 수 있었다. 얼굴에 감정이 고스란히 드러나고, 하고 싶은 말은 그때그때 솔직히 털어놓고, 뭣도 없으면서 당당한 태도까지. 마치 한 번도 상처받지 않은 것만 같았다.

하지만 N극이 S극을 끌어당기듯, 어쩐지 계속해서 끌린다.
험난한 기자 취업 준비와 고된 아르바이트를 끝내고 동네 어귀 포장마차에 들어설 때면 뜨끈한 우동 국물을 마시며 환하게 웃는 혜자가 있다. 단지 그뿐인데, 혜자 옆자리에 앉아 우동 한 그릇을 먹을 때면, 잊고 살던 웃음이 새어 나온다.
그렇게 혜자라면 방충망을 열고 마음을 내보여도 되지 않을까… 하던 즈음, 집 나갔던 아버지가 돌아왔고, 아버지의 괴롭힘이 새삼 시작되었다.
그리고… 혜자마저 사라졌다.

그 후, 준하는 180도 달라졌다. 삶은 무의미해졌고, 그저 살아있으니 사는 것이 되었다. 그냥 이대로 시간이 빠르게 흘러 죽어버렸으면 좋겠다 싶은 찰나, 한 사람이 준하 앞에 나타난다. 혜자는 아닌데, 절대 혜자일 수 없는데, 혜자 같은 그 사람. 젊은 놈이 인생 그 따위로 사는 거 아니라며 참견질을 해대는 이상한 할머니. 그런데 왜 자꾸 그 할머니와 혜자가 겹쳐 보이는 걸까?

아빠 (56세)

혜자 父, 딸바보 택시 기사

모범운전자 표창을 2번이나 받았을 정도로, 성실의 아이콘이다.
기본요금만 내는 근거리 손님이든, 시외 할증이 붙은 장거리 손님이든 차별 두지 않고 정성을 다해 모신다. 셈에 밝은 마누라는 그를 보며 답답해하지만, 사람 그렇게 사는 거 아니라고 묵묵히 성실히 살다 보면 보상까진 아니더라도 예상을 크게 벗어나진 않을 거라 생각했다.

그런데… 배신을 당했다. 순간의 택시 브레이크 사고로 한쪽 다리를 절게 된 것으로도 모자라 설상가상, 25살 꽃다운 딸이 하루아침에 70대 노인이 되어버렸다.
아나운서 최종면접에 합격하기 위해 시간을 계속 돌리다 늙어버렸다는 딸.

할머니가 되어버린 딸이 주름진 입술로 처음 내뱉은 말은 "아빠… 택시 안 하면 안 돼…?"였다. 그래서 30년간 몸담았던 직장을 바로 정리하고, 아파트 경비 일을 하고 있다. 한쪽 다리는 쓰지 못하게 되고, 밝은 아내도 한숨만 쉬어대니… 점점 말수가 적어지고 웃음이 사라진다.

엄마 (50세)

혜자 母, 25년째 미용실 겸 동네 사랑방 운영 중

이 동네에서 파마 마는 실력은 최고라 자부한다. 특히, 파마 오래가게 하는 데는 세계 최고다.
뒷감당을 못 할 정도로 솔직하고 화끈한 성격이지만, 오히려 사람에게 벽치지 않는 솔직하고 화통한 화법으로 마음을 편하게 해주는 재주가 있다.
그래서 미용실은 항상 뻥튀기 한 봉지, 삶은 옥수수 한 소쿠리씩 들고 수다 떨러 오는 손님들로 붐빈다. 손님들은 인형 눈알 붙이기, 마늘 까기, 봉투 접기 같은 소일거리도 미용실에 가져와 하고, 끼니도 미용실에서 직접 해 먹는다.

그런데 늘상 웃음소리가 끊이지 않던 정은의 얼굴에 웃음보다 한숨이 더 많이 나오게 되었으니… 어느 날 갑자기 자신보다 훌쩍 늙어버린 딸이 생겨버린 까닭이다.
하릴없이 미용실에 나와 말없이 바닥에 떨어진 머리카락이나 쓸고 있는 나이 든 딸을 보고 있자니 속이 터지다 못해 문드러진다.

김영수 (29세)

혜자 오빠, 허세 넘치는 '영수 방송' 크리에이터

말이 좋아 크리에이터지 백수나 다름없다.
언제부턴가 이제 대세는 1인 콘텐츠라며 백날천날 방구석 컴퓨터에 앉아 먹방, 쿡방, 겜방, 스포츠방송 등등 닥치는 족족 하는 중이다. 가족들부터 동네 사람들까지 모두 혀를 차며 한심하다는 눈빛을 쏘아대지만… 조금만, 조금만 더 기다리면 곧 대박이 날 거라 믿어 의심치 않는다.

처음엔 늙어버린 여동생이 안쓰럽고 짠하더니 점차 동생 괴롭히던 예전 버릇이 나온다.
'김혜자~ 이리 와 봐!! 불 꺼줘', '방송할 거니까 라면 끓여와!!'
참다못한 혜자는 생방 중인 그에게 돌려차기를 날려 버렸고, 그 모습은 여과 없이 그대로 공개되었다. 그런데… 반응이 폭발적이다!
이제까지 부려 먹던 게 동생인 줄 알았더니 할머니였냐며 '패륜 손자 한 방 먹이는 방송'으로 급부상한 것. 영수 방송을 시작한 이래 역대급 별풍선도 받았다.
그날 이후, 혜자에게 출연료를 지급하며 '특별 게스트'로 극진히 모시고 있다.

방송을 안 할 때면, 낡은 슬리퍼를 끌고 어슬렁어슬렁 방송 콘텐츠를 찾기 위해 동네를 돌아다닌다. 어째 그때마다 혜자의 친구이자 친동생이나 다름없는 현주와 마주치는데,

매번 현주는 중국집에 데려가 짜장면에 군만두 두어 개를 튀겨 내오며 '인간아 사람 좀 돼라', '뭐 먹고 살려고 그러냐' 등등 잔소리를 쏘아댄다. 엄마의 잔소리, 동생 혜자의 잔소리는 면역이 생긴 지 오래건만, 어째서 현주의 잔소리는 가슴에 푹푹 꽂혀 아프기만 한 걸까.

김희원 (42세)

'홍보관(노치원)'의 대표

인생은 한 방이야!

일생을 쫓기듯 허덕이며 살아온 하루살이 인생이지만, 늘 인생 역전시켜줄 최고의 한 방거리를 찾아 헤맸다. 그리고 꿈은 이루어졌다. 미래의 블루오션은 '실버산업'이라는 계산하에 없는 돈 끌어모아 노인들의 유치원, 일명 '노치원'이란 홍보관을 차렸다.
소위 대박이 났다. 구성지게 트로트 한자락 부르고, 엄마~, 아부지~ 하며 살갑게만 굴어주면 만병통치약으로 둔갑한 싸구려 건강식품이 날개 돋친 듯 팔려나갔다.

처음엔 딱 이정도만 하려고 했다. 그런데 생각보다 잘돼도 너무 잘된다. 꿈은 크게 가질수록 좋다고, 남자로 태어나 더 큰돈 한 번 만져봐야 하는 거 아닐까. 학교 다닐 때 공부는 못했으면서 이런 머리는 왜 이렇게 잘 돌아가는 건지, 노인들을 상대로 인생 역전할 굿 아이디어가 떠올랐다.

윤상은 (25세)

혜자의 절친, '목포의 눈물'이 애창곡인 7년째 아이돌 지망생

사람은 체질적으로 태양인, 태음인, 소양인, 소음인으로 나뉜다는데…
상은은 태생적으로 가장 마음 약한 '소심인'이다. 미용실에서 해준 머리 스타일이 마음에 안 들어도 불평 한 번 못하고, 전화하는 게 버거워 배달 음식은 현주네 짜장면만 먹는다.

그런데 남들 앞에서 춤추고 노래하는 가수가 되겠다니! 상은이 처음 연예기획사와 가수 계약을 한다고 했을 때 혜자와 현주는 무조건 사기라며 상은을 만류했었다. 그녀의 노래를 듣기 전까진… 노래를 부를 때의 상은은 소심인이 아니었다. 갸날픈 외모와 어울리지 않는 허스키한 목소리로 담담히 부르는 노래는 듣는 이의 마음을 울컥하게 만들었다.

문제는 그 목소리가 아이돌을 하기엔 영 어울리지 않는다는 것. 결국 상은은 7년간 몸담았던 회사로부터 '계약 해지'라는 청천벽력 같은 소식을 듣게 되는데…

이현주 (25세)

혜자의 모태절친,
책가방 대신 철가방을 선택한 시크한 중국집 배달부.

또래답지 않은 시크함과 냉랭함을 가진 현실주의자. 화교인 아버지가 차별받고 고생하는 것을 보고 자라 그런지, 염세적인 면도 있다.

현주는 동네에서 가장 오래된 중국집 외동딸로, 어릴 적엔 양복을 입고 회사에 다니는 친구 아버지들과 달리, 춘장이 튄 조리복을 입고 외상값을 받으러 다니는 아버지가 부끄러운 적도 있었지만 지금은 아버지의 중국집을 물려받기 위해 철가방 배달일부터 배우고 있다.

철가방 배달부는 생각처럼 만만한 게 아니었다. 철가방 든 한쪽 팔은 점점 두꺼워졌고, 헬멧을 쓴 얼굴에는 땀띠를 달고 살아야 했다. 가장 참기 힘든 건 '여자 배달부'를 대하는 따가운 시선과 태도. 그럴 때마다 현주를 북돋아 주는 존재가 있었으니… 그것은 한 동네에 태어나 서로 엉덩이에 난 점 모양까지 아는 모태절친 혜자…가 아닌 혜자의 친오빠 '영수'다. 집에 처박혀 게임만 해대고, 1인 방송을 한다고 설쳐대는 그를 볼 때마다 '저렇게 살지는 말자'라며 나태해진 마음을 다잡을 수 있었으니까…

요즘 들어 영수 오빠가 더욱 눈에 거슬린다. 혜자가 갑자기 할머니가 되는 바람에 아줌마, 아저씨 얼굴에 엷던 주름이 더 움푹 파였는데… 그 집 아들이자 오빠란 인간은 그런 할머니를 이용해 1인 방송 대박을 내보겠다며 난리다. 동생인 혜자마저 포기한 이 철없는 남자를 어떻게 '사람' 만들까 심각하게 고민 중이다.

샤넬 (73세)

우아하고 교양 넘치는 일명, '샤넬할머니'

일흔이 넘은 나이에도 타고난 외모와 분위기로 찰떡같은 샤넬 소화력을 자랑하는, 우아함의 결정체. 하지만 현실은, 재수탱이 할머니. 늘 고고하게 샤넬 백을 들고 다니며 '교양'을 챙기는 통에, 교양보단 편안함이 최고인 노인들 사이에선 기피 대상 1순위다.

남편이 갑작스레 세상을 뜨면서, 부족함 없이 살아온 그녀의 인생에 그늘이 드리우기 시작했다. 남편의 사업을 물려받은 외아들은 무리하게 사업 확장을 하다 재산을 모두 탕진해버렸고, 제2의 인생을 시작하고 싶다며 처자식을 데리고 미국으로 떠나버렸다. 처음이자 마지막으로 '샤넬 백'을 선물로 안겨주고는…
그날 이후, 샤넬 백은 그녀에게 단순한 가방이 아닌, 아들 대신이 되었다.

미국에 간 후로, 연락이 뜸해진 아들. 아들에 대한 걱정이 커져갈 즈음, 말 통하는 친구 희선 씨를 만나게 된다. 더불어 아들에게 편지를 보낼 수 있게 되니 요즘 가장 살 맛 난다.

Episode 1

S# 1　　영수 방 (N) - 프롤로그

좌식 책상에 놓인 컴퓨터와 그 옆에 켜진 스탠드 하나.
화면이 컴퓨터 모니터처럼 오른쪽에 채팅창이 뜨고.

[방제 무식사, 무화장실, 무편집 48시간 잠방 도전!]

[참여인원 8명]

채팅창도 보다가 잠든 듯 아무런 글이 안 올라오는데

['혼돈의 카오스'님이 입장하셨습니다.]

[혼돈의 카오스 : 이 방 무슨 방임?]

[쳐자는 거 보면 몰라 잠방이지]

그때 영수 자세 바꾸면서 목 긁고.
그러곤 잠든 듯 자연스럽게 손이 바지춤으로 들어가자

[ㅋㅋㅋ]

[나인 줄]

[19금 걸자]

[영자 뜨면 영정이다]

그때 닫혔던 문 끼익 열리며 거실 불이 새어 들어오는데
그 불빛을 등지고 서 있는 누군가의 실루엣.

[헐 누구임?]

[재 좀 깨워주세요]

[기술 가르쳐서 공장 보내요!]

[깨우면 별사탕 100개]

혜자 (한참 쳐다보다가) 전기세 1원도 못 버는 주제에… 컴퓨터나 끄고 자던가….

누군가 천천히 컴퓨터를 끄러 다가오자 얼굴이 보이는데 할머니 혜자.

[헉! 곤지암 귀신이다]

[할머니네]

[아무것도 안 해도 할머니가 더 재밌다]

혜자 (화면을 물끄러미 보다가) 뭐야… 방송 중이네? (눈 가늘게 뜨고 읽으며) 48시간 잠방 도전? 잠방이 뭐야…

[잠만 자는 방송]

[처 누워서 별사탕 버는 방송임]

[개편한 세상]

혜자, 채팅창이 잘 안 보이는 듯 눈을 가늘게 뜨고 봤다가 그래도 안 되겠는지 아예 화면 앞에 와 앉고, 그래도 안 보이자 화면에 바짝 다가앉고.

혜자 (채팅창 천천히 읽으며) 잠만 자는 방송… 그걸 왜 봐?

[ㅋㅋㅋ]

[근데 할매 몇 살?]

[백악기부터 살았을 것 같다]

[어른한텐 연세라고 하는 거다]

[선비충 극혐]

혜자 (채팅창 보다가) 나? 몇 살이냐고? (가만히 있다가)… 스물다섯.

[ㅋㅋㅋㅋ]

[ㅋㅋㅋㅋㅋ]

[헐!!]

순간 채팅창에 'ㅋㅋㅋ'로만 도배되고
별사탕 터지고 난리 나는데 혜자만 평온하게 양손으로 턱 괴고 화면 보는 데서.

혜자 (Na) 안녕하세요. 내 이름은 김혜자. 올해로 스물다섯입니다.
믿기지 않겠지만.

TITLE.

S# 2 한적한 바닷가 (D)

파도치는 소리가 들리는데 은박 돗자리에 선글라스를 쓰고 대자로 누워있는 젊은 혜자.
햇빛을 느끼는 듯 팔다리도 퍼덕퍼덕 거려보고.

혜자 (Na) 나는 대한민국의 지극히 평범한 스물다섯의 여자입니다.

영수 (OFF) 야 김혜자!

혜자, 짜증 난 듯 선글라스 내리는데 눈부신 햇살.

혜자 (Na) 시대에 맞지 않게 고풍스런 이름만 빼고 말이죠.

언제 왔는지 어느새 다가와서 혜자를 내려다보고 있는 영수.

혜자 (일어나 앉으며) 큰소리로 이름 부르지 말랬지. 공공장소에선…

영수 (돗자리에 앉으며 바싹 붙어) 혜자야! 오빠 덥다. 옆으로 가!

혜자 내가 먼저 앉아 있었잖아.

영수 그니까 옆으로 가라고.

혜자 안 가!

영수 안 가? (혜자 옆으로 더 바짝 앉는) 그래 누가 불편한가 보자.

혜자 (바짝 붙어) 내가 꼼짝하나 봐.

아빠 (다가오며) 둘 다 안 덥냐?

영/혜 더워.

영수 비켜라 쪼그만 게.

혜자 중학교 때까진 내가 더 컸거든.

영수 그때 키 그대로잖아! 비키라고!!!

혜자 싫다고!!

그때, 혜자, 영수 등짝으로 날아오는 스매싱!!
혜자, 영수 "아! 아!" 돌아보면,
엄마 서 있다.

엄마 이것들이 여기까지 와서도 싸워? 안 떨어져?

혜/영 (입 삐죽 내밀고 떨어지는데)

손에 신문지 들고 돗자리에 앉는 엄마.

아빠 돗자리 있는데 신문지는 뭐하게.

엄마 (신문 척척 접으며) 아니 얘. 혜자, 햇빛이 강한데 모자도 안 갖고 왔길래. (신문지로 모자 만들어서 혜자 씌워주고) 티비 나온다는데 누구네처럼 비싼 피부과는 못 보내주니까. 쓰고 있어. 기미 생겨.

아빠 (혜자 보며 괜히 싱긋 웃고)

혜자 차… 때리지나 말든가…

엄마 쯧. (한쪽 가방에서 찬합 꺼내 차리며) 탈렌트든 가수든 아나운서든 티비에 얼굴 비추는 직업은 무조건 온 집안이 다 달라붙어서 도와줘야 된다는데 우리야 뭐… 그리고 너 올해까지 삼재야. (김밥 혜자 입에 넣어주고)

혜자 (심란한 표정으로 김밥만 씹는 Na) 내 꿈은… 아나운서… 입니다.

영수 어머니 저 대학 떨어지고 재수할 때랑 너무 대우가 다른 건 기분 탓인가요?

엄마 응. 기분 탓이야.

영수 (억울한 표정)

엄마 (영수 표정 보곤) 재수한다는 놈이 신생아보다 더 퍼 자는데, 대우가 좋겠니? 너 같으면? 신생아면 꿈과 희망이라도 있지.

영수 (김밥 들며) 저도 꿈과 희망이 있습니다. 어머니. 제 꿈은 삼겹살을 먹는 겁니다.

김밥 먹으려던 영수, 엄마 찌릿하자 김밥 떨어뜨린다.
무심코 멀리 던져버리려다 엄마 눈치를 보는데

엄마 (계속 찌릿)

영수 (던지려던 김밥을 그대로 가져와 입에 넣고 씹는다. 썰그럭 썰그럭)

아빠 (엄마 눈치 보며 김밥 먹는 모습 위로)

영수 (혜자에게 작게) 아 진짜… 야 너 좀 알아봐.

혜자 뭘?

영수 다 큰사람도 어디 좋은 양부모한테 입양 보내주는 그런 데 없는지.

혜자 (Na) 네… 지극히 평범한 우리 집안의 모습입니다.

혜자 (영수 보고 입맛 떨어진 듯 자리에서 일어나고) 좀 걷다 올게.

Cut to

혜자, 파도를 피해 가며 바닷가를 걷고 있다.
그때 혜자, 모래사장에서 반짝이는 무언가를 발견!
모래를 파보는데 낡은 손목시계가 나온다. 여전히 작동하는 시계.
그리고 그 시계를 집어 드는 혜자. 어느새 수영복 차림의 5살 혜자로 바뀌어 있다.

혜자 (Na) 나에게 이 바닷가는 특별한 의미가 있는 곳입니다. 바로 이 시계를 주웠기 때문이죠.

S# 3 바닷가 (2씬과 동일 장소 D) - 회상

수영복에 튜브를 허리에 낀 5살 혜자, 시계를 신기한 듯 들여다보고 있다.
햇빛을 받아서인지 유난히 반짝이는 시계의 시침과 분침.
혜자, 손목에 차보고는 신기한 듯 시계 분침을 이리저리 돌려보는데

어린 영수 (수박 한 손에 들고) 야! 받아랏!!

어린 영수, 입에 가득 물고 온 수박씨를 투투투투 뱉어내기 시작하고
어린 혜자, 무방비 상태로 수박씨 공격을 받는다.

어린 혜자 (시계를 꼭 쥔 채 얼굴 가리며) 하지마아!! 엄마아아!!

이때 시계의 분침이 돌아가는 모습 보이고는

// 잠시 후
다시 모래사장에 반짝이는 무언가를 보고 있는 어린 혜자,

이게 뭔 일이지? 어리둥절해하며 다시 파보면 아까의 그 시계다.
그때 다시 어린 영수의 수박씨 공격을 받고
혜자, 다시 시계를 든 채 얼굴을 가리자
시계 분침 돌아가는 모습 보이고는 다시 원점으로.

// 그렇게 혜자의 시계와 영수의 공격이 반복되는 몽타주 보이고 나서

어린 혜자 (신기한) 뭐야…

저 멀리서 수박을 먹으며 달려오는 어린 영수 모습이 보이고.
혜자, 상황 파악이 된 듯 이젠 여유로운 표정으로 시계 분침을 만져 시간을 돌리고
영수의 무차별 수박씨 공격을 여유롭게 이쪽저쪽으로 다 피해버린다.

혜자 (Na) 바닷가에서 우연히 손에 넣은 그 시계는 다름 아닌 시간을 돌릴 수 있는 시계였습니다. 왜요? 뭐가 이상한가요? 우리 다들 바닷가 가면 시간 돌리는 시계 하나씩은 줍고 그러잖아요?

S# 4 몽타주

혜자 (Na) 암튼 그 놀라운 시계를 손에 넣은 난, 마치 신이라도 된 듯 흥분했습니다. 어린 나의 인생에도 후회되고 아쉬운 일은 너무도 많았기에

혜자 방
자고 있던 혜자를 깨우는 엄마
졸린지 하품하며 시계를 돌리는 초등학교 1학년 혜자

혜자 (Na) 아침에 5분 더 자기 위해…

초등학교 2학년 교실

산수 쪽지 시험지 받아 든 혜자. 시험지에 크게 적힌 12점.

혜자, 결심한 듯 가방에서 손목시계를 꺼내 들고.

혜자 (Na) 쪽지 시험을 좀 더 잘 보기 위해,

Cut to

다시 산수 시험 치는 혜자. 열심히 풀고.

초등학교 4학년 교실

쉬는 시간의 아이들. 떠들고 놀고 있는데 갑자기 드르륵 열리는 교실 앞문.

덩치큰남자애 야! 이 반 짱 누구야!

아이들 (마치 약속한 것처럼 뒤쪽으로 돌아보며) 혜자야~

혜자 (Na) 그렇게 특별한 손목시계를 연신 돌려대던 나는

남자애, 앞으로 누군가 걸어 나와 서는데.

남자애, 위로 올려다보면.

성숙한 외모와 월등한 키를 자랑하는 혜자가 서 있다.

남자애, 바로 겁먹고 딸꾹질하는.

혜자 (Na) 시간을 돌린 대가를 혹독히 치러야 했습니다. 되돌린 시간만큼 더 빨리 가버리는 나의 시간.

목욕탕 요금 내는 곳
목욕 바구니를 든 엄마와 엄마 손을 잡고 머쓱한 표정으로 서 있는 혜자.

주인 (의심의 눈초리) 중학생 같은데…

엄마 (익숙하다는 듯 접어서 넣고 다닌 꼬깃꼬깃한 출생증명서 건네주고)

주인 (혜자와 증명서 번갈아 보며 의아한 듯)… 애가 많이 성숙하네…

미용실
영업 끝난 미용실에서 뭔가 심각하게 얘기 나누고 있는 엄마와 아빠.
한쪽에 숨어서 그런 엄마와 아빠를 쳐다보는 어린 혜자.

혜자 (Na) 너무 빨리 자라는 절 보며 애써 걱정을 숨기는 아빠 엄마였지만 한숨만은 점점 늘어만 갔습니다.

어린 혜자, 손에 손목시계를 쥐고 입술을 깨무는.

혜자 방
혜자, 결심한 듯 시계를 작은 보석함에 넣어서 옷장 안쪽에 깊이 넣어두고는
문을 닫는다.

혜자 (Na) 결국 난 더 이상 시계의 힘을 빌리지 않기로 결심했습니다.

중학교 교실
친구들과 놀고 있는 중학생 혜자.
그때 선생님 들어와서 종이 나눠주고.
공란에 적힌 '장래 희망'

혜자 (Na) 또래들보다 성숙했던 외모가 대충 엇비슷해져 갈 때쯤 난 다시 고민에 빠졌습니다.

혜자 집 거실

오빠와 과자 먹으며 TV 보고 있는 혜자.

TV에서는 슈퍼맨 같은 히어로물 영화가 나오고 있고.

히어로가 위기에서 사람들을 구해내는 장면.

혜자 (Na) 어떤 히어로 영화나 만화를 봐도 비범한 능력을 갖고 평범히 사는 사람은 없었기 때문이죠. 혹시 이 능력은 인류를 구하기 위해 내게 주어진 게 아닐까…

혜자, 완전 빠져든 듯 TV를 보고 있는 눈동자

혜자 (Na) 내가 시계를 주운 게 아니라 시계가 지구상의 수많은 인간들 중 날 선택한 게 아닐까. 전 인류를 위한 히어로가 되라고!

중학교 교실

수학 수업 중 졸다가 깜짝 놀라서 깨는 혜자.

혜자 (Na) 제일 먼저 떠올린 지구를 구하는 과학자는… 중학교 때 수포자가 되면서 장래 희망에서 광속 탈락…

체육 시간

출발선상에서 사뭇 진지한 표정의 혜자.

호루라기 소리와 함께 제일 진지한 표정으로 튀어 나가는데

카메라 빠지면 이미 꼴찌, 그것도 현저하게 차이 나는.

Cut to

윗몸 일으키기를 하는데 한 개도 못 하고 쩔쩔매고 있다.

혜자 (Na) 그다음으로 인류를 위기에서 구해내는 우리의 히어로는… 굼벵이에 턱없는 근력의 소유자라는 것을 깨달으며 상처만 남긴 채 나의 장래에 대한 방황은 끝이 났습니다.

거리 일각
걸어가고 있는 혜자.

혜자 (Na) 하지만 항상 인생이란 어느 방향으로든 굴러가게 되어 있었고
영수 (OFF) 야 김혜자! 어디 가냐?

혜자, 소리 난 쪽으로 돌아보는데 영수와 잘생긴 오빠 친구가 같이 서 있고.

혜자 (바로 인상 구겨지며) 왜?
영수 야. 얘가 걔야. 니가 접때 말한 그거. 전화.
잘생긴 친구 아. 그 목소리 예쁜 동생?
혜자 (두근두근해서 쳐다보는)
영수 우웩… 어디가?
잘생긴 친구 왜. 그 TBC 장은주 아나운서 목소리 닮았던데. 나 장은주 아나운서가 이상형인데. (웃으며 혜자 보는)

이미 혜자, 잘생긴 친구에 시선 고정.
머릿속에 울리는 잘생긴 친구의 목소리

잘생긴 친구 (E) 아나운서가 이상형인데… 아나운서가 이상형인데…

대학교 교정/ 방송반
방송반에서 방송 준비를 하는 혜자,

혜자 (Na) 그렇습니다. 금사빠 김혜자는 그렇게 우발적으로 히어로와 전혀 상관없는 아나운서가 되기로 마음을 먹습니다.

혜자, 앵커처럼 자세 잡고 앉아 있고, 피디 신호 주면.
혜자의 청명한 목소리 대학교에 울려 퍼진다.

혜자 학우 여러분께 알립니다! 지난번 국문학과 체육대회 때, 돼지잡기 게임 상품으로 받은 새끼돼지를 분실했다고 합니다. 보신 분들은 국문학과 사무실로 연락주시기 바랍니다. HBS 김혜자는 내일도 최선을 다하겠습니다.

피디 (끝난 신호 주면)

혜자 (마이크 손으로 가리키며) 아나운서가 이런 것까지 방송해야 돼요?

피디 경험 쌓는다고 생각해…

S# 5 동네 전경 (D)

단층과 2층 단독주택이 섞여 있는 오래된 동네 전경.

S# 6 혜자 방 (D)

혜자, 책상에 앉아서 입에 볼펜 끼우고 발음 교본을 읽고 있고

혜자 (볼펜 끼운 채) @#$%$#%… (침 줄줄 흐르자 손등으로 닦다가 볼펜 내던지고) 진

짜 아무 의미 없다. 아무 의미 없어. (침대에 벌렁 눕고 E) 신석기 시대에 태어났으면 좋았을 텐데… 그땐 먹고, 싸고, 자고, 살아만 있어도 아무도 백수라고 욕 안 했을 거 아냐. (ON) 뭐 먹고 살래 혜자야. 혜자야아…

영수 (OFF/O.L) 혜자야!! (급박해진다) 김혜자! 혜자야!

혜자 (침대에 그대로 누운 채) 아 왜?

영수 (숨넘어가는 OFF) 아!! 으으으으… 혜자야… 아…

혜자 (심상찮다 싶어서 얼른 일어나서 가보는데)

S# 7 영수 방 (D)

혜자, 우당탕 문 열고 들어가며

혜자 (놀란) 왜? 무슨 일인데?

영수 (침대에 평온하게 누워서 만화책 보며) 불 좀 켜주라. 갑자기 미세하게 어두워졌어.

혜자 야! 손만 뻗으면 닿겠구만 그게 귀찮아서 날 부르냐?

영수 (여전히 만화책 보며) 이거 새 책이라 손 떼면 책장 넘어간다고. 흐름 끊긴다고. 얼른 좀 켜봐.

혜자 (짜증 나서 쳐다보다가 결국 불 켜주고 가려는데)

영수 김혜자!!

혜자 또 왜에~~~

영수 (심각한 표정으로) 잠깐 시간 좀 있냐?

혜자 (영수가 심각하게 얘기하자 좀 걱정)… 왜 …뭔데?

영수 (심각) 시간 있으면… 그 얼굴 좀 어떻게 좀 해봐. (다시 만화책 보고)

혜자, 짜증 나서 쳐다보다가 베개를 빼서 영수 패버린다.

S# 8　혜자 집 거실 (D)

혜자, 영수 방에서 나오다가 돌아서 노려보며

혜자　확! 씨이~

엄마　(손에 염색약 묻은 채로 들어와서 화장실로 가고)

혜자　왜? 미용실에 물 또 안 나와?

엄마　(손 씻으며) 몰라. 또 찔찔찔해. 손님 들이닥치는데 언제 씻어 그걸로.

혜자　(화장실 벽에 기대서 엄마 보며) 염색할 때 장갑 끼라니까. 그러니까 손가락 껍질이 다 벗겨지지.

엄마　(손 씻고 대충 닦으며) 장갑 끼고 벗고 할 시간이 어딨어. 염색하고 커트하고 끝나면 바로 롯뜨 말아야 되는데… (다시 미용실로 나가는데)

혜자　손님 많지? 도와줘?

엄마　(나가면서) 됐어. 너 할 거나 해.

혜자　(신경 쓰이는 표정)

S# 9　미용실 안 (D)

할머니, 아줌마 손님들이 뻥튀기 나눠 먹으며 깔깔거리고 웃고 있는 낡은 미용실.
엄마, 할머니1 머리 잘라주고 있는데 혜자 나오고.

혜자　(손님들에게 꾸벅 인사) 안녕하세요.

엄마　(커트하며) 왜 나왔어.

혜자　(익숙한 듯 파마 말아놓은 할머니2 머리 풀어서 체크하고) 중화할게.

할머니1　아이고. 혜자도 전문가 다 돼뿠네. 척 보면 척이네.

할머니2　하긴. 애기 때부터 들은 풍월이 있는디. 혜자가 계속 이 미용실 이어서 하면 우리도 좋…

엄마 (O.L) 아나운서 할 거예요, 우리 혜자. 나도 얘 아나운서 되면 미용실이고 뭐고 다 팔아버리고 여행이나 다닐 거야. 지겨워.

혜자 (할머니2 머리에 중화제 뿌리면서 표정이 어두워지고)

할머니1 아나운사? 그 뉴스에 나오는 그거? 옴마야… 우리 혜자가 그기 되믄 진짜 가문의 영광이고 동네의 자랑이네. 미리 악수 좀 해놔야겠다 그제? (손 내밀어서 혜자 손잡고)

혜자 (어색하게 웃으며) 그냥 시험만 보는 거예요.

S# 10 거리 전경 / 호프집 안 (N)

'호정대학교 방송반 홈커밍데이' 현수막이 걸려있고 다들 시끌시끌 즐거운 분위기.
그때 마이크 '삐익!' 소리 나자 다들 인상 찡그리며 소리 난 쪽 보는데
마이크 들고 서 있는 혜자.

혜자 아아 마이크 테스트. 췍췍… 아 오늘 참가비 아직 미납하신 멋진 분들이 계셔서… (종이 보고 읽으며) 강준수 선배님, 이남규 선배님, 은지수 선배님…

광수 야 넌 학교 다닐 때도 총무 하더니 지금도 총무 질이냐?

혜자 그리고 박광수 너님. 술 먹고 개 돼서 물기 전에 얼른 납부 해주세요.

혜자, 안내 멘트 마치고 테이블로 돌아와서 자리에 앉고.

혜자 아니 잘나가는 영업사원 되셨다면서 왜 참가비는 꿀꺽이시래?

광수 잘 나가긴… 그래서 말인데 (가방에서 보험 서류 꺼내며) 동기사랑 나라사랑 아니냐. 하나만 들어줘.

혜자 야 너 뭐 들었어. 나 백수라고. 내가 매달 보험 넣을 돈이 있으면 백수겠니? (하다 관심 있는 듯) 근데 니네 회사 들어가는 거 힘드냐? 영어는 기본이지?

광수 왜? 이거 하게? 아나운서 한다며?

그때 입구 쪽에 샤랄라한 원피스를 입고 등장한 후배 서현.
혜자 테이블을 비롯한 모여 있던 사람들 시선 다 서현 쪽 향하고.

일동 어 서현이 왔네!/ 어 왔어?/ 서현아!/ 어 TBC 아나운서다!

서현 어머 제가 너무 늦었죠. 죄송해요.

광수 (혜자 옆으로 밀며) 서현아, 이리로 와. 여기 자리 있어. (혜자에게) 똥집이 왤케 무겁냐. 안 밀려.

혜자 (어쩔 수 없이 자리 좀 옆으로 땡겨주고)

서현 (혜자와 광수 사이에 앉으며) 아 안녕하세요. 안녕하세요. (그러면서 혜자에게 반갑게 인사) 어머 선배. 잘 지내셨어요? 늦어서 죄송해요. 현종 선배가 내일꺼 뉴스 멘트 지도해주신다고 해서…

광수 오~ 김현종 앵커? 친해?

서현 뭐 신입이니까… 저 말고 다른 아나운서들 멘트도 손봐주시고 하세요.

동기1 서현이는 벌써 아나운서티가 난다.

서현 에이. 이제 1년 차 새내긴데요. 방송국 지리도 이제 겨우 외웠어요.

광수 대단하다. TBC 아나운서라니. 야 우리 호정대 방송국에서도 6년 만이지? TBC 합격자 나온 거?

서현 어머 그렇게 되나? 호호호 (웃고)

다들 서현한테 뭐라도 물어보고 친하게 지내려는 분위기.
혜자, 서현 잔이 빈 걸 보고 맥주 따라주는데

서현 아 감사합니다. (하다) 아 선배 이번에 저희 회사에 원서 내셨어요? 일부러 신경 써서 찾아보려고 했는데 이리저리 불려 다니느라 바빠서… 죄송해요.

혜자 (씁쓸. 맥주 따라주며) 아냐. 신경 쓰지 마. 나 아예 지원도 안 했어. 이제 포기했다니까

광수 그래애~ 포기하신 분이 리포터라도 하겠다고 지방 다니다 말벌에 쏘이고, 옻닭 먹고 퉁퉁 붓냐? 아나운서 미련 있잖아. 왜 이래?

혜자 이 색… (하다) 고만해라.

서현 아 선배. 그거 기억나요? 나 신입생 때 선배한테 발음 교정받았잖아요. 시옷 발음 너무 샌다고 '숲속의 숫사슴' 계속 발음시켰던 거… '숲속의 숫사슴' 어머 나 아직도 안된다. 하하하하.

광수 그랬어? 혜자가? 미래의 TBC 메인 앵커님한테?

혜자 (열 받는다) 그러게. 내가 미쳤지. 주제넘게 누굴 가르쳐.

선배 그나저나 서현이도 그렇고 장호도 그렇고 우리 방송국 출신들이 잘나가는 것 같아서 기분이 좋네.

서현 아! 권장호 선배 한국 들어오셨던데. 방송국에 국장님 뵈러 들르셨더라구요.

혜자 (순간 맥주 마시다 멈칫!)

광수 캬 그 선배는 진짜 인생 멋지게 살어. TBC 뉴스 진행하다가 내전 난민촌 사진 하나 보고는 바로 다 때려치고 종군기자! 오늘 모임 얘기 안 했어?

서현 오늘은 가족 모임이 있어서 안 된대요. 대신에 담주 강화도 MT 때 들르신다던데요? (하다 혜자 보고) 선배도 오실 거죠? 예전에 선배가 장호선배 좋아한다는 소문 있지 않았어요?

혜자 (굳이 얘길 하네…) 뭐 장호선배 좋아한 애들이 한둘이었나…

서현 (모르는 척) 선배는 고백까지 하셨다고 하던데… 애들이…

혜자 (표정 관리 안된다. 이런 씨이)

S# 11 동네 공원 (N)

동네가 내려다보이는 공원.

낡긴 했지만 정글짐도 있고 그네도 있고 운동기구도 있고.

혜자, 치마 입은 채로 정글짐에 올라가서 제일 꼭대기에 앉더니 비닐봉지에서 팩 소주 꺼내고

그리곤 저 멀리를 응시하며 팩 소주를 쪽쪽 빨아 먹는다. 뭔가 회한이 가득한 표정.

그러다 팩 소주를 다 먹자 구겨서는 저 멀리를 향해 집어 던지며 한마디.

혜자 그래 고백했다! 근데 안 차였거든?! 씹힌 거거든?

권장호고 뭐고 다 꺼져!! 씨!! 다 필요 없어!!

그리곤 정글짐에서 일어서서는 팔 번쩍 들고 소리 지르고.

혼자서 정글짐에서 위태위태하게 몸도 흔들고.

그러다 혜자, 힘이 빠진 듯 정글짐에 다시 주저앉아 한숨을 후우…후우…

혜자, 안되겠는지 정글짐에서 위태위태하게 내려오는데

저쪽 그늘진 곳 벤치에 모자를 눌러 쓴 누군가(준하)가 있다!

혜자 (놀라서 발 미끄러지며 바닥으로 풀썩) 아!! (일어나며) 누구… 세요?

준하 (대답도 없고, 미동도 없고)

혜자 (옷 털면서) 뭐… 뭐예요? 사람이 있으면 있다고 하던가…

준하 …그쪽 쪽팔려 할까 봐요.

혜자 (그 말에 더 창피한) 변태야? 어두운데 숨어서 나 뭐하나 지켜보고?

준하 내가 먼저 와서 앉아 있었고, 중간에 나가자니 그쪽이 적잖이 쪽팔려 할 것 같아서 그쪽 가고 난 뒤에 가야겠다… 라는 생각까지 하는 변태도 있어요?

혜자 (듣고 보니 맞는 말) 아니. 그래도 누가 오는 것 같으면…

준하 (자리에서 일어나서 내려가 버리고)

혜자 (놀란 가슴 추스르며) 아 뭐야… (남자가 있던 자리로 가보는데 신문 놓여있고) 노숙자야? (근데 중간중간 단기 알바에 동그라미 되어 있는)… 는 아닌가 보네. (남자 내려간 쪽 보는)

S# 12 중국집 앞 (N)

영업 종료 팻말이 돌려져 있는 중국집

S# 13 중국집 주방 안쪽 (N)

혜자, 현주, 눈물이 주르륵 흐르고 있다.
보면, 혜자, 양파 까고 있고,
현주, 큰 칼로 양파를 다지고 있다.

현주 (양파 다지며) 변태새끼. 아주 나한테 걸리라 그래. (칼로 양파 우다다다 다지고)

혜자 변태는 아닌 거 같았어.

현주 어느 포인트가? 야밤에 혼자 공원? 그늘진 곳에 숨어있기? 너 하는 거 다 보고 있기? 어디가?

혜자 …그냥 느낌이.

그때 뒷문 열리며 기타 가방 메고 들어오는 상은.

상은 미안. 야간 알바가 좀 늦게 와서.

현주 야 기타 그거 치지도 못하는 건 왜 메고 다니는데?

혜자 왜 그래~ 쟤 뮤지션 아니냐.

상은 (기타 케이스에서 샌드위치 등을 꺼내 나눠주며) 유통기한 막 지난 거

현주 (!!!) 역시! 우리 돌아이는 창의력 대장이네. (받아 챙기는)

혜자 지금 알바가 중요하냐? 너 소속사랑 담판 진다며? 재계약 해주겠대?

상은 (음식 먹으며) 했다. 재계약.

혜자/현주 정말?/ 니가?

상은 응.

[FLASH BACK]

상은, 소속사 대표 앞에서 노래 부르는 모습

현주 얼마에?

상은 얼마? 그런 거 없는데.

혜자 데뷔는?

상은 데뷔? 데뷔는 하고 싶으면 하라 카드라.

현주 데뷔는 시켜주는 거지 하고 싶다고 하는 거야?

혜자 도대체 재계약 조건이 뭐야?

상은 연습실 마음대로 쓰고, 출퇴근도 마음대로 하고, 데뷔도 마음대로 하고, 계약기간도 마음대로 하고, 그냥 마음대로 하라 카든데.

현주 마음대로 못 하는 건?

상은 어디 가서 우리 회사 가수라고 말하지는 말라대.

혜자와 현주, 답답한 듯 까던 양파와 썰던 칼 놓고

현주 (별말 없이 상은 머리 끌어안고) 이거 어쩌냐…

혜자 (같이 끌어안으며) 진짜 어째…

상은 (맹하게) 와? 니들이 재계약하라 안 했나?

혜자 (상은 등 쓸어주며) 그래. 잘했어.

상은 근데 혜자 너 어디 갔다 왔는데?

현주 오늘 방송반 모임 갔다 왔대.

혜자 … 장호 선배 들어왔대.

상은 그게 누구… (하다) 아. 그 빼갈?

현주 아!! (바로 칼 내던지고) 야 이거 여기서 들을 얘긴 아니다. (혜자 손목 잡아끌고 나가고)

S# 14 중국집 홀 (N)

불 꺼진 홀에서 식은 탕수육에 빼갈 마시는 혜자와 친구들.

혜자 난 그때 선배가 종군기자 간다고 하는 게 내 고백을 거절하려고 거짓말한다고 생각했어. 말이 되냐? 뉴스 앵커가 갑자기 종군기자라니?

현주 사실… 거절할 이유가 너무 충분했지. 너도 인정하지 그건?

혜자 야. 넌 그 고백에 일말의 책임이 너한테도 있는 거 알지?

현주 뭐래. 도저히 맨정신엔 고백 못 한다고 센 술 달라고 한 게 지면서.

상은 맞다. 고량주 달라 카더니 몇 병을 벌컥벌컥 마셔놓고.

혜자 (머리 감싸 쥐며) 그때 좀 말렸어야지…

S# 15 공원 (N) - 회상

장호, 혼자 혜자를 기다리고 서 있는데 혜자가 늦는 듯 시계도 보고.
그때 저 멀리서 걸어오는 혜자, 구두에 치마에 옷은 예쁘게 입었는데
걸음이 이미 비틀비틀 만취다.

그러다 속이 안 좋은 듯 나무 짚고 멈춰 서서 숨 고르고.
저쪽 멀리서 그런 혜자를 위태위태하게 보고 있는 상은과 현주.
장호, 도와줘야 하나 말아야 하나 고민하는 분위긴데
비틀비틀 장호 앞으로 다시 걸어오는 혜자, 그 와중에 머리는 계속 쓸어 넘기고.
그러다 결국 장호와 마주 선 혜자, 그래도 떨리는 듯 입을 못 떼고 서 있고.
혜자, 심호흡하고 마음을 다잡은 뒤 결국 입 떼는데… 바로 좌아아아아아악…
상은과 현주, 차마 못 보고 고개 돌리고.

S# 16 중국집 홀 (N)

혜자 (머리 헝클어트리며) 더 괴로웠던 게 뭔지 알아? 다음날 나는 생생히 다 기억이 나는데 선배는 아무 일도 없었던 것처럼 구는 거. 끝까지 멋진 거지… ㅇㅇㅇ…

상은 … 보구싶제? 그 선배?

혜자 (바로 고개 들며 세차게 끄덕끄덕) 어. 보구싶어. 더도 말고 딱 한 번만.

현주 야. 됐어. 그 선배 너 다시 보면 그때 너 토한 기억밖에 안 날 거야.

혜자 (다시 머리 헝클어트리며) 그렇… 겠지?

상은 그래도 남자들은 자기한테 고백한 여자들한테는 다 호감을 느낀다고 하던데…

혜자 (다시 고개 들고) 진짜?

현주 진짜겠냐? 진짜면 사귀었겠지. 앞에서 토를 했던 똥을 쌌던.

상은 (혼자 좋아라) 와 그런 남자 진짜 로맨틱하다. 그런 게 진짜 사랑아이가?

혜자 (다시 머리 헝클어트리며) 그래… 안 사귄 이유가 있지. 맞어. 가지 말자. 안 가야지. 내가 뭔 낯짝으로 가… (고량주 혼자 따라서 마시고) 크으… (접시에 따로 둔 탕수육 먹는데)

상은 (자연스럽게) 그거 아까 떨어뜨린 건데…

혜자 (표정 안 좋다)

S# 17 혜자 집 외경 / 혜자 집 거실 (D)

점심 먹으러 들어오는 아빠.
영수, 식탁에 미리 자리 잡고 앉아 있고
엄마, 식구 수 대로 국 퍼 와서 놔주는데

아빠 우리 혜자는?
엄마 몰라요 뭐가 또 잘 안되는지… 술 먹고 아직 자! (영수 보곤) 아주 하루 죙일 다 큰 놈 수발드느라 아주 등골이 휜다 휘어!
아빠 (혜자 방 앞에서) 혜자야! 밥 먹지?
엄마 놔둬요! 아나운서 한다는 게 관리를 좀 하든가… 맨날 술이야.

S# 18 혜자 방 (D)

혜자, 숙취 있는 듯 부스스한 얼굴로 대답 없이 침대 위에 널브러져 있다.

S# 19 혜자 집 거실 (D)

엄마 오늘 저녁은 또 뭘 해 먹나. 장 봐온 것도 없는데…
영수 그럼 어머니, 제가 가서 삼겹살을 좀 사 와 볼까요?
엄마 (귓등으로도 안 듣고) 수제비나 해 먹을까. 들깨 확 풀어서.
아빠 (끄덕끄덕) 들깨 수제비 좋지.

영수 (다시 한번) 어머니. 비타민 C와 철분이 풍부한 들깨 수제비도 좋지만…
단백질과 포화지방이 균형 있게 함유된 삼겹살은 어떠하신지…?

엄마 이노무 자식이!! 그래 삼겹살 이 엄마 팔아서 사 먹어라.

영수 …팔 데만 있다면야…

엄마 뭐?

영수 농담이지! 그니까 삼겹살 먹자고!

엄마 (서늘하게) 마지막으로 얘기하는데 너 삼겹살 소리 꺼내기만 해.

영수, 서러운 표정으로 국 먹는데.
국에 눈물이 똑똑 떨어지는.

엄마 왜? 국이 싱거워? 간이 약해?

영수 (서러워 흐느끼며) 삼겹살도… 안 사주면…서 울…지도 못 하고…

S# 20 거리 외경 / 헌혈의 집 앞 (D)

결연한 표정으로 '헌혈의 집' 앞에 서 있는 영수.
그러다 결심한 듯 들어가고.

S# 21 정육점 (N)

파리한 안색의 영수, 자꾸만 다리 풀리는 듯 벽을 짚고 서 있고.
정육점 주인, 삼겹살 저울에 올려 달고 있다.

주인 원랜 영화표 이런 거 안 받아. 한동네 사니까 받은 거지.

영수 저기… 오돌뼈 없는 데로 주세요.

주인 (저울에 올린 삼겹살에서 좀 덜고. 비닐 손에 껴서 삼겹살 집어 올려 싸주고) 여기. 근데 어디 아파? 안색이 안 좋네?

영수 (삼겹살 받고)… 괜찮습니다. (그리곤 안 나가고 괜히 주저주저)

영수, 저울에 붙어있던 얇은 삼겹살까지 떼서 소중히 들고 정육점 나가고.

S# 22 혜자 집 주방 (N)

피곤한 듯 어깨 주무르며 주방으로 들어온 혜자.
능숙하게 양푼을 꺼내고 밥통에서 밥을 턱턱 퍼서 넣고는 냉장고에 남은 반찬들을 훅훅 다 집어넣고는 고추장 크게 한 수저 퍼서 넣고, 참기름 둘러서 쓱쓱 비비고. 그러다 손에 묻은 고추장은 야무지게 빨아 먹고는 양푼에 수저 두 개 꽂아서 미용실로 들고 나가려는데 그때 품에 뭔가 소중히 품고 파리한 안색으로 들어오는 영수.

혜자 (수상히 보고) 하루종일 어디 갔었어? 그건 또 뭐야?

영수 말 시키지 마. 어지러워. (부엌 한쪽에서 휴대용 버너 찾아서 방으로 간다)

S# 23 영수 방 (N)

옷 안에 휴대용 버너 숨겨 들어와서는 한숨 돌리는 영수.
그리고 신나서 휴대용 버너에 불판 세팅하고 삼겹살까지 꺼낸다.

혜자 또 헌혈하고 받은 영화표 팔았지? 그러다 죽는다 너…

영수 (뭔가 맘에 걸리는 듯 방 바깥쪽에 시선 주고)

혜자 그렇게 걱정되면 아예 나가서 구워 먹구 오지!

영수 바보냐? 아는 사람이라도 만나봐… 나눠줘야 되잖아.

혜자 집에서 구워 먹는데, 잘도 안 걸리겠다?

영수 그게 너와 나의 차이야.

영수, 일어나더니, 청테이프 들고 좌악 뜯어 보인다.

영수 (혜자에게) 이 방을 나갈 수 있는 타이밍은 지금뿐이야!

혜자 (한심하게 보다가 양푼 들고 나간다)

영수 너 엄마한테 말하면 진짜 죽어.

혜자 정성이 대단해서 내가 참아준다.

영수, 문 닫더니, 문틈을 청테이프로 막는다.
창문 틈도 청테이프로 막기 시작한다.

(Cut to)

영수, 세상 행복한 표정으로 삼겹살 굽기 시작한다.

S# 24 미용실 (N)

손님 좀 끊기고 한가해진 미용실.
겨우 숨 돌리고 엄마와 양푼 비빔밥 떠서 먹으며 TV 보는

혜자 (밥 한 입 떠서 먹으며 소파 한쪽 비닐봉지 열어보고) 이그… 그 할머니 또 돈 대신 고사리 주고 갔구나. 줄 거면 좀 종류 바꿔가며 고루고루 좀 갖고 오시

지 맨날 고사리야.

엄마 (밥 먹으며) 니 입맛 맞춰 골고루 들고 올 사정이 되면 민망해하면서 이런 거 들고 오지도 않아. 그래도 이런 거 들고 와서 머리해달라고 하면서 안 미안해하는 노인네들 없어. 염치가 없는 게 아니라 돈이 없는 거야 그냥. 돈이 없는 건 나쁜 게 아니고.

혜자 (끄덕끄덕) 옳으신 말씀.

엄마 (수저 놓으며) 나 다 먹었어. 너 먹어.

혜자 나도 배불러. (수저로 반 가르며) 딱 공평하게 이만큼씩은 먹어야지.

엄마 엄마 요새 살쪘어. (하다가 혜자 보곤) 됐다. 줘! 내가 찌는 게 낫지. (수저 뺏어 들고 먹다가) 근데 우리 집 장남은 오늘 왜 이렇게 조용하냐?

혜자 아까 삼… (말하려다 말고) 들어오긴 했던데. 방에 있겠지 뭐.

엄마 간단히 뭐라도 챙겨다 넣어줘라. 젊었을 때 안 먹으면 곯아.

혜자 (속 모르는 소리) 알았어…

S# 25 혜자 집 주방 (N)

혜자, 싱크대에 양푼이랑 수저 넣어두고 물 받아놓고는 나가고.

S# 26 영수 방 앞 (N)

자연스레 방문 열려다가 안 열리자 포기.

혜자 맛있냐? 그래서 문 닫아걸고 혼밥이야? (대답 없자) 밥 줘? 김치는 갖고 들어갔어? (그래도 대답 없자) 아주 먹느라 정신 없구만.

혜자, 가려는데 뭔가 찜찜한 듯 돌아보고.

혜자 (노크하며) 어이. 김영수. 야. 왜 대답이 없어.

혜자, 문손잡이 돌려서 열어보려는데 문이 쩍! 소리 내며 안 열리고.

엄마 (그때 들어오며 개코) 어느 집에서 삼겹살을 굽나. 냄새가 여기까지 나.
(하다 혜자 보고) 왜?
혜자 (몸으로 문 밀며) 안 열려. 아씨 테이프를 얼마나 처바른 거야 진짜…
엄마 테이프? 왜? (엄마도 와서 문 밀고) 어머. 문이 왜 이래. 야 영수야! 김영수!
이놈시키야 문 당장 안 열어?

엄마, 마음이 급해진 듯 몸의 체중을 다 실어서 문을 밀자 문 열리고.
불판에서 지글지글 구워지고 있는 삼겹살과 그 옆에 정신 잃고 쓰러져있는 영수.

엄마 오빠!!/ 영수야!!

(E) 앰뷸런스 소리

S# 27 미용실 앞 (N)

앰뷸런스 경광등 요란하게 돌아가고 있고 동네 사람들 모여서 웅성대고.
그때 산소 호흡기를 한 영수, 구조대원들 들것에 실려 나온다.

구조대원 (E) 산소 부족으로 순간 질식한 거 같습니다.

심란한 표정으로 따라 나오는 아빠, 엄마, 혜자.

구조대원들 영수를 구급차에 실으려는데 영수 뭐 할 말이 있는 듯 허우적.

대원 네?

영수 (손짓으로 호흡기 빼달라는 듯)

대원 (빼주는데)

영수 (중얼중얼)

대원 뭐라구요? (귀 대보는데)

엄마 (놀라서 눈물범벅) 뭐래요?

대원 (갸우뚱) 고기 안 타게 좀 뒤집어 달라는데요…

엄마 (순간 옆쪽에 세워져 있던 마대자루 잡는 손)

아빠 (조용히 그런 엄마 팔을 잡고 제지하고)

S# 28 미용실 뒤뜰 (N)

구워진 삼겹살을 불판째로 놓고 포식하고 있는 강아지(밥풀이).

S# 29 미용실 앞 (N)

미용실 앞 평상에 앉은 현주, 상은, 혜자.

영수의 사고 소식이 동네에 퍼진 듯 놀라서 달려온 분위기.

현주 (E) 병원에선 뭐래?

혜자 그냥 산소 부족으로 인한 질식이래. 혹시나 해서 다른 검사 했는데 이상 없대서 바로 왔지 뭐. 그 인간 집에 가면 엄마한테 맞을 거 뻔하니까 입원

하네 마네 버티다가 더 혼만 났지 뭐.

그때 평상 앞으로 지나가는 할머니 1, 2

할머니1 (걱정스럽게) 영수가 죽었다 카든데… 무신 소리고?

할머니2 죽진 않구유… 죽겄다구 방에서 번개탄 피웠대유… 아까 119 오구 난리도 아니었슈…

할머니1 하이고 번개탄? 힘들다꼬 그 칸기가? 아이고 우짜노.

할머니2 그래도 삼신할미가 도왔쥬. 고기 타는 냄새까지 났다든디유. 많이 안 데었나 모르겄슈.

졌다는 표정의 혜자, 현주, 상은

상은 (해맑게) 현주야 그래도 다행이다. 그자?

현주 뭐가?

상은 니 첫사랑 아이가? 영수 오빠.

현주, 바로 일어나서 자리 뜨려는데

혜자 (현주 말리며 상은에게) 야 윤상은! 그 얘길 왜. (현주에게) 괘앤찮아. 다들 인생에 한 번씩은 미친 짓 하고 그러는 거야. 인간미 있게.

현주 (입바람으로 앞머리 넘기는) 야 윤상은! 마지막으로 얘기할 테니까 잘 들어. 그때는!! 그 인간이 이렇게 어엿한 찐따로 자랄 줄 몰랐다고!! 내 소원이 뭔 줄 알아? 타임머신 타고 그때 그 인간한테 빠졌던 나 찾아가서 머리카락 다 뽑아놓는 거야.

혜자 알았어. 알았어 (다독이며) 화 풀어! 내가 꼭 다 뽑아 줄게.

상은 (혼자 턱 괴고) 와? 고백만큼 용기 있는 말이 어데 있다고… (하다 혜자 보며)

참 니는… 그 빼갈 선배 만나러 진짜 안가나? MT 온다 캤다며…

혜자 (심란한 표정)

현주 그래도 그런 데에 자꾸 나가야 좋은 거 아냐?

혜자 (고개 젓는)

현주 왜? 그 들판의 코끼린가 그넌 때문에?

혜자 (짜증) 숲속의 숫사슴!! 들판의 코끼리는… 무슨…

상은 그래도 난 좀 아쉽다… 그 빼갈 선배 외국 산다며? 그럼 또 언제 들어올지도 모른다 아이가…

혜자 아냐. 이제 더 이상 휩쓸리고 싶지 않아. 나도 내 인생 살아야지. 일이건 남자건…

상은 …아니… 내는 그냥 내가 아쉬워서.

혜자 (짜증 낸다) 아, 내가 됐다고. 넌 아쉬운지 모르겠는데 난 안 아쉽다고. 그러니까 끝! 안가. 나도 이제부터 똑 부러지게 살 거야. 그쪽하고도 이제 영원히 빠이빠이야.

S# 30 산 또는 바다 전경 / MT장 일각 (D)

보면 점퍼에 청바지, 가방까지 메고 서 있는 혜자. 완벽한 MT 차림.
혜자 시선 닿는 곳에 젊은 남녀 무리 보인다.

혜자 그냥 한번 보고만 올라갈 거니까. 뭐… 바로 갈 거야… 진짜.

그리곤 총총 걸어가는 혜자 뒷모습. 뭔가 투스텝스러운 들뜬 발걸음.

S# 31 미용실 앞 (D)

아빠, 셔터 여는데 이미 기다렸다는 듯 쪼로록 평상에 앉아 있는 할머니들.

할머니1 (자그마한 장독 내밀며) 이기 동치미 국물이다. 연탄가스에는 동치미가 대끼린기라… 이거 3년 넘게 묵은 거라 냄새만 맡아도 다 내리간다.

아빠 (일단 독은 받아들고 난처) 저기… 연탄가스가 아니고…

할머니3 그래. 번개탄.

아빠 (더 난처) 그게 아니고 방에서 고기를…

할머니2 영수 아빠! 옛말에 장손은 하늘이 내린댜. 그만치 소중한 천륜이란 겨… (갑자기 울컥) 내가 1 · 4후퇴 때 장남을 보내서 이런 얘길 하는 거시 아니고… (눈물 흘리고)

할머니 1/3 (할머니2 위로하며) 쯧쯧쯧…/ 새겨들어. 영수 아빠…

아빠, 독 안은 채 난처해하는

S# 32 혜자 집 거실 (D)

밥 먹으려 상 앞에 앉아 있는 아빠, 그리고 불안한 시선의 영수.
주방 쪽에서 나는 엄마의 평소보다 큰 달그락 소리에 계속 움찔움찔…

영수 (눈치 보며) 혜자는…

아빠 학교 MT인가 뭔가 간다고 일찍 나갔어.

영수 … 아부지! 오늘 저 좀 데리고 나가주시면… 안될까요?

아빠 (엄마 눈치 살피며) 어? 어?

영수, 아빠를 간절한 눈빛으로 보는데 앞에 놓아지는 냉면 대접에 가득 담긴 동치미.

아빠 이거… 파란 대문집 할머니가 너 주라고 갖고 오셨더라.

엄마 (서슬 퍼런) 다 먹어. 한 방울도 남기지 말고. (밥 뜨고)

영수 (엄마 눈치 보다가 죽을상으로 동치미 떠먹고는 무의식중에 혼잣말)
동치미 먹으니까 갈비 땡기네.

아빠 여보 나 나가 있을게.

엄마 일찍 들어오지 마세요.

아빠 (나가면)

영수 (그제야 분위기 파악하고) 엄마 엄마 잘못했어 엄마~~~

S# 33 MT장 일각 (D)

바닷가에서 꺅꺅대며 노는 후배들.
바닷가 한쪽 나무 그늘에 무료하게 앉아 후배들 노는 거 보는 혜자.

여자선배 (혜자 옆쪽에 앉으며) 좋을 때다 저것들. 그래도 너라도 있으니 다행이다. 나 혼자 노땅일 줄 알고 걱정했는데.

혜자 (피식) 그러게요. 저도 선배 없음 어쩔뻔했나 싶네요. 선배 애기들은…

여자선배 내가 여길 왜 왔겠냐. 뻔히 후배들이 불편해할 거 알지만 이런 거 아님 합법적 공식적으로 내 시간을 가질 수가 없어. 그렇다고 내 배짱에 여기 간다고 거짓말하고 혼자 어딘가에 처박히지도 못하고…

혜자 (꾸벅) 존경합니다. 육아라니…

여자선배 그러게. 내가 육아라니… (하다 멀리 보다가) 어. 저기 진짜 노땅 온다.

혜자 (그 말에 바로 장호 선밴걸 알고 차마 못 보다가 천천히 고개를 돌리는데)

저쪽에서 햇빛을 받으며 구릿빛으로 탄 멋진 외모를 자랑하며 걸어오는 장호 선배.
장호를 알아본 후배들 다가가서 인사하고. 악수하고.
어느 정도 후배들과 인사가 끝나자 장호, 혜자와 여자 선배 쪽 보고 다가오고.

여자선배 종군기자 하러 갔다더니 중동에서 막노동했니? 시커멓다? (인사하고)

장호 그래도 하얘진 거다 이게. 너 결혼식 못 가서 미안하다. 그때 한참 내전 취재 다니느라. (하다 혜자 보고) 잘 지냈어?

혜자 (제대로 눈도 못 마주치고)… 네.

그때 갑자기 웅성대는 후배들.

후배일동 쟤 한국대 이준하 아냐?/ 에이 걔가 왜 와/ 맞는 것 같은데?

장호 (준하에게 손짓하며) 어 이리 와. 이준하라고.

여자선배 아 쟤. 알아. 유명하드만 이미 방송판에서. 그냥 응시만 하면 아나운서로 뽑아 주겠다는 방송국이 줄 섰다며?

장호 근데 기자한대. 나 따라서.

준하 (다가와서 꾸벅 인사) 안녕하세요. 제가 낄 자리가 아닌데 낀 것 같아 죄송합니다.

여자선배 아니에요. 미남은 항상 환영이에요.

준하 제가 워낙 권장호 선배님 팬이어서 이번에 들어오시면 꼭 한번 뵙고 싶다고 졸랐어요.

장호 겸사겸사 내가 오라 그랬어. 어차피 다 이쪽 계통 일할 사람들이니까 알아두면 좋잖아. 여기는 내 동기 강지연이고 얘는 네 기수 후배 김혜자. 얘도 아나운서 지망.

준하 (혜자를 물끄러미 보고) 아… 네.

서현 (괜히 다가와서) 준하…씨라고 불러야 되나? 선배라고 불러야 되나요? (악수하려 손 내밀며) TBC 아나운서 장서현입니다.

준하 (그저 목례) 네.

서현 (살짝 민망해하며 손 거두는데)

혜자 (그런 서현을 보고 자기도 모르게 풋 웃으며 혼잣말) 들판의 코끼리…

준하 (그런 혜자를 봤고… 알 수 없는 표정)

혜자 (얼른 표정 진지하게)

S# 34 MT장 일각 (N)

MT에 온 사람들 밥 먹고, 같이 얘기하며 놀고 하는 모습 천천히 시간 경과로 보여주고.

(Cut to)

일각에 둥그렇게 모여앉아서 얘기 나누는 사람들.

서현, 계속 별로 웃기지도 않는 얘기에 웃으며 준하 쪽으로 기대는데

준하, 슬쩍슬쩍 몸 피하더니 결국 자리 뜨고.

서현, 자리 뜨는 준하 쪽에 시선 주더니 빈정 상한 표정.

혜자도 옆에 앉은 장호 선배와 병맥주 마시며 쑥스러운 듯 말 주고받고.

혜자 … 결혼 축하드려요.

장호 어어. 고맙다. 와이프가 갑자기 UN 쪽으로 들어가게 돼서 부랴부랴 가족들만 모시고 식만 올렸지 뭐. 혜자 넌?

혜자 네? 아… 전… (절레절레)

그때 장호 옆쪽으로 와서 말 거는 준하.

준하 선배님 저 먼저 가보겠습니다.

장호 왜. 얘기도 별로 못했는데. 한 잔만 더 하고 가.

준하 (난처해하는데)

장호 (준하 잡아끌어서 혜자와 자기 사이에 앉히며) 한 잔만 하고 가. 어?

준하/혜자 (괜히 서로 좀 머쓱)

준하 그럼 바로 앙골라로 들어가시는 거예요?

장호 그렇지 아무래도.

혜자 (괜히 말 섞고 싶다) 아. 거기예요? 선배 신혼집이?

준하/장호 (순간 뭔 소린가 하는 표정이 스치고)

장호 (혜자 민망하지 않게) 뭐 신혼집도 남아공이니까 그렇게 멀진 않지.
앙골라는 취재 차. 뭐 혜자 너도 알겠지만 내전 중이잖아 거기가.

혜자 (당황했지만 아닌 척) 아… 그렇죠. 거기가… 내전 중이…잖아요.

혜자, 민망함에 맥주 들이키고, 옆에 앉은 준하 쪽에는 시선도 안 주고.
준하도 혜자 쪽 안보고 맥주만.

S# 35 MT장 일각 (N)

혜자, 아까 실수가 괴로운 듯 밖을 서성이고 있는데
준하를 배웅하러 같이 나온 장호 보이고.

장호 그래. 뭐 바쁘다고 하니 보내줘야지. 합격하면 바로 알려주고.

준하 (꾸벅 인사) 그럼 먼저 가보겠습니다. 들어가세요.

준하와 인사하는 장호를 보고 서 있는 혜자.
준하, 돌아서다 그런 혜자와 눈이 마주치고.

혜자 (당황해서 괜히 말 거는) 아 먼저 가시나 봐요?

준하 네. 일이 있어서…

혜자 아. 그러시구나… 안녕히 가세요. (혜자 민박을 들어가려는데)

준하 아 저기.

혜자 (돌아보는)

S# 36 버스정류장 (N)

아직 이른 새벽이라 버스정류장에 사람도 없고, 지나다니는 버스도 없고.
버스정류장에 앉아 혼자 훌쩍훌쩍 거리는 혜자.
혜자, 울고 싶지 않은 듯 안 울려고 심호흡도 해보고 고개도 들어보는데 또 눈물이 난다.

혜자 (흐느낀다) 으으으… 김혜자. 그만 울어… 뚜우우우욱… 흑흑…

준하 (E) … 진짜 아나운서 지망이에요?

S# 37 MT장 일각 (N) – 회상

혜자, 무슨 의민지 몰라서 준하를 보는데

준하 왜 아나운서가 되고 싶어요?

혜자 그거야… 진실을 전하고…

준하 그건 기자도 할 수 있는 건데.

혜자 (당황) …기자는 아무래도…

준하 기자는 아무래도 폼이 안 난다? 그럼 그쪽도 아나운서가 폼이 나서 좋다?

혜자 (기분 상해서) 무슨 아나운서 면접 보러 온 기분이네요.

준하 혹시 현장 나가 본 적은 있어요?

혜자 네?

준하 현장 나가본 적 있냐구요. 그냥 족보처럼 내려오는 모범 답안들 말고 직접 현장 나가서 자기가 읽을 기사 작성해 본 적 있어요? 현장의 온도를 느껴본 적 있어요? 문서로 말고 피부로.

혜자 (기분 나쁘다) 그런 걸 왜 물으시는 거죠?

준하 아나운서가 되기 위해 어떤 노력을 하고 있는지 궁금해서요.

혜자 (목소리 떨리고) 그걸 제가 그쪽한테 대답할 의무는 없는 것 같은데요.

준하 나한테 대답할 의무는 당연히 없지만… 스스로한테 대답할 수 있을 정도의 노력은 해야 할 것 같은데요.

혜자 (귀까지 빨개지고 눈물이 나려는데 참고)

준하 같은 언론고시 준비생으로 커트라인 얘길 한 거예요. 권장호 선배님이 아끼는 후배라고 하시길래… 그럼. (자리 뜨고)

혜자 (가는 준하 뒤통수를 눈을 부릅뜨고 쳐다보고 있다.)

S# 38 혜자 집 외경 / 미용실 (D)

엄마, 하품하며 미용실 문 여는데 이미 밖에서 기다리고 있던 할머니 2.

엄마 아니 뭘 이리 일찍부터 오셨대. 우리 아직 아침도 안 먹었는데…

할머니2 (들어와 앉으며) 먹고 해주믄 되지.

엄마 (물러날 기세가 아니자) 그럼 국 말아서 얼른 뜨고 나올 테니까 계셔.

할머니2 (뭔가 아쉬운 기색)

엄마 (그냥 들어가려다가) 또 안 드셨어?

할머니2 아 괜찮어. 이젠 배도 쪼그라들어서 안 먹어도 배도 하나두 안 고프다니께… (괜히 말꼬리 흐리고)

엄마 (할머니2의 꼼수를 안다) 수저 놔드려? 어제 장을 못 봐서 찬은 없는데…

할머니2 (화색 돌며) 그럼 그르까? 나는 원체 맹물에 김치만 있어도 잘 묵어. 오죽허믄 우리 시엄니가 나를 그렇게 미워했어도 뭐든 잘 먹는 거 하난 곱다고 했다니께… 진짜로.

그때 문 열리며 잔뜩 부어서 들어오는 혜자.

엄마 왔… (혜자가 인사도 없이 들어가 버리자 뭔 일 있나 보는데)

할머니2 (소리죽여서) 혜자 지금 들어오는 겨? 밤새고? 오메~ 곧 국수 먹여주는 거 아닌감?

엄마 (리모컨 할머니2에 놔주며) 잠깐만 기다리셔.

S# 39 혜자 방 (D)

혜자, 침대에 누워 머리끝까지 이불 뒤집어쓰고 있는데

엄마 (OFF) 들어간다.

혜자 잘 거야…

말 끝나기도 전에 들어오는 엄마.

엄마 왜? 거기 방송반 모임 가니까 다 잘된 것들밖에 없디?

혜자 (등지고 돌아누우며 입술이 씰룩씰룩)

엄마 그걸 거기 가야 알어? 거기 안가도 너보다 잘난 것들 세상에 천지야.

혜자 (눈물 날까 봐 입술 꼭 깨물고 참는데)

엄마 그럼 그럴 때마다 이렇게 질질 짜고 들어와서 밥 안 먹고 드러누우면 그게 방법이야? 해결이 돼?

그때 소리 듣고 혜자 방으로 와보는 아빠.

아빠 (입 모양으로 엄마에게 '왜?')

엄마 …잘난 거랑 잘사는 거랑 다른 게 뭔 줄 알어? 못난 놈이라도 잘난 것들 사이에 비집고 들어가서 '나도 여기 살아있다!' '나보고 다른 못난 놈들도 힘내라!' 하는 거… 그게 진짜 잘사는 거야. 잘난 거는 타고나야 되지만 잘사는 거는 내 할 나름이라고. (혜자 보다가 나가고)

혜자 (이불 뒤집어쓰고 소리죽여 우는)

아빠 (마음 안 좋고)… 좀 있다 나와. 밥 먹자.

S# 40 미용실 안 (D)

엄마, 표정 안 좋은 채 할머니1 머리 커트해주고 있는데
그때 미용실로 나오는 혜자.
엄마, 혜자에게 시선도 안 주고.

혜자 (원래 하던 것처럼 기다리는 할머니에게) 뭐 하실 거예요?

엄마 염색하신대.

혜자 (익숙하게) 새치염색으로 하면 되지? (미용실 뒤쪽으로 들어가고)

그때 문 열리며 들어오는 동네 통장 아줌마.

통장 오늘 데모하는데 미용실도 대표로 한 명은 나와야지?

엄마 아 근데 우리는 주말에 손님이 몰리는데…

통장 그렇게 말하면 안되지. 데모하는 것도 다 먹고 살자고 하는 건데… 나도 오늘 가게 문 닫고 나왔어.

엄마 (애써 웃으며) 거기야 원래 주말에 장사 안 하셨으면서…

혜자 (안에서 나오며) 약 타 놨어. 내가 갈게.

엄마 (혜자에게 고개 젓고) 알았어요. 그럼 이 커트만 마무리하고 나갈게요.

통장 우리야 혜자가 나오믄 더 좋지. 맨날 쉰 소리만 나는 노인네들 말고 꾀꼬리 같은 젊은 아가씨가 있음 듣기도 좋고.

엄마 아유 그래도 어디 얘를…

혜자 (엄마 막으며) 괜찮아. 바람 쐴 겸 갔다 올게. (밝게 웃어 보이곤 나간다)

엄마 (표정)

S# 41 동네 골목 (D)

'요양원 건설 반대!' '주민 합의 없이는 건설도 없다!'

할머니, 할아버지, 아줌마, 아저씨들이 팻말 들고 걸어가며 동네를 돌고.

확성기를 들고 쓰여진 멘트를 읽는 혜자.

그러다 옆쪽에 처음 본 한 할머니의 다리가 불편해 보이자 혜자가 부축하고.

준하 할머니 (팔목에 염주 차고 있다) 아… 고마워요.

혜자 아니에요. (팔 잡고) 저한테 기대세요.

통장 (돌아보고) 혜자 뭐해! 계속해야지!

혜자 네. (다시 종이 보며 읽는) 누구를 위한 요양원인가!

일동 요양원인가?!

혜자 정부는 집값 하락 대책을 마련하라!

일동 마련하라!

혜자, 할머니를 부축하며 천천히 걸어가는데 저쪽에서 걸어오는 준하를 발견!
혜자, 순간 놀라고.

혜자 (E) …뭐야. 여긴 왜 왔대? …취재야? 연습하러 온 건가?

혜자, 순간 어찌해야 되나 당황스러운데 확성기에 할머니 부축에 일이 많고.
혜자, 그래도 일단은 숨으려고 하는데 걸음 느린 노인들 사이를 빠져나가기 힘들고.
혜자, 오도 가도 못하는데 그때 혜자 쪽으로 다가오는 준하.
혜자를 그제야 알아본 듯 준하 표정이 미묘한데.

혜자 (도망이고 뭐고 이제 의미 없다) 왜… 왜요?!
준하 (호기심 가득한 표정)
혜자 취재하러 왔으면 취재하세요. 왜요? 이런 건 그쪽이 말하는 현장이랑 거리가 먼 건가? 하긴 앞날이 창창한 기자님께선 역사가 바뀌는 곳이나 현장으로 보이겠지. 근데요. 여기 계신 분들한텐 이것도 역사가 바뀌는 것만큼 중요한 일이에요.
준하 (가만히 듣고 있는데)
혜자 이 할머니들요? 그래요! 당장 나 위하는 시설이라고 해도 집값 떨어지는 게 내 몸 아픈 것보다 무서운 분들이라서 남들 손가락질에도 이러고 찬바람 맞는 거예요. 그거마저 없으면 미운 자식한테 남겨줄 장례비용도 없으니까.
준하 (흥미롭다는 표정으로 혜자 보는)
혜자 이게 그쪽이 말하는 현장의 온도랑은 다른 거예요? 나는 그쪽이 말하는 대로 대단하게 언론고시 준비를 못 해봐서 묻는 거예요. 진짜로.
준하 (입을 열려 하는데)
혜자 (O.L) 됐어요. 그래요. 그쪽이 한 말 틀린 거 하나 없었어요. 다 사실이에요. 사실이라서 더 속상했고 서러웠다구요. 나도 느끼고 있던 거 그쪽이 새삼스레 콕콕 찔러줘서 내가 한층 쓰레기 같고 싫어졌어요. 나한테 원했던 게 그거예요? 그래서 여기 이분들한테도 왜 이기적으로 구냐고, 자기들 생각만 하느냐고 물으러 오신 거예요?

그때 혜자 쪽으로 다가오는 준하 할머니.

준하 할머니 (준하 보며) 밥은?

혜자 할머니 놀라셨죠. 죄송해요. 밥은 좀 있다가… (준하에게) 거봐요. 놀라셨잖아요. 얼른 가요.

준하 할머니 (O.L) 준하 밥 먹었나?

혜자 (할머니가 헛소리한다 진정시키며 준하에게 묻는다) 밥 먹었냐잖아요!

준하 (보란 듯이 환하게 웃으며) 먹구 왔어요 할머니.

혜자 (할머니 보며) 먹었대… (하다 뭔가 이상해서 할머니와 준하 보는데)

준하 할머니 (웃으며) 우리 손주라우. 이준하.

준하 (혜자 보며 거 봐라 라는 듯)

혜자, 상황 파악 안돼서 어버버하고 가만히 서 있는데
준하, 할머니 부축하고 혜자가 들고 있던 팻말도 건네받더니
개구진 표정 한 번 짓고는 할머니와 시위대 따라가고.
그 모습 보곤 발그레해지는 혜자.

통장 (돌아보며) 혜자야 뭐해?

혜자 아… 네… (소리 작아져서 멘트 이쁘게 읽는다) 정부는…

S# 42 동네 골목 어귀 (D)

시위대 해산 분위기. 혜자는 통장과 얘기 중.

준하 (OFF) 동네 주민인 줄 몰랐네요. 자주 봐요.

혜자 보면, 준하 미소 짓고는 할머니 모시고 간다.

통장 아유 확실히 젊은 아가씨가 있으니까 분위기도 좋고, 목소리도 카랑카랑 하니 잘 들리고… 다음 주에도 부탁해?

혜자 아… 저기… (준하와 할머니 가리키며) 저 할머니 원래 이 동네 사셨어요?

통장 아. 저 집. 이사 온 지 한 두어 달 됐나. 손주랑 둘이 산대. 왜?

혜자 아뇨. (준하 뒷모습 보다가) 아!!

[FLASH BACK]
S# 11 공원 장면.
혜자에게 뭐라 그러던 준하.

S# 43 편의점 (D)

넋 나간 표정으로 자기 집처럼 들어오는 혜자.
그리곤 자연스럽게 진열된 요구르트 꺼내서 벌컥벌컥 마시며
계산 카운터 한쪽에 걸터앉고.

혜자 … 어쩐지. 말투에서 어디선가 들어본 논리 정연한 재수 없음이 있다 했어. 어쩜 이렇게 또 만나냐? (하고 보는데 준하다)

준하	(태연) 계산하고 드셔야 되는데요.
혜자	(놀라서) 워억! (보는데 준하고) 여긴 또 왜 있어요? 상은이는요?
준하	원래 여기 오후 알바가 상은이라는 친구면 오늘 갑자기 펑크냈대요. 뭐 기획사에서 행사 잡아줬다고.
혜자	… 원래 여기서 일했어요?
준하	여기 점장이 아는 형이라 야간 알바가 펑크 나면 가끔 대타 뛰어요.
혜자	(할 말이 없고 얼른 먹은 요구르트병 카운터에 내밀고) 계산… 할게요…
준하	(바코드 찍으며) 현장 나가 봤냐 어줍잖게 충고한 거 사과할게요. 아까 나한테 얘기하는 거 보니까 논리적이고, 한쪽에 치우치지 않은 중립성도 갖춘 것 같고, 적당히 감정에 호소하는 클라이막스까지… 괜찮은 기사였어요.
혜자	(칭찬받았지만 그래도 뒤끝) … 끝까지 평가는…
준하	(미소) 사실 그 TBC 아나운서라는 친구한테 좀 화가 나 있는 상태였어서…
혜자	아 장서현!! 걔가 원래 쫌 그래요. 재수가 없… (돈 꺼내며) 얼… 마예요?
준하	(자기 주머니에서 현금 꺼내 캐셔기에 넣으며) 제가 살게요. 사과의 의미로.
혜자	아… 그럴 필요는 없는… (요구르트 하나 더 집으며) 그럼 이거 하나만 더…
준하	(웃으며 바코드 찍는)

그때 기타 가방 메고 후다닥 들어오는 상은.

상은	아 죄송합니다. (혜자 보고) 어 왔어?

Cut to

준하, 뒤쪽 매대에서 라면이랑 이런 거 챙겨 넣고 있는데
앞쪽 카운터 쪽에 쭈그리고 숨어서 준하 힐끔거리며 얘기 나누는 상은과 혜자.

상은	(꺅!) 아 로맨틱하다!!
혜자	야 조용해!

상은　　바닷가에서 너한테 뭐라 한 것도 다 마음이 있어서 그런 거였네. 로맨틱 해 웬일이야…

혜자　　오바다. 무슨… 본 지 얼마나 됐다고.

상은　　그럼 오래 보면 다 좋아지나?

혜자　　아니라고… (준하를 힐끔대는데 준하가 바로 앞에 서 있다) 헉!

준하　　(빤히) 뒤쪽 매대는 다 채웠으니까 전 이만 가볼게요. 수고하세요.

혜자　　(벌떡 일어나서 꾸벅 인사) 네 수고합니다.

준하　　(피식 웃으며 나가고)

혜자　　나 뭐랬어? 방금? 수고합니다라 그랬지? 아 이 븅~

S# 44　골목길 (N)

준하, 걸어오는데 준하 할머니 나와서 할머니2와 얘기 중이고.

준하 오는 거 알아본 준하 할머니, 할머니2와 헤어지고.

준하　　(할머니2에게 꾸벅 인사하고 나서) 왜 나와 있어?

할머니　식혜 다 돼서. 너 좋아하잖어.

준하　　나와서 기다리면 내가 일찍 오나요 어디.

할머니　왜 그 접때 본 아가씨. 왜 눈 소같이 큰…

준하　　(혜자 얘기하는 거 알고) 아… 왜?

할머니　그 아가씨가 저쪽 위에 미용실 집 딸인데 곧 결혼한다 그러더라고.

준하　　그래?

할머니　(웃으며) 아이고 난 우리 손주 애인하믄 좋겠다 싶었는데… 아쉬워서…

준하　　아이고 별소릴 다 하시네. 들어가요.

S# 45 미용실 뒤뜰 (N)

혜자, 앉아서 누군가에게 두런두런 얘기 중이다.

혜자 사실 남녀 사이라는 게 모르는 일이긴 하지. 그 말은 상은이 말이 맞아. 그리고 진짜 나한테 아무런 감정이 없다면 그냥 안 보면 그만인데 사과를 하고 대신 요구르트도 사줬단 말이야? 그건 안 좋은 관계를 다시 좋은 관계로 회복하고 싶다. 그 말이잖아. 그지? 뭔가 있지? 응?

카메라 빠지면 손에 개밥 주는 바가지 든 채 자기 얘기에 빠진 혜자와
지겨운 듯 자기 집으로 들어가 버리는 밥풀이.

S# 46 골목 전경(D) / 거실 + 미용실 (D)

혜자, 외출하려는 듯 꾸민 채로 전화 받고 있다.

혜자 네. 선배. 어딘지 알 거 같아요. (사이) 네 고맙습니다. 거기서 봬요.

나가려는데 미용실에 샴푸대 수리업자 와있는지 대화 소리 들린다.

엄마 (OFF) 몰라요… 한동안 찔찔찔 나오드니 결국 이 사단이 났네. 쯧

수리업자 (OFF) 이거 아예 갈아야 되겠는데… 밑에 받쳐주는 세멘이 깨져서 얘가 힘을 못 받아요.

엄마 아우 그럼 장사는 어쩌구… 그거 다 갈면 돈이 얼만데… 이 집엔 돈 쓰는 사람은 있어도 돈 버는 사람이 없는데

혜자 (안 좋은 표정으로 넘겨 듣고 있다)

S# 47　미용실 앞 (D)

혜자, 나오자마자 평상에 주르륵 앉은 동네 사람들 한마디씩 하고.

할머니3　아이고 이쁘네. 혜자 오늘 데이또 가나?

할머니2　해지믄 춥댜. 뭐 좀 더 걸치고 나가. 여자는 아래가 따뜻해야 뒤야.

할머니1　어디 요새 애기들이 말을 듣나. 꼬부랑돼가 지들이 골골해봐야 알지.

혜자　(꾸벅꾸벅) 예… 알겠습니다… 네… 다녀올게요.

혜자, 그러곤 후다닥 뛰다시피 해서 할머니 평가구간을 지나고.

S# 48　거리 일각 (D) / 허름한 건물 앞 (D)

한 허름한 건물 앞으로 와서 서는 혜자와 여자 선배.
긴장된 표정의 혜자.

혜자　(조금 불안한) 선배… 방송국이 이런 데에도 있어요?

여자선배　방송국? (알 수 없는 웃음)

S# 49　영화 녹음실 (D)

당황스런 표정의 혜자, 초라한 녹음실에 서 있고.
앞에 앉은 엔지니어의 조작에 따라 잠깐씩 흘러나오는 낮 뜨거운 숨소리.

혜자　… 아 … 더빙이란 게…

여자선배 어. 에로영화. 너무 이상하게 생각할 것 없어. 성우들도 다 하는 거야. 알바 하는 셈치고.

혜자 (당황스러운 듯 굳어 있고)

S# 50 건물 안/ 밖 (D)

계단

우다다다 계단을 뛰어 내려오는데 당황한 혜자의 얼굴 위로

여자선배 (E) 너 알아보니까 아나운서 지원한다 그러더니 한 곳도 원서 안 냈다며? 너 그럼 뭘로 돈 벌 생각인데? 니가 지금 겪는 거 나도 똑같이 겪어 본 일이라서 그래. 너 목소리 좋아. 근데… 아나운서 할 만큼은 아냐. 그건 너도 알잖아. 포기가 안 되겠지만… 그게 사실이야.

건물 밖

고민스러운 듯 멈춰 서 있는 혜자.

여자선배 (E) 그래. 너 놀란 거 이해해. 근데 어정쩡한 안내멘트 녹음알바보다 이게 금액은 더 좋다 너?

혜자, 멍하니 서 있다가 반대 방향으로 걸어가는데
뭔가 결심한 듯 다시 돌아서고.

S# 51 영화 녹음실 (D)

녹음 부스에 들어가 있는 혜자.
엔지니어랑 밖에 있다.

엔지니어 그럼 갈게요. 자~ 스타트!!

혜자, 대본 보고 있다가 화면 보는데.
더빙하는 거 잊고 화면에 빠져서.
혜자, 침을 꿀꺽 삼키는.

엔지니어 잠깐만!! 저기요. 여자 쪽 그림 나오면 바로 시작하셔야 돼요!
혜자 죄송합니다. 죄송합니다.
엔지니어 다시 갈게요.

Cut to

난감한 표정의 엔지니어.

혜자 땀 좀 봐~ (너무도 어색한 신음소리/ 열심히 땀 삘삘 흘리며 내는데)
엔지니어 (참다가 끊고 토크백 열고) 저기요…
혜자 (헤드폰 벗고 이마 땀 닦고) 네.
엔지니어 저기… 잘 해주고 있는데… 좀 더 자연스럽게 가능할까요?
혜자 … 좀 더 자연스럽… 게요?
여자선배 (엔지니어에게 하는 소리 들린다) 저기… 미안한데… 아무래도 경험이 없다 보면…
혜자 (허세 O.L) 제에가아요오? 차! 저 완전 쓰레기였어요. 경험 완전 많아요.

S# 52 혜자 집 앞 (N)

택시 집 앞에 주차하고 미용실로 들어가는 아빠.
여전히 손에 들린 까만 비닐봉지.

S# 53 미용실 (N)

손님 없는 미용실, 엄마 TV 보면서 마른 수건 개고 있고.

아빠 오늘 손님 별로 없었나부네?

엄마 월요일은 항상 그렇지, 뭐. (비닐봉지 보곤) 혜자 없는데. 하긴 개는 식은 붕어빵도 잘 먹으니까…

아빠 (비닐봉지에서 붕어빵 꺼내 엄마 건네며) 개코야 역시… 혜자 아직 안 들어온 거야?

엄마 (붕어빵 먹으며) 어 뭐 선배가 일 소개시켜 준댔다고 신나서 나가던데. 모르지 뭐.

아빠 잘 됐음 좋겠네. 그럼 당신 생일선물도 되고…

엄마 (갠 수건 갖고 미용실 뒤쪽으로 가며) 설레발은 안 칠랍니다.

그때 미용실 문 열고 들어오는 혜자.

아빠 어 왔어?

혜자 응. 엄마는?

엄마 (뒤쪽에서 나오며) 어. 잘하고 왔어?

혜자 (밝게) 당연하지. (돈 봉투 꺼내주며) 짜잔!

엄마 뭐야? (받아들어 만져보고) 돈이야? (받아서 열어보더니) 일했어?

혜자 말했잖아. 선배가 일 소개시켜준다 그랬다고.

엄마 너 쓰지 왜.

혜자 저거 샴푸대 고장 났잖아. 얼마 안 되지만 좀 보탬이 되어볼까 해서…

아빠 (뿌듯하게 혜자 보는데)

엄마 내가 또 자식한테 돈을 다 받아보네. (기쁜 듯 웃으며 봉투를 보는)

혜자 (뭔가 미안하다) …좋아?

엄마 좋지 그러엄. (혜자 엉덩이 툭툭) 수고했어 우리따알~

혜자 (아빠가 웃으며 쳐다보고 있자) 아 알았어. 담번에 벌면 아빠 준다. 됐지?

아빠 (흐뭇하게 보다가 붕어빵 건네며) 이거 먹어. 식기 전에.

혜자 (비닐봉지 열어보고) 와 붕어빵! 쌩유!! (들고 집 쪽으로 들어가고)

아빠 (기특한 듯 웃으면서도) 맨날 사다 바치는 거는 난데 1순위는 항상 엄마지 그냥… 돈 벌어서 내 택시 바꿔준다던 놈이…

엄마 주던 안 주던 얼마나 장해. 우리 새끼나 되니까 부모 힘든 걸 알지… (봉투 챙기며) 나 이 돈 못 쓰겠다. 우리 딸 첫 월급 받아온 거나 마찬가진데… 못 쓰지. (주머니에 넣고는 토닥토닥)

S# 54 혜자 방 (N)

붕어빵은 손도 안 댄 채 침대에 조용히 엎어져 있는 혜자.

심호흡을 한다. 후우후우…

한쪽에 보이는 보석함 (손목시계 든)

S# 55 혜자 집 외경(N) / 혜자 방 (N)

혜자, 누워 있다가 잠이 안 오는지 뒤척…

그러다 결국 벌떡 일어나고.

혜자 그래… 우동에 딱 소주 반병만 먹고 오면 다 잊을 수 있어. 그러고 자자.

S# 56 포장마차 (N)

일 끝난 듯 피곤한 표정으로 포장마차로 들어오는 준하.

준하 우동 하나 주세요. 아 소주 한 병도 주세요.

그때 저쪽에 소주 한 병 비우고 두 병째 마시고 있는 혜자 발견.

준하 (반가운 느낌) 아줌마. 소주는 됐어요.

그리곤 준하, 우동 그릇을 들고 혜자 쪽으로 가서 한자리 띄우고 앉고.
혜자, 점점 취해가는 게 눈에 보이는데 두 병째도 다 마시기 일보 직전이고.
준하, 슬쩍 혜자 다른 쪽 보는 사이에 혜자 소주 마시고 내려놓고.

혜자 (취해서) 술… 어? 없네? 사장님~ 여기 쏘주 한 병 더요.
준하 (주인에게 됐다는 눈짓)
혜자 (준하 알아보고) 어? 그 기자 지망생… 웬일이에요. 우리 동네에?
준하 이미 같은 동네 주민인 거 알았잖아요.
혜자 아 맞다 맞다… 맞어. 주민이었지. (하다 피식) 금수저는 아니더라도 은수저급은 되는 줄 알았는데… 나랑 같은 그지였어. 이상하다 원래 그지는 그지끼리 알아보는데…
준하 (피식) 내가 더 더 그지라서 몰라봤나 보네. 그지도 급이 있으니까…

혜자 에이 왜 이러시나. 우리 집 미용실 그거 우리 집인 거 같지만 은행 꺼예요. 빚이야. 햇빛 할 때 빛 말고 빚. 영어 데트! b묵음

준하 아 또 누가 더 불쌍한가 배틀인가… 난 어디 내놔도 안 꿀릴 자신 있는데…

혜자 우리 엄마 오른손 세 번째 손가락이 이렇게 휘었어요. 왜냐? 가위를 너무 오래 잡아서…

준하 우리 할머니는 지문이 안 찍혀요. 너무 일을 많이 해서.

혜자 와… 난 엄마 얘기하는데 할머니 얘기 끌고 오는 거 치사하다.

준하 그럼 어떡해요. 난 엄마도 아빠도 없는데… 엄마는 어렸을 때 도망가고, 아빠는… 차라리 없었으면 하는 인간인데… (혜자 앞에 있는 소주 따라 마시려는데 비었고) 여기요. 소주 한 병 더 주세요.

혜자 (준하를 빤히 보다가 고개 떨군다) 졌다…

준하, 소주병 따려 하자, 확 빼앗고 화려한 기술로 따고는 술 따라준다.

// 시간 경과

포장마차 주인, 꾸벅꾸벅 졸고 있고.

준하와 혜자, 이제 많이 편해졌다.

준하 그래서 철들면서부터는 가만히 누워 있어 본 적이 없어요. 돈 벌 수 있는 일엔 무조건 달려가고… 지금 언론고시 준비를 하면서도 일용직 알바라도 있으면 나간다니까. 지방도 가고.

혜자 (씁쓸한 표정)

준하 나만 너무 우울한 얘기 했네요. 재미없게.

혜자 그래도… 그쪽은 진짜 열심히 살았네요. 나는… 자신도 없고 뭘 해야 할지도 모르겠어요… 사실… 처음 몇 번 빼고는 방송국에 지원서 낸 적도 없다?

준하 (보는데)

혜자 몇 번 떨어지고 나니까 내가 어느 정도인지 감이 오더라구요. 면접 볼 때도 면접관이 나한테도 물어보지만 이게 예의로 묻는 건지 아닌지 알겠어. 될 만한 애한테는 일단 웃어요. 걔가 뭔 얘길 하는진 중요하지 않아요… 근데 난 내가 봐도 그 정돈 아냐…. 좀 후져. 근데 그걸 인정하기가 힘들어. 왜? 난 내가 애틋하거든… 나라는 애가 좀 잘 됐으면 좋겠는데… 또 애가 좀 후져….

준하 …

혜자 이게 아닌 건 확실히 알겠는데 이걸 버릴 용기는 또 없는 거야. 이걸 버리면 또 다른 꿈을 찾아야 하는데 그 꿈도 못 이룰까 봐 겁나. (피식) 이럴 줄 알았으면 아나운서 같은 헛꿈 꾸지 말고 그쪽처럼 일이나 열심히 할걸. 그럼 돈이라도 벌었을 텐데… 아빠엄마 고생 좀 덜 시켰을 텐데….

준하 … 후회해요?

혜자 네!! 나… 진짜,… 아나운서 되겠다고 한 거 후회해요. 그 꿈만 아니었음 그래도 더 행복하게 살 수도 있었을 것 같은데… 시간을 돌려서 그때로 돌아가고 싶어요. 막… 가서 '너 아나운서 하지 마!!' 막 그러고 싶어.

준하 (피식) 그럴 수만 있으면 좋겠네요. 정말…

혜자 시간을 돌리면?

준하 (보는데)

혜자 진짜 돌릴 수 있다 그러면? 뭘 할 건데요?

준하 (잠깐 고민하다가) 할머니한텐… 안 가요…

혜자 (??)

준하 고아원으로 가서 살더라도… 할머니한텐 안 가요. 나 같은 놈. 다시는 떠맡아서 지옥같이 살게는 안 할 거예요… (그리곤 소주를 털어 넣는데 혜자가 조용하다)

준하, 혜자 쪽을 보는데 혜자 이미 눈물 콧물 범벅이 돼서 준하를 보고 있다.

혜자 … 너 … 너무 애틋해… 너무 안됐어… 진짜 너무 안쓰러워… 엉엉…

준하 (고맙지만 당황스럽고) … 일어나야겠다.

혜자 (갑자기 벌떡 일어나며) 좋아! 내가 특별히! 큰맘 먹고 너에게만 기회를 준다! (그러면서 가방 부스럭부스럭)

준하 기회?

혜자 오늘 또 내가 이거 갖고 온 거 어떻게 알고… (가방에서 보석함 꺼낸다) 시간을 돌릴 수 있는 기회! (보석함에서 손목시계 꺼내 보인다)

준하 (그럼 그렇지. 피식.) 그래요. 그랬음 좋겠네. 정말.

혜자 진짠데… 할 수 있는데… 난 못 하는데 이 시계는 해. 진짜 원해?

준하 (적당히 맞장구) 네.

혜자 진짜 원하냐구?

준하 그래요. 원해요.

혜자 진짜지? 나중에 딴말하면 안 된다. 이거 A/S 안 되는 거야.

준하 그래요. 뭐든 해봐요.

혜자, 자리에서 일어나더니 진지한 표정으로 시계를 손에 꼭 쥐고 눈을 천천히 감는데 그 순간 뭔가 번쩍하면서 준하 놀란 표정에서 엔딩.

Episode 2

S# 1 혜자 방 (D)

열린 커튼 틈으로 햇살이 쏟아진다.

햇살을 따라가 보면, 바닥에 널브러져 자고 있는 혜자가 보인다.

숙취 때문에 괴로운 듯 오만 인상을 쓰고 있는 혜자.

더 잠들지 못하고 부스스하게 일어나는데

속이 안 좋은지 헛구역질이 난다. 우욱.

인상 쓰며 배를 만지다가 눈이 번쩍.

[FLASH BACK]

포장마차

혜자 (가방에서 시계 꺼내서) 시간을 돌릴 수 있는 기회!

준하 (그럼 그렇지. 피식.) 그래요. 그랬음 좋겠네. 정말.

혜자 진짜 원하냐구?

준하 그래요. 원해요.

혜자 진짜지? 나중에 딴말하면 안 된다. 이거 A/S 안 되는 거야.

혜자 방

혜자, "미친…" 벌떡 일어난다.

후다닥 거울 보고 자기 얼굴 여기저기 살펴본다.

혜자 다크서클! (놀라며) 피부 봐! 탄력도 없고. 늙었지?
아씨 돌렸네. 돌렸어. (하다가) 아 속 쓰려.

S# 2 거실 (D)

혜자, 거실로 나와 주방으로 간다.
속 쓰린지 배 쥐어 잡고 가스레인지 위에 냄비를 여는데
뭇국이 가득 끓여져 있다.
혜자, 큰 대접에 뭇국 담고, 거기에 밥을 말아 식탁에 앉는다.
혜자, 숟가락에 밥을 퍼서 크게 벌린 입으로 집어넣을 찰나.
혜자의 등짝을 때리는 손.
혜자, 아!! 비명 지르며 돌아보면.
한 손엔 고데기 들고 서 있는 엄마가 있다.

혜자 아 왜?
엄마 아 왜? (또 등짝 때리는)
혜자 아아! 왜 그래? 나 아무 때나 술 마셔도 되는 성인이거든?
엄마 성인이고 자시고 아나운서 한다는 년이 술 처먹고 머리는 깨져서 다니고.
혜자 머리가 누가 깨졌…

혜자, 머리 만지는데 머리 위에 반창고 붙어 있다.

혜자 이거 뭐야? 엄마 이거 뭐야? 나 죽을 뻔한 거 아니야?
엄마 죽을 뻔한 게 아니라 오늘 너 죽을 거야.
혜자 (뭔소리인지 알겠다) 엄마 나 죽기 전에 딱 한 숟가락만! 속이라도 편한 상태로 죽어야… (뭇국 한 숟가락 퍼 입에 넣으려는데)

날아오는 엄마의 등짝 스매싱.
결국, 뭇국도 못 먹고 연타로 날아오는 등짝 스매싱을 피해 도망간다.
현관까지 도망 와서 신발도 못 신고,

양손에 슬리퍼 들고 밖으로 뛰어나가는.

S# 3 집 밖 (D)

혜자, 맨발에 양손에 슬리퍼 들고 후다닥 뛰어나왔다.
아빠, 낡은 택시를 세차하고 있다.
작은 얼룩이 안 지워지는지 침까지 발라가며 벅벅 문지르고 있다.
혜자, 슬리퍼 바닥에 놓고 신고는 아빠한테 간다.

혜자 그러다 택시 구멍 나겠네.
아빠 (쳐다보는)
혜자 똥차는 뭐 하러 맨날 닦아? 티도 안 나는구만.
아빠 니가 성공해서 차 바꿔준다며? 그때까진 타야지.
혜자 아무래도 힘들 것 같아 차 먼저 바꿔.
아빠 이야~ 변했네 변했어. 애인 생기더니.
혜자 애인? 뭔 소리야?
아빠 머리는 괜찮아?
혜자 어? (하다) 아 맞다 머리!! (기억 더듬는데 잘 생각 안 난다)
아빠 머리가 왜 깨진 줄은 알고?
혜자 (하나도 모르겠지만) 그러엄. 내가 그 정도로 취한 건 아니니까.
(아빠 눈치 보며) 그거 때문인 거잖아. 그거.
아빠 아빠가 스뎅이 왜 스뎅인지 알려줬었지? 이번에 알았겠네.
혜자 스뎅? (뭔가 떠올랐다) 아!

[FLASH BACK]

포장마차

혜자 진짜 돌린다! 나 진짜 돌린다!!

혜자, 시간 돌리겠다고 눈 감는데.

그대로 앞으로 기절하듯 머리를 플라스틱 테이블에 박는다.

그 바람에 테이블이 넘어지며 스테인리스 어묵 그릇이 하늘로 날아간다.

(SLOW) 스테인리스 어묵 그릇의 비행.

다시 정신 차린 혜자. 위로 올라가는 어묵 그릇을 말똥말똥 본다.

그릇 비행을 마치고 혜자의 머리로 떨어진다.

청명하게 들리는 스테인리스의 소리. 스뎅~~~~~~

혜자 아 그래서 스뎅이구나. (낄낄 웃는) 스뎅~~

혜자, 아무렇지도 않게 몇 발짝 걷다가 픽 쓰러지는.

// 현실

혜자 (작게) 미치겠다… 후우~

아빠 운전도 얼마나 잘하는지 깜짝 놀랐네.

혜자 (헉) 내가 운전도 했어?

아빠 했지! 사람 운전.

[FLASH BACK]

혜자, 준하 등에 업혀서 준하 머리카락 움켜쥐고.

오른손으로 머리 잡아당기며 "우회전! 우회전!"

왼손으로 머리 잡아당기며 "좌회전! 좌회전!"

// 현실

혜자 (죽고 싶다 머리로 택시 쿵쿵 박는) 미친년… 미친년…

아빠 얼마나 난리 쳤는지 니 손에 그놈 머리카락이 수북하더라.
다음엔 더 많이 뽑아와. 그걸로 아빠 머리 좀 심게.

혜자 (쪽팔려 죽겠다) … 뭐라고 안 해?

아빠 지가 그런 것도 아닌데 죄송하다고 몇 번이나 사과하더라.

혜자 그래서?

아빠 뭐 하나도 기억 못 하는구만.

혜자 그래서!!!

아빠 그래서는 뭘 그래서야! 다시 우리 딸 데리고 술 마시면 그땐 가만히 안 놔두겠다고 했지.

혜자 진짜 그랬어?

아빠 왜? 다시 애인 못 볼까 봐 걱정이냐?

혜자 누… 누가 애인이야? 애인 아니야.

아빠 반응 보니까 애인 맞네.

혜자 아니라니까! 아빤 진짜! (가다가 다시 쓱 온다) … 흠… 어때 보여?

아빠 사람은 괜찮아 보이던데.

혜자 아우 괜찮기는… (가는)

아빠 난 그 교제 반댈세!!!

혜자 (괜히 싱글벙글)

S# 4 영수 방 (D)

영수, 촛불 켜 놓고 뚫어져라 바라보고 있다.
그러더니 영수, 손을 오른쪽 볼 쓱 만지고, 왼쪽 볼을 만지고
촛불로 발사한다. 손끝에서 나오는 장풍으로 촛불을 끄려고 하는.

촛불 멀쩡하다. 영수, 다시 손끝으로 장풍을 쏘는데.

조준을 잘못해서 손끝이 불에 닿는다.

영수 "아 뜨거!!!!" 팔짝 뛰는데.

창문에 혜자. 초록물고기의 한석규처럼 유리창에 붙어 있다.

영수 "엄마야!!" 하며 깜짝 놀라 촛불 쓰러뜨리고 난리다.

Cut to

영수 혜자, 마주 앉아 있다.

혜자 그래서 장풍은 나가냐?

영수 (불 만지더니 혜자한테 손끝 장풍) 꺼져!

혜자 한심하다 진짜.

영수 맞다. 야 그 자식 집 어디야?

혜자 누구? (하다가) … 집은 알아 뭐하게?

영수 남자가 여자한테 술 먹인 이유가 뭐겠어? 내가 이 자식 가만 안 둬.

혜자 얻어터지지나 말고 가만히 있어.

영수 내가 얻어터져?

혜자 오빠 현주한테도 맞았잖아.

[FLASH BACK]

영수, 이소룡처럼 준비 동작하는데.

현주, 바로 돌려차기하고 날아가 떨어지는 영수.

영수 여자를 어떻게 때리냐? 맞아 준 거지.

혜자 됐고. 오빠. 나 국에다가 밥 좀 말아서 갖다주면 안 돼?

영수 왜 사고 쳤냐? (바로) 엄마! 혜… (하는데)

혜자 (오빠 입 막으며) 아 진짜. 내가 여자 소개시켜줄게.

영수 누구? 현주? 상은이? … 엄!!!

혜자 다른 친구 있어. 엄청 이뻐.

영수 … 오빠만 믿어. (밖으로 나가는)

혜자 엄마한테 들키지 마라~

영수 야! 나 장남이야. 장남! 엄마가 너랑 나랑 대하는 게 똑같은 줄 아냐? 그렇게 어렸을 때부터 차별 대우받고도 상황 파악이 안돼요.

영수, 문 열고 밖으로 나간다.

영수 (당당한 OFF) 엄마 밥 좀 줘.

Cut to

영수, 쟁반에다 국, 깍두기 들고 들어온다.

영수 봐라. 엄마가 직접 차려주더라. 뭇국에 소고기 딱 세 점 있는데 두 점이 여기 있네. 오빠가 이런 사람이다.

영수, 볼 (Close-Up) 하는데, 따귀 맞은 선명한 손자국.

혜자, 갸웃하며 영수 볼 보려는데,

영수 (볼 안 보이게 돌아앉으며) 아 과자나 먹어야겠네. (하며 과자 봉지 뜯는데 봉지 소리 안 나게 조심조심 미세하게 뜯고 있다)

혜자 (그 모습 보며) 차! 엄마 눈치 보느라고 과자 봉지도 시원하게 못 뜯으면서 허세는 진짜.

영수 (크게) 야 누가 엄마 눈치를…

그때, 밖에서 나는 엄마의 기침 소리.

영수, 그 기침 소리가 천둥소리라도 되는 것처럼 깜짝 놀라는.

혜자 왜 청심환이라도 갖다줘.

영수 (뻘쭘)

혜자 한심하다 한심해.

혜자, 깍두기 입에 넣는데, 깨물려고 하다가 입에 통으로 넣고는 빨아먹는.

영수 지는? 깍두기 녹여 먹는 주제에.

혜자 아껴 먹는 거야. 진짜 제대로 먹어봐?

혜자, 깍두기 깨무는데.

(E) 아삭!!

소리 끝나기 무섭게 바로 문 열린다.

엄마, 북어 들고 서 있다.

엄마 이것들이!!

엄마, 북어 치켜들고 때리려고 하면.

혜자, 엄마 피해 구석으로 가는데

영수는 안 도망가고 가만 서 있다.

영수 전 아까 여기 따귀 맞았습니다. 일사부재리 원칙! 같은 죄로 두 번 처벌 받지 아니한다.

엄마 (북어로 다른 빰 툭 치며) 다른 죄다! 너 엄마 지갑에서 돈 가져갔지?

영수 (심각) 미리 말씀드렸어야 했는데… 사실 제가 가져간 거 맞습니다. 갑자기 급하게 돈이 필요해서요.

엄마 급하게 어따 쓰게?

영수 급하게… 새우깡이 먹고 싶어서요.

엄마, 북어로 오빠 때리면.

혜자, 후다닥 도망 나가는

엄마 너 거기 안 서!!

S# 5 현관 안 (D)

혜자 잡으러 나오던 엄마, 멈칫한다.

보면, 현관에 현주, 상은 있다.

혜자는 그 사이에서 어깨동무하고 방긋 웃고 있다.

혜자 애들이 오랜만에 놀러 왔네?

현/상 안녕하세요. (인사하는)

엄마 (다정하게) 현주랑 상은이 왔구나. (들고 있던 북어 보며) 북엇국 시원하게 끓여 줄 테니까 먹구들 가~ (웃으며 혜자 째려보면)

혜자 (뜨끔) 들어가자, 들어가자. (데리고 들어가는데) 엄마 친구들 왔는데 마실 거 좀…

엄마, 혜자에게 눈 흘기다가 현주 상은 보면 다정한 미소.

S# 6 편의점 (D)

준하, 편의점 카운터에 서서 창밖을 보는데 웃으며 지나가는 20대 여자 둘.
그 모습을 물끄러미 보던 준하, 주머니에서 혜자의 손목시계를 꺼내고.

[FLASH BACK]
1부 엔딩에서 시간을 돌려준다던 혜자 모습

준하 (피식 웃는데)

(E) 편의점 문 열리는 소리

준하 (주머니에 시계 넣으며) 어서오… (보는데)
서현 (미소) 어… 못 만나면 어쩌나 걱정했는데. 꽤 어렵게 얻어낸 정보예요. 여기서 알바 하신다는 거…

S# 7 혜자 방 (D)

혜자, 음료수 마시고 있는데.
현주, 상은 깔깔거리며 웃고 있다.

상은 아 뭔가 로맨틱하다.
현주 오뎅그릇에 대가리가 터진 게 로맨틱이냐?
혜자 로맨틱이고 자시고 이제 걔 못 봐. 진상이란 진상은 다 떨었으니…
상은 사랑은 그렇게 시작되는 거야.
현주 또라이라고 생각 안 하믄 다행이지.

혜자 또라이…

현주 이번엔 충분히 그럴 만했다.

혜자 그치. 인정.

갑자기 분위기 우울해진다.

상은 (한숨) 어쨌든 부럽다. 난 연습생 10년 동안 연애도 못 해보고 회사 청소만 하다가 나이만 먹어버렸네… 이 스물다섯을 어쩌면 좋냐…

혜자 (한숨) 여자 나이 스물다섯은 뭘 하기에도… 뭘 안 하기에도 애매한 나이인가 봐. 야 나는 면접 들어가면 맨날 물어봐. '빠른이에요?' 액면이 삭아 보인다 이거지.

현주 니들은 하고 싶은 거라도 하고 있지. 난 하고 싶은 것도 없고, 할 줄 아는 것도 없어서… 남들은 취직이다 연애다 잘만 하는데… 난 이렇게 춘장만 주구장창 볶다가 늙어 죽을걸.

분위기 더 처진다.

혜자 안 되겠다. 기분전환이 필요해. 가자!

S# 8 영수 방 밖 (D)

영수 방 창문 밖으로 혜자, 현주, 상은의 머리 올라온다.
쪼르르 서서 방안을 지켜보고 있는 뒷모습.

S# 9　　영수 방 (D)

창문으로 혜자, 현주, 상은 쳐다보고 있는 모습 보인다.

영수, 어항을 정성스럽게 보고 있다.

흐뭇한 미소로 어항 보다가 생라면 꺼낸다.

라면을 꺼내서 어항에 라면을 푹 담근다.

현주　　(E) 뭐 하는 거야?

혜자　　(E) 씹는 소리 나면 엄마한테 들키니까.

영수, 흐뭇한 표정으로 어항 물에 적신 라면 먹는다.

현주　　(E) 결심했어! 저렇게 사는 사람도 있는데…

혜자　　(E) 주어진 상황에 감사하며 열심히 살아보자!

현주　　(E) 한결 기분이 상쾌해졌네.

상은　　(E) 근데 나도 먹어보고 싶다.

혜자, 현주, 어이없어 상은 보는데.

상은　　우리 본다! 오빠 안녕하세요~

혜자, 현주, 보면, 영수가 쳐다보고 있다.

현주　　아씨!! 나 간다.

S# 10 영수 방 밖 (D)

현주, 서둘러 가려고 하는데.

영수 (OFF) 야. 이현주.

현주, 돌아보면 영수 서 있다.

(Cut to)

혜자, 상은 조금 떨어진 곳에 있고.
영수, 현주 얘기한다.

영수 (분위기 잔뜩 잡고) 너 우리 집 왜 온 거야?
현주 응? 그야 혜자…
영수 (O.L) 나 보러 왔니?
현주 아니 혜자…
영수 (O.L) 우리 끝났다고 했지.
현주 그게 아니…
영수 (O.L) 그래 잊기 힘들었을 거야. 미련이 많이 남을 거야. 어떤 남자를 만나든 그 남자한테서 내 모습을 찾으려 했겠지. 하지만 난 다시 시작할 마음 없어. 그러니까 혜자 핑계 대면서 우리 집 오지 않았으면 좋겠다.

영수, 돌아선다.

영수 (현주한테 뒷모습 보이며) 너의 첫사랑이 나였다는 거 그거 하나로 너한텐 축복이잖아.

현주, 옆에 있던 화분을 머리 위까지 들고 내려치려고 하는데.
어느새 달려온 혜자, 상은, 현주 잡고 끌고 가고 있다.

S# 11 거리 일각 (D)

현주, 분이 안 풀려 씩씩거리고 걸어가고 있다.
혜자, 상은, 그런 현주 옆을 걷고 있는데.

혜자 중학생이었잖아. 뭘 알겠어.

현주 이미 이현주 인생은 중학생 때부터 튼 거야. 아무리 애라 그래도 사람 보는 눈이 그렇게 없어서…

상은 (OFF) 잘생겼다아…

혜자 (현주보다 더 버럭) 이런 미친…

그런데, 상은이 없다.
혜자, 현주 돌아보는데.
상은 어느 카페 앞에 멍하게 서 있다.
혜자, 현주 "상은아!" 부르면서 간다.
혜자, 현주도 상은처럼 그 자리에 그대로 서 버린다.
보면.
카페 창 안쪽으로 준하 앉아 있고,
준하 맞은편에 서현 앉아 있다.

현주 그놈이야? (혜자 보고는) 표정 보니 맞네…

혜자 ……

현주 앞에는 누구야?

혜자 서현이.

현주 서현이가 누군데?

혜자 이번에 아나운서 된 후배.

현주 아 그 들판의 코끼리

혜자 쯧! 숲속의 숫사슴!

서현, 준하가 무슨 얘기 하면 깔깔거리며 웃는.

현주 원래 저놈 유머가 좀 있는 놈이냐?

혜자 아니 전혀.

현주 그럼 꼬리치는 거네. 웃기지도 않은데 저렇게 죽어라 웃어대는 거 보면 백퍼 꼬리치는 거지.

상은 혜자야 괜찮나?

혜자 안 괜찮을 게 뭐 있어. 내 남자친구도 아니고. 가자 가.

현주, 상은, 그대로 있다.

혜자 가자고! 나 먼저 간다. (가는)

준하, 밖에 쳐다보는데.
현주, 상은, 잔뜩 심각한 표정으로 노려보고 있다.
준하, 다른 사람인가 보다가 자신인 거 안다.
준하, 다시 서현 보는데.
현주, 상은 노려보고, 준하, 계속 신경 쓰이는.

S# 12 거리 일각 (N)

준하 할머니, 리어카 몰고 있다.

방지턱에 걸려 리어카가 잘 안 넘어가는데.

갑자기 수월하게 훅 방지턱을 넘는다.

할머니 뒤를 돌아보면.

혜자, 낑낑거리며 리어카 밀고 있다.

할머니 (손사래) 아유. 괜찮아. 괜히 큰일 앞두고 다칠라 그냥 가요.

혜자 아니에요. 어차피 가는 길이에요.

할머니 리어카를 밀고 가는 혜자.

S# 13 준하 집 앞 (N)

리어카 준하 집 앞에서 멈춰 선다.

할머니 나 때문에 집에서 한참 왔네 어쩌누?

혜자 괜찮아요. 그렇게 멀지도 않아요. 그럼 가보겠습니다.

할머니 아녀 밥이라도 먹고 가. 밥 안 먹었지?

혜자 네? 아니에요. 집에 가서 먹으면 돼요.

할머니 먹고 가 이렇게 도와줬는데… 나도 손주가 안 와서 혼자 먹어야돼서 그래.

혜자 진짜 됐는데.

할머니 (손잡고) 이리 와.

S# 14 준하 집 안 (N)

혜자, 앉지도 못하고 멀뚱멀뚱 서서 초라한 집을 둘러보는데
그때 할머니, 작은 앉은뱅이 상에 단출한 밥상을 차려서 방으로 갖고 오고.

혜자 (얼른 상 받으며) 저 주세요.
할머니 찬이 없어서… 계란이라도 하나 부쳐줄까?
혜자 아뇨. (괜히) 저 계란 완전 싫어해요. 앉으세요.

할머니, 자리에 앉고 혜자도 한술 뜨려는데
그때 문 열리며 들어오는 준하.

준하 할머니… (하다 혜자 보고 살짝 놀란 표정)
혜자 (살짝 민망한)

Cut to

특별할 것 없는 수제비에 파김치뿐인 상.
혜자, 할머니, 준하 셋이 앉아 있다.
혜자, 말도 없이 밥을 먹는.

할머니 나는 완전 시골 입맛이라 입에 맞을까 모르겄네…
혜자 아니에요. 완전 맛있는데요?
할머니 (이쁘게 쳐다보는) 조신도 하지. 먹는 것도 이쁘네. (준하 보며) 그쟈?
혜자 (부끄러워 죽겠는데 대답이 궁금은 하다)
준하 네.

혜자, 쳐다도 안 보고, 숟가락에 자기 얼굴 비춰본다.

혜자 (E) 얼굴 빨개졌으면 어떡하지? 빨간가?

준하 우리 할머니 파김치 엄청 맛있어요. 먹어봐요.

준하, 파김치 혜자에게 밀어주면.

혜자 아… 고마워요.

혜자, 젓가락으로 파김치 들고, 파 끝을 입으로 넣는데.
파김치가 끝도 없이 길다.
염소처럼 우물우물해서 씹어서 계속 입 안으로 넣는.

준하 우리 할머니 김치는 라면이랑 먹으면 진짜 끝내주는데…

혜자 아… 라면…

할머니 이따가 싸 줄 테니까 집에 가서 먹어봐. 대단치도 않어. (웃고)

S# 15 준하 집 밖 (N)

할머니, 준하와 혜자를 배웅하러 나와 있고.

할머니 파김치가 얼마 안 남아서… 얼마 못 싸줘서 어떡하누.

혜자 (거대한 파김치통 낑낑대며 들고서) 네? 이게… 하하하…

준하 (혜자 손에서 김치통 받아 들고) 이거 들어다 주고 올게요.

혜자 괜찮은데…

할머니 그려. 어두운데 잘 데려다주고 와.

S# 16 거리 일각 (N)

혜자, 준하, 걷고 있다.

준하 머린… 괜찮아요?

혜자 뭐… 워낙 단단하니까… 그쪽 머린?

준하 네?

혜자 (준하 머리숱 보고) 다행히 풍성하네…

준하 …고마웠어요.

혜자 ……뭐가요?

준하 날 위해서 시간을 돌려준다는 거… 농담이었어도 고마웠어요. 진짜로 믿고 싶을 만큼.

혜자 (보는)

준하 사랑받고 자란 티가 난달까… 그렇게 말도 안 되는 얘기도 자신 있게 할 수 있는 게 부럽기도 하고…

혜자 이거… 돌려까긴가?

준하 난 뭔가 내 스스로가 부족하다고 느껴선지 자꾸만 뭐든 제대로만 하려고 해요. 내가 한 무언가에 흠이 있으면 그게 바로 내 약점이 된다고 생각해서.

혜자 사랑이 부족하네.

준하 (보면)

혜자 난 내가 싫진 않아요. 내가 사랑스러워 미치겠어 까지는 아닌데 그냥 괜찮은 것 같애. 별로인 구석도 많은데 꽤 귀여운 것 같기도 하고… 흐흐흥 (웃다가 헉! 해서 혼잣말) 미친년… 큼… 뭐 스스로를 사랑해봐라 그런 얘기예요. 그럼 좀 관대해지니까…

준하 (미소) 좋네, 그 말. 그럼 관대해지기 실천의 일환으로 말 놓죠. 사실 어제 그 정도 에피소드면 말 놓고도 남았지 사실.

혜자 (다시 생각났다) 아… 음… 어제 일은 정말 사과할게요. 아니 사과할게. 그리고 다시 그런 일을 없을 거야. 절대로.

준하 (물끄러미 혜자 보다가) 이리 와봐.

S# 17 어느 건물 앞 (N)

*혜자가 나중에 뛰어내리려는 건물.

준하, 그 집으로 쓱 들어가면.

혜자 (헉/ 설마?)

준하, 옥상으로 올랐다.

준하 이리 올라와.

S# 18 어느 집 옥상 (N)

준하, 있는데, 혜자, 잔뜩 긴장하며 올라온다.

준하 여기 좀 봐봐.

준하, 정면 보고 있고,
혜자, 준하를 빤히 쳐다본다.
준하, 쓱 혜자 보는.
혜자, 눈 감으며 모든 게 준비 다 됐어요. 하는 눈빛인데.

준하 나 말고 저기!

혜자 (뻘쭘/ 눈 뜨고는) 그르니까… (하며 준하 가리킨 곳 보는)

예쁜 야경이 보인다.

준하 여기가 이 동네에서 가장 멀리 보여.

혜자 그렇네. 이 동네 살면서도 몰랐어.

준하, 혜자, 한참을 야경을 본다.

혜자 … 일부러 보려고 한 건 아닌데. 아까… 서현이 만나더라.

준하 응 갑자기 좀 보자 길래…

혜자 … 왜?

준하 사귀재.

혜자 (응?) … 그래서?

준하 됐다고 했지.

혜자 아 그랬구나. (기분 좋다) 참 이쁘다 야경.

S# 19 혜자 집 외경 / 혜자 집 외경 (N)

혜자, 문 빼꼼 열고 조용하게 들어오는데.

누군가 지키고 서 있다.

보면, 영수 버티고 서 있는.

혜자 오빠… 쉿! 제발…

영수 따라 와.

혜자 응?

S# 20 영수 방 (N)

혜자, 영수 방에 들어가면
소주랑 마른 멸치, 고추장 놓여 있다.

혜자 뭐야 이게?
영수 앉아 봐.
혜자 (앉는) 또 뭔 수작이야?
영수 오빠한테 수작이 뭐냐? 너 요즘 무슨 일 있지?
혜자 없어.
영수 나 니 오빠야. 나만큼 너 잘 아는 사람 없어. (술 따라주며)
혜자 (받아 마시며) 내 생일도 기억 못하면서.
영수 물질적으로 필요한 기억 말고. 정신적인 거.
혜자 없어.
영수 쫏. 얘기해봐. 너 뭐 있어. 남자 문제냐?
혜자 아니야.
영수 그럼 진로 문제야?
혜자 …
영수 진로 문제네. 뭔데? (또 한 잔 따라준다)
혜자 됐다고.
영수 혼자 힘들어하는 것 같아서 그래. 그게 보기 싫어서.
혜자 (술 마시곤 한숨) … 사실 나 아나운서 그만뒀어.
영수 (놀라는) 아.
영수 엄마도 아셔?

혜자　　아니.

영수　　엄마가 상처가 크시겠네. 너 아나운서 되는 게 엄마의 제일 큰 꿈이잖아.

혜자　　솔직히 그게 제일 걱정이야.

영수　　(어깨 다독여주며) 에이구 불쌍한 것.

혜자　　내가 오빠한테 위로를 다 받네.

영수　　불쌍한 것.

혜자　　됐어. 그만해.

영수　　불쌍해서 그러지.

혜자　　됐어. 뭐가 그렇게 불쌍해?

영수　　엄마한테 맞을 생각 하면 불쌍하지.

혜자　　응?

영수　　엄마!!! 혜자 아나운서 그만뒀대!!!

영수, 거실로 뛰어나가고.

혜자, 잡으러 따라 나왔는데.

엄마, 아빠, 잠옷 차림으로 나왔다.

영수　　엄마! 혜자 아나운서 그만뒀대.

혜자　　저 인간을 믿은 내가 바보지.

엄마　　뭐 뭘 그만둬.

혜자　　엄마! 진정하고 내 말 좀 들어봐. 솔직히 내가 아나운서 될 정도는 아니라는 거 엄마도 알았잖아 그지? 객관적으로 봐도 아니잖아.

엄마　　… 어느 부모가 자기 자식을 객관적으로 봐. 그럼 부모 속 썩는 거 모르는 자식새끼들 다 갖다 버리고 말지.

혜자　　(뜨끔) 다른 거 할 거야. 오빠처럼 백수 한단 얘긴 아니야.

엄마　　당연하지!! 그래서 뭐 할 건데?

혜자　　(당황) …생각 중이야.

엄마　　생각 중? 니 나이가 몇인데 아직도 생각 중이야? 그동안 아나운서 합네 하고 내가 많이 봐줬지? 이리 와. (달려들고)

혜자　　(뱅글뱅글 도망 다니며) 아 엄마아아. 진짜 일할 거야.

엄마, 달려들고 혜자, 뱅글뱅글 도망 다니는데
그때 문 여는 아빠.

아빠　　혜자야!!

혜자, 방으로 들어가면.
아빠, 문 걸어 잠근다.

엄마　　(문고리 흔들며) 열어! 여보! 문 열어!!

영수　　엄마 내가 딸까? 10초 만에 딸 수 있는데.

엄마　　(영수 등짝 때리는)

S# 21　　혜자 방 (N)

영수　　(OFF) 아 난 왜?

엄마　　(OFF) 너도 보기 싫으니까 나가!!

아빠, 문고리 잡고 있고,
혜자, 뒤에서 숨죽이며 지켜보고 있다.

아빠　　해제! 해제!

혜자　　(크게 침대에 철퍼덕 앉으며 한숨 쉬는)

아빠 (혜자 옆에 앉는다)

혜자 아빠 미안해.

아빠 그래 우리 딸은 아빠가 봐도 아나운서는 아니었어.
우리 딸은 미스코리아지!

혜자 그럴 거면 우유라도 많이 먹여놓던가.

아빠 먹였지. 니가 안 먹은 거지.

혜자 (한숨) 내가 아나운서 돼서 우리 아빠 택시 새 차로 바꿔주려고 했더니.

아빠 아나운서 아니어도 그건 할 수 있지 않나?

혜자 여기 삭막한 사람 또 하나 있네. 이럴 땐 딸아 괜찮다. 부디 건강하게만 자라다오. 그래야 되는 거 아니야?

아빠 여기서 어떻게 더 건강하니?

혜자 하긴…

아빠, 혜자, 웃는데.

혜자 엄마는?

아빠 며칠 앓아눕겠지. 그러고 씩씩하게 일어나 머리 말겠지.

혜자 아빠는?

아빠 아빠는 며칠 계속 엄마한테 바가지 긁히겠지.

혜자 그거 말고 아빠는?

아빠 괜찮아 우리 딸만 괜찮으면.

혜자 아빠가 우리 아빠라 좋다.

S# 22 혜자 집 외경 / 혜자 방 (D)

혜자, 눈 뜬다.

아빠 (E) 여보 나 갔다 올게. 혜자한테 뭐라 그러지 마.

택시의 우렁찬 엔진소리, 출발 소리 들린다.

S# 23 주방 (D)

혜자, 방에서 나와 물 따라 마시려고 식탁으로 가면.
식탁에 예쁘게 차려 있는 북엇국 보인다.

S# 24 미용실 (D)

엄마, 미용실 바닥 쓸고 있다.
혜자, 눈치 보며 들어와서는 소파에 앉아
널브러져 있는 수건들 차근차근 개고 있다.

혜자 머리 말기 딱 좋은 날씨네. 오늘 손님들 많겠어.

엄마 (대꾸 없이 일하는)

혜자 … 엄마 나 미용이나 정식으로 배워볼까?

엄마 (찌릿) …뭐?

혜자 아니… 주영이 보니까 취직해도 매일 야근에 사수는 상또라이에, 주말도 없대~ 어후 그보단 엄마 미용실 물려받아서~

엄마 엄마가 하니까 미용실은 쉬워 보여?

혜자 누가 쉬워 보인대? 어려운 거 알지. 하루종일 앉지도 못하고 종일 가위질 하면 손가락 마디마디 다 붓고, 파마약은 좀 독해.

엄마, 혜자한테 와서 수건 거칠게 뺏는다.

엄마 알면서 그걸 왜 하려고 그래?

혜자 할 거 없으니까.

엄마 (혜자 쳐다보다가) … 그래도 딴 거 해.

혜자 뭐 하라고…

엄마 그걸 니가 찾아야지 왜 엄마한테 물어? 스물다섯이나 먹은 게. 까불지 말고 너 이제 미용실도 나오지 마!

혜자 (입 삐죽거리며 엄마 보다가 나가는)

S# 25 거실 (D)

혜자, 거실로 들어왔다.
자기 마음을 이해 못 해주는 엄마가 서운하기도 하고.
미안하기도 하다.
혜자, 주방으로 가는데. 설거지통에 설거지가 가득이다.
혜자, 팔 걷어붙이고 설거지하는데.
어제 파김치 싸주었던 반찬통이 보인다.

Cut to

파김치 싸줬던 반찬통에
반찬을 정성스럽게 담고 있는 혜자.

혜자 뭔 통이 담아도 담아도 끝이 없네…

S# 26　준하 집 밖 (D)

혜자, 반찬통 들고 집 밖에서 안쪽을 기웃거리는데.
뭔가 실루엣이 보인다.
혜자, 할머니는 아니고. 준하인가 싶어 집으로 들어가는데.
준하라고 하기에도 덩치가 커 보인다.

혜자　　도…도둑?

혜자, 조심스럽게 안쪽을 보려고 하는데.
문이 확 열리면.
혜자, 뒤로 넘어지고.
나이 든 인상 안 좋은 남자, 서서 본다.

남자　　누구슈?
혜자　　저 준하 친군데요.
남자　　근데?
혜자　　반찬통 전해 주려구요.
남자　　(손 내미는)
혜자　　(반찬 주고) …저기 그런데 누구?

남자, 문 쾅 닫는다.

S# 27　미용실 앞 (D)

혜자, 갸웃하며 걸어오고 있다.

혜자 누구지?

혜자, 미용실 앞에 도착했는데.
엄마, 영수, 뛰어나온다.

혜자 엄마 왜 그래?
엄마 아빠가… 아빠가… (달려간다)

S# 28 병원 안 (D)

엄마, 혜자, 영수, 정신없이 뛰어가고 있다.

S# 29 응급실 안 (D)

엄마, 혜자, 영수, 들어오면.
아빠, 침대에 피투성이가 되어 쓰러져 있다.
엄마, "여보!!", 혜자 "아빠! 아빠!" 부르는데 의식이 없다.
의사들 무리 뛰어오더니 아빠를 살피더니 후다닥 이동한다.

S# 30 수술실 앞 (D)

수술실로 들어가는 아빠.
엄마, 오열하며 수술실 앞에 주저앉는데.
혜자, 그런 엄마 부축하고 있다.

(Cut to)

엄마, 혜자, 수술실 앞 의자에 앉아 있고.

영수, 경찰관이랑 얘기하고 있다.

경찰 신호대기 중이던 택시를 트럭이 받았어요.

[FLASH BACK]

도로 일각

아빠, 택시 신호대기 중에 서 있다.

뒤에서 달려오는 트럭.

경찰 (E) 브레이크 고장이었던 것 같습니다.

트럭 기사, 브레이크를 밟으려고 애를 쓰는데 택시 멈추지 않는다.

트럭, 그대로 택시를 뒤에서 받는다.

S# 31 수술실 앞 (D)

경찰, 인사하고 가면.

영수, 엄마, 혜자 옆에 앉는다.

영수, 얼굴을 감싸 쥐고 있는.

혜자, 멍하다. 마치 꿈을 꾸고 있는 것 같다.

혜자, 그러다가, 맞은 편 의자 있는 쪽을 본다.

거기 아빠가 앉아 있다.

아무 표정 없이 혜자를 앉아서 바라본다.

혜자도 그런 아빠를 가만히 계속 바라본다.

둘, 서로를 무표정하게 바라보는.
그때, 수술실 문이 열린다. 엄마 영수, 달려가고
혜자, 그쪽으로 고개 돌리면.
의사가 나온다. 의사, 엄마에게 뭐라고 하는데.
혜자, 아빠가 앉아 있던 의자를 본다.
아빠는 거기에 있지 않다.
묵음에서 서서히 엄마의 오열하는 소리가 들리기 시작한다.

S# 32 혜자 방 (D)

혜자 방문이 열리더니 넋이 나간 것 같은 혜자가 들어온다.
혜자, 보석함을 연다. 찾는 것이 없다.
서랍을 열고 옷을 집어 던지며 찾기 시작한다.
정신 나간 사람처럼 방안을 뒤진다.

[FLASH BACK]
준하 손에 쥐고 있는 손목시계.

S# 33 편의점 (D)

준하, 카운터에 서서 알바하고 있는데.
혜자, 눈물이 범벅되어 들어온다.
준하, 놀라는데.

혜자 (다짜고짜) 내 시계 줘.

준하 아 그거 안 그래도 돌려…

혜자 (O.L) 내 시계 달라고 빨리!!

준하, 손바닥 펴서 시계 보이면.

혜자, 낚아채듯 들고 간다.

준하, 따라가려다가 그냥 그 뒷모습만 바라본다.

S# 34 거리 일각 (D)

혜자, 누가 뺏기라도 할 것처럼 시계를 품에 꼭 안고 걸어가고 있다.

혜자 될 거야. 될 거야…… 제발 제발…

혜자, 바들바들 떨리는 손으로 분침을 돌리곤 꼭 움켜쥐는데.

밝은 빛이 확 열리며 화면 화이트 아웃.

S# 35 혜자 방 (D)

혜자, 벌떡 일어난다.

아빠 (E) 여보! 갔다 올게. 혜자한테 뭐라 그러지 마.

택시의 엔진소리.

혜자 (비명 지르듯) 아빠!! 아빠!! (뛰어나가는)

S# 36 혜자 집 밖 (D)

혜자, 뛰어나오면 아빠 택시 저만치에 벌써 가고 있다.
혜자, "아빠!"를 외치며 뛰어간다.
점점 거리가 더 멀어지는데도 뛰어간다.
그리고 온 공기를 부숴버릴 것 같은 "쿵!!" 하며 부딪치는 소리.
혜자, 다시 한번 떨리는 손으로 손목시계를 꺼내서
손에 꼭 쥔다.

S# 37 혜자 방 (D)

혜자, 벌떡 일어난다.

아빠 (E) 여보 나 갔다 올게.

S# 38 거리 일각 (D)

혜자, 택시를 따라 무조건 뛰어간다.
쿵!! 택시 사고 나는 소리.

S# 39 몽타주 (D)

혜자, 벌떡 일어나는 장면//
혜자, 죽어라 뛰어서 택시를 따라가는 장면//

택시 사고 나는 장면//
뛰면서 넘어지고//
다시 일어나고//
또 뛰어가는 장면//

S# 40 거리 일각 (D)

혜자, 집 밖으로 뛰어나오는데.
뛰려고 하다가 옆에 보는데,
미용실 옆집 가게의 짐 자전거가 보인다.
혜자, 그 자전거를 타는데,
혜자는 자전거를 배우지 못했다.
타자마자 픽 쓰러지는 혜자.

S# 41 몽타주 (D)

혜자, 점점 자전거를 잘 타게 되는 과정이 컷컷 보인다.
넘어지고, 앞으로 가고, 조금 더 앞으로 가서 넘어지고.

Cut to

빈 프레임 안으로 번개같이 자전거를 탄 혜자가 지나간다.
이전보다 택시와의 거리가 많이 좁혀졌다.
조금만 더 가면 택시를 잡을 수 있을 것 같은데.
그런데 그때 골목길에서 이삿짐 트럭이 한 대 나온다.
트럭에 부딪혀 공중으로 뜨는 혜자.

[컷컷컷]
몇 번이고 계속해서 이삿짐 트럭에 부딪히는 혜자.
그리고 사고 나는 택시.

S# 42 거리 일각 (D)

혜자, 뛰어나와 자전거를 잡는다.
그런데 이번엔 타지 않는다.
자전거를 붙잡고 그대로 서서 엉엉 운다.
무기력하게 아무것도 못 하고 서서 운다.
울고 있는 혜자 앞으로.
엄마와 오빠가 뛰어가는 모습이 천천히 보인다.

S# 43 포장마차 앞 (N)

준하, 포장마차를 그냥 지나가려다가 뒤돌아서 서서 포장마차 문을 열면.
거기 고개를 숙이고 앉아 있는 혜자가 보인다.
혜자, 소주를 마시고 있다.
준하, 혜자 맞은편에 앉는다.

준하 무슨 일 있는 거야? 갑자기 그러는 바람에 얼마나 놀랐는데.
혜자 …
준하 … 응원이 필요한 상황이야? 위로가 필요한 상황이야?
혜자 …

준하, 혜자 마시려던 잔을 빼앗아 술을 마신다.

혜자 (보면)

준하 아무것도 못 해줄 상황이면 같이라도 마셔주려고.

혜자 … 너라면 어떻게 할래?

준하 …

혜자 … 꼭 구해야 되는 사람이야. 어떻게든 구해야 하는 사람이야. 근데… 근데 구할 수가 없어. 몇천 번 같은 상황이 반복되는데도 도저히 구할 수가 없어.

준하 … 그래도 구할 때까지 해야지.

혜자 못 구한다고! 아무리 해도! 아무리 해도…

준하 그래도 구해야지. 니가 얘기했잖아. 꼭 구해야 되는 사람이라고 어떻게든 구해야 하는 사람이라고. 그래야 되는 사람이면 몇억 번을 시도해서라도 구할 거야.

혜자 … 고마워… 나 그 소리가 듣고 싶었었나 봐.

혜자, 일어난다.
엷게 미소 지으며 준하를 바라보는.

S# 44 몽타주 (D)

옆 가게에 있는 자전거를 잡는 손//
열심히 페달을 밟는 혜자의 발//
몇 번이고 계속해서 이삿짐 트럭에 부딪히는 자전거//
부딪칠 때마다 혜자 숫자를 센다. 하나, 둘, 셋…//
또 부딪치는데 숫자를 센다. 하나, 둘…//

혜자의 모습은 보이지 않고, 달리고 있는 자전거.

혜자 (E) 하나 둘 셋.

혜자의 자전거 셋에 확 꺾어, 트럭 앞쪽으로 방향을 꺾는다.

혜자 (E) 하나, 둘.

혜자의 자전거 둘에 벽 쪽으로 확 돌린다.
벽에 팔이 긁힌다.
그런데도 멈추지 않고 페달을 밟으면 팔이 벽에 긁혀 피가 맺힌다.
그렇게 해서 겨우 트럭을 빠져나온다.
맹렬하게 밟는 페달.
그리고 급하게 멈춰서는 자전거.
(E) 끼익. 브레이크 밟는 소리.
아빠의 택시 브레이크 소리다.
혜자의 자전거, 아빠의 택시를 막아서고 있다.
그때, 바로 뒤로 번개처럼 지나가는 트럭이 보인다.
(F.O)

S# 45 혜자 방 (D)

혜자, 들어와 피곤했는지 그대로 침대에 엎어져 잠이 든다.

S# 46 혜자 집 외경 / 혜자 방 (D)

혜자, 벌떡 일어난다.
일어나자마자 "아빠! 아빠" 하고 뛰어나간다.

S# 47 거실 (D)

엄마, 영수, 밥 먹는 모습 보이고,
아빠, 밥 다 먹고 일어나 개수대 쪽으로 가는데 다리를 절고 있다.

혜자 (감격) 아빠!!!

혜자, 울음이 터져 나온다.

혜자 (울면서 얘기하는) 아빠 교통#$%!$#%@$ 가지고… 내가 막 뛰#$$!##$ (팔 만지며) 여기도 피! ㄲ!r#e%!%$ 단 말이야. 근데… 아빠 다리는 왜….
(하다/ 진정하며) 분위기 왜 이래?

아빠, 엄마, 영수, 모두 놀라는 표정 뒤로
장식장 유리에 비친 할머니가 보인다.
순식간에 나이가 들어버린 혜자가 서 있다.

S# 48 화장실 (D)

문이 부서져라 열리는 화장실.
세면대 거울로 자신을 비춰보는데. 할머니다.

혜자 악!!! (비명 지르는)

S# 49 거실 (D)

거실에 둘러앉은 혜자, 부모님, 오빠.

혜자 (두리번거리며 울먹) 우리 집… 엄마도 아빠도 오빠도 그대로인데… 왜 나만 이렇게 변한 거지?
아빠 (물을 주며) 진정하시고… 그러니까 지금… 내가 아빠라는 거죠? 딸이시고?
엄마 (넋 나간 듯한 표정으로 혜자만 보고 있다)
혜자 (끄덕) 아빠… 나 진짜 몰라보겠어?… 엄마!!
엄마 … 이름이 뭐예요?
혜자 나라니까, 김혜자.!
엄마 나이는요?
혜자 스물다섯이잖아!…
엄마 (이게 무슨 일인가 눈물짓는)
아빠 … 더 얘기해 봐요.

혜자, 술술 자기 얘기를 꺼내놓는데
가족들 다 맞는 이야기들이라 더 당황스럽다.

혜자 더 말해야 돼? 아직도 내가 엄마아빠 딸인 거 모르겠어? (사이) 죄송해요. 그 시계… 안 쓰기로 약속했는데… 그게… (하다가 아빠를 보곤 눈물이 왈칵)

아빠, 아무 말 없이 혜자를 안아준다. 엄마도 혜자를 껴안고.
혜자 으앙~ 아이처럼 울어버리고. 눈치 보다가 오빠도 슬쩍 껴안는.
갑자기 벌떡 일어나는 혜자.

S# 50 혜자 방 (D)

다급하게 뛰어 들어와 손목시계 집어 드는 혜자.

혜자 돌아가면 돼. 다시 돌아가면 돼.

손목시계의 분침을 돌리고 기도하듯 눈 감는다.
얼마 후 혜자, 조심스럽게 눈을 뜨고 거울을 보는데.
거울에 비친 모습은 그대로 할머니가 된 혜자의 모습이다.

혜자 (놀란다) 이게 뭐지? (하고 시계 보는데 시계가 멈춰있다) 이거 왜 이래? (시계를 이리저리 만져보고 흔들어도 보지만 고장 난 듯 그대로 멈춰있다) 안 돼! 멈추면 안 돼! …제발! 나 돌아가야 돼! 나 돌아가야 된단 말이야!

시계수리공1 (OFF) 이게 너무 옛날 모델이라….

S# 51　몽타주 (D)

시계 수리점 컷컷 보이고, 힘겹게 뛰어다니는 할머니 혜자의 모습 위로

시계수리공2 (고개 절레절레) … 못 고쳐요. 이거…

시계 수리공들의 난감해하는 모습들 보이고
그 앞에 지친 얼굴의 눈물 그렁그렁한 혜자의 모습.

S# 52　혜자 방 (D)

침대로 엎어지는 혜자
혜자, 엎어져 울다가 다시 벌떡 일어나려는데, 힘이 든다.
혜자의 시선에 나이 들고 주름진 손이 보인다.
손을 펴보면 여전히 고장 난 손목시계.
웅크리고 앉아 울기 시작하는 혜자.

S# 53　몽타주 (D)

거실 일각
망연자실한 표정으로 넋 놓고 있는 엄마의 모습
밖만 쳐다보고 있는 아빠 모습

영수 방
침대에 머리 박고 움직이지 않는 영수의 모습

혜자 방
웅크리고 앉아 있는 혜자의 모습 그대로 시간만 가고 있다.
혜자 방으로 들어오는 햇살이 점점 오후의 햇살로 바뀌고,
오후의 햇살도 사라지고 어둠이 가득하다.
혜자, 여전히 웅크리고 앉아 있다.

S# 54 포장마차 (N)

포장마차로 들어오는 준하,
포장마차 안을 보는데 혜자의 모습은 보이지 않는다.

준하 우동 한 그릇 주세요.

준하, 혜자가 앉았던 빈 의자를 한참을 바라본다.

S# 55 혜자 방 (N)

혜자, 웅크린 채 그대로 있다.
밖에서 가족들 소리 컷컷 들린다.

아빠 (OFF) 혜자야
엄마 (OFF) 문 좀 열어봐.
영수 (OFF) 엄마 내가 10초면 딸 수 있다니까.

(E) 영수 등짝 맞는 소리.

영수 (OFF) 아 왜?

소리들 사라지고, 침묵이 진행된다.

// 시간 경과

엄마 (OFF) 밥 차려놨으니까 가져다 먹어.

영수 (OFF) 엄마! 우리 밥상엔 제육볶음 없었잖아.

(E) 영수 등짝 맞는 소리.

영수 (OFF) 아 왜?

// 시간 경과

현주 (OFF) 어머니 혜자 없어요?

엄마 (OFF) 그게…

상은 (OFF) 혹시 시집갔어요?

현주 (OFF) 너 미쳤어?

S# 56 거실 (N)

엄마, 현주, 상은에게 뭐라고 얘기하고 있다.

현주, 상은, 인사하고 간다.

현주, 상은, 가면.

엄마　　(혜자의 닫힌 방문 앞으로 와서) 현주랑 상은이 왔었어.

혜자　　(OFF) 애들한테 뭐라고 했어?

엄마　　어… 그냥 뭐.

혜자　　(OFF) 그냥 여행 갔다 그래. 이모네 독일사는 건 알잖아.

엄마　　… 그럴게.

S# 57　포장마차 외경 / 포장마차 (N)

포장마차에 들어오는 준하.

혜자의 모습은 오늘도 보이지 않는다.

준하　　(힘없는) 우동 한 그릇 주세요.

주인, 우동 한 그릇 말아서 가져온다.

주인, 내려놓고 가려는데.

준하　　저기… 저랑 여기 몇 번 같이 있던 여자분이요. 안 왔었나요?

주인　　… 아… 저기 미용실 딸래미?

준하　　아 네.

주인　　안 왔었는데.

준하　　(뭔가 아쉬운데)

주인　　독일 갔다는 것 같던데. 독일에 친척 사는데 거기 놀러갔대지 아마.

준하　　아.

준하, 우동도 안 먹고 일어난다.

S# 58 슈퍼 (N)

센베과자 들고 밖으로 나오는 준하.

준하 얘기라도 하고 가지…

S# 59 준하 집 밖 (N)

모처럼 환하게 불이 켜진 집안.
준하, 그런 집안을 조금은 낯설게 쳐다보는.

준하 할머니.

준하, 신발 벗으려고 하는데.
낯선 남자의 구두가 보인다.
준하, 머리가 바짝 서는 기분이다.

S# 60 준하 집 안 (N)

준하 문을 열면
한 남자(S# 26의 남자)가 가운데 자리를 차지하고 앉아 게걸스럽게 밥을 먹고 있다.
우두커니 서 있는 준하.

준하부 넌 애비보고 인사도 안 하냐?

할머니, 그 소리에 후다닥 나온다.

할머니 준하 왔니?
준하 나 모르게 왔던 거야? 계속?
할머니 그냥 밥만 해 맥이고…
준하부 오늘 새벽일 한다더니만 일찍 왔네.
준하 (소름 끼친다) 나가요! 당장 나가!
준하부 새끼 승질은… 나 밥 좀 더 줘요 엄마.

준하부, 보란 듯이 밥그릇 내밀면.
할머니, 준하부가 내민 빈 밥그릇 받아 든다.
준하, 할머니가 받아 든 밥그릇 빼앗아 던진다.
준하부 "이 새끼가" 하며 일어나는데.
준하, 아버지를 벽으로 밀어붙인다.

준하 그동안 할머니한테 뺏어간 거 다 절도죄로 고소하기 전에 꺼져요.
준하부 (이죽거리며 웃는) 이놈 이거 잘못 가르쳤네. 직계가족 간의 절도는 절도가 아니야. 너 그래서 기자는 하겠냐?

준하부, 우악스럽게 준하를 밀어제친다.
준하, 그 힘을 감당 못하고 밀려난다.
준하, 다시 덤비려고 하는데.
준하의 손을 꼭 잡고 막아서는 할머니.
할머니, 준하를 데리고 나간다.

S# 61 준하 집 마당 (N)

준하 데리고 나온 할머니.

할머니 금방 가. 금방 가니께…

준하, 할머니 얘기 다 듣지도 않고 집을 나간다.

S# 62 준하 집 밖 + 혜자 방 (N)

준하, 나오는데 다리가 후두들 떨린다.
저런 인간 때문에 겁을 먹었다는 것에 화가 난다.
준하, 철퍼덕 주저앉듯 벽에 기대어 쪼그려 앉는다.
준하, 먼 곳을 바라본다.

혜자 방
혜자, 쪼그리고 앉아 먼 곳을 바라본다.

준하와 혜자, 마치 서로 쳐다보는 듯 바라본다.

S# 63 준하 집 안 (N)

숭늉을 입 안에 넣고 가글하듯 헹구고 삼키는 준하부.
할머니, 옆에서 빈 숭늉 그릇을 받아 든다.

준하부　돈 좀 줘봐요.

할머니　…

준하부　둘이 먹고사는 거 보면 있구만. 아 쫌만 줘 봐요.

할머니, 주섬주섬 주머니에서 몇만 원 꺼내 내민다.
준하부, 그 돈 받아 드는데.

경찰1　실례합니다.

문이 열리면, 경찰 1, 2 문밖에 서 있다.

경찰1　여기 폭행 신고가 들어와서요.

준하부　그런 거 한 적 없는데.

그때, 경찰 뒤로 머리와 얼굴이 엉망이 된 피를 흘리는 준하가 서 있다.

S# 64　경찰서 (N)

준하, 형사 앞에서 앉아 있고,
수갑으로 손과 소파에 채워져 꼼짝달싹 못하는 준하부가 있다.

준하부　저 자식이 거짓말한 거라니까 그러네. 내가 저놈 애비야! 저놈이 자해한 거라고!!

형사　거 조용히 좀 해봐요! 진짜 자해한 거예요?

준하　그런 적 없습니다.

준하부　저 새끼… 엄마 엄마가 얘기 좀 해봐요.

준하, 옆에 있는 할머니 손을 꼭 움켜쥔다.

형사 (컴퓨터 보고) 아주 화려하네. 도박에 상습폭행에.

준하부 아니래도! 이거 좀 풀어 보라고!! (날뛰는데)

준하 (무표정하게) 돈을 달라고 했구요. 없다고 하자. 빰을 때렸습니다. 여러 대 때리길래 막았더니 그때부터 주먹으로 때렸어요. 그리곤 머리를 잡고 벽에 내리쳤습니다.

준하부 하! 미치겠네… 저거 몽땅 구라라고!! 엄마!! (하다가) 거짓말 탐지기를 해 보든가!!

형사 김 형사 유치장에 넣어. 조만간 한 번 더 나오셔서 증언해주시면 될 거 같아요.

준하부, 유치장으로 끌려가고

준하, 가려는데 할머니, 준하부를 바라본다.

준하, 그런 할머니 손잡고 끌고 가는데.

준하부 (끌려가며 준하 보고) 너 이 새끼! 내가 가만히 당하고 있을 것 같아? 두고 봐 이 새끼야.

S# 65 준하 집 화장실 (N)

준하, 흐르는 물에 피를 닦고 있다.

준하 (거울을 보며) 그 인간만 여기 다시 안 오게 하면 돼.

S# 66　준하 집 안 (N)

준하, 화장실에서 나온다.
할머니, 우두커니 앉아 있다.
준하, 밥솥 열어 밥을 퍼 그릇에 담는다.

준하　절대 저 인간 빼 줄 생각 없으니까 할머니도 그렇게 알아.
할머니　…
준하　할머니도 내가 잘못했다 생각해?
할머니　… 그놈은 그래도 싸지. 한 번이라도 애비노릇 못한 놈… 아들이라 생각 한 적 없다.

S# 67　혜자 집 외경 / 혜자 집 거실 (D)

굳게 닫혀있는 혜자 방.
멍하게 있는 아빠 그리고 엄마.

S# 68　준하 집 안 (D)

준하, 집으로 들어오는데.
준하가 밥 차려놓은 그대로 밥상에 있다.
밥 옆에 놓여 있는 할머니 약도 그대로 있다.

준하　할머니 또 밥 안 먹었어?

준하, 약 챙겨 들고, 물 한 잔 떠서 할머니 방으로 간다.

할머니 방문 여는데 아무도 없다.

그때, 외출하고 할머니가 들어온다.

준하 어디 갔다 와?

할머니 답답해서 마실 좀 갔다 왔어.

준하 이건 밥 안 먹어도 먹는 약이니까 약부터 먹어.

할머니, 약을 받아 입에 넣고 물을 마신다.

알약 하나가 목에 걸렸는지 컥컥 기침하면.

준하, 할머니 등을 토닥여 준다.

할머니 할미가 미안해.

준하 미안할 것도 많네. 할머니 나 일 갔다 올게. 저녁땐 추우니까 보일러 돌려.

준하, 가는데, 한참을 뒤에 서 있는 할머니.

준하, 뭔가 자꾸 걸리지만 돌아서서 간다.

S# 69 거리 외경들 (D → N) / 준하 집 안 (N)

준하 피곤에 지친 몸으로 집안에 들어온다.

냉기가 제일 먼저 와서 반긴다.

준하 할머니 보일러 돌리라고 그랬잖아. 밤엔 차다고.

준하, 거실에 보일러 켜고.

할머니 방으로 간다.

S# 70 할머니 방 (N)

할머니 반듯하게 누워 잠을 자고 있다.
준하 들어가서.

준하 할머니… 할머니… (할머니의 죽음을 알았다) 할…머니…

S# 71 장례식장 (N)

할머니 영정사진 앞에서 망연자실 앉아 있는 준하.
할머니의 유품인 듯 염주 팔찌 들고 있다.
그때, 희원이 경황없이 들어온다.
희원, 할머니한테 절하고 준하에게 절한다.

희원 … 고생만 하시다가 돌아가셨네.
준하 …
희원 어떻게 모시려구?
준하 …
희원 … 그래… 내가 알아서 할게.
준하 … 고마워 형.
희원 고맙기는 에휴~~ 있어.

희원, 밖으로 나왔는데. 다른 장례식장에 비해 휑한 입구.

희원 (전화하는) 근조화환 하나 보내줘요. 제일 큰 걸루다가.

희원, 전화 끊고는 양복 벗어 던지고,

앞치마 입는데.

그때, 곡소리가 갑자기 들린다.

준하부, 오열하며 곡소리 내며 들어온다.

준하부, 장례식장으로 들어와 할머니 영정사진을 붙잡고 우는데.

그런, 아버지를 무심하게 보는 준하.

준하부, 그런 준하의 뺨을 후려갈긴다.

준하부 너 때문이야 이 새끼야!!

준하부, 계속 뺨을 때리면,

준하, 그대로 맞고 서 있다.

희원, 달려들어 준하부를 막는다.

그때, 형사1, 2, 들어온다.

형사1 이준하 씨. 다 이준하 씨가 꾸민 얘기예요? 진짜 혼자 자해한 거예요?

형사2 할머니가 들르셨던데….

준하 …

준하부 맞다니까. 이 새끼가 이런 새끼야! 이 나쁜 새끼!! 기자 좋아하시네….
너 내가 무고죄로 고소할 거야!

준하부, 또 준하 때리고, 희원, 형사들, 달려들어 막는다.

S# 72 혜자 집 외경 / 혜자 방 (N)

혜자, 거울을 보며, 립스틱을 바른다.

곱게 꺼내놓은 옷도 입는다.

곱게 단장한 혜자, 밖으로 나간다.

S# 73 몽타주 (N)

부모님 방

혜자, 조용하게 방문을 열면.

엄마는 침대에서 자고 있고,

아빠는 침대 밑에 자리를 펴고 자고 있다.

영수 방

영수 방문을 열면,

영수, 아무렇게나 뒹굴러 자고 있다.

조용하게 문을 닫는다.

주방

식탁 위에 편지를 올려놓는 혜자.

S# 74 골목길 (N)

새벽녘 골목길.

아무도 지나가지 않는 골목길을 혼자 걷고 있는 혜자.

S# 75 어느 건물 (N)

옥상으로 올라가는 계단을 오르고 있는 혜자.
얼마 오르지도 않았는데 숨이 찬다.
숨을 한번 고르고 다시 계단을 오른다.
드디어 옥상에 올랐다.
혜자의 차는 숨 때문에 뿌연 야경이 흔들려 보인다.
겨우 뛰는 숨을 진정시킨다.
천천히 옥상 난간 쪽으로 다가가 난간 앞에 서는 혜자.
건물 밑엔 상복 차림의 준하, 혼자 소주 마시고 있다.
준하와 난간 앞에 서 있는 혜자 한 그림에 잡힌 데서.

Episode 3

S# 1 어느 건물 (N) - 2화 엔딩 연결

혜자, 계단을 다 올라와서 멈춰 서서 긴 숨을 내쉬고.
천천히 옥상 난간 쪽으로 다가가 난간 앞에 서는 혜자.
막상 마지막이라 생각하자 눈물이 나는데 숨 내쉬며 억지로 참고.
마음의 준비가 된 듯 한쪽 발을 난간 위로 올려 딛는데
혜자, 이제 끝이라는 생각에 눈물이 나는
그런 혜자 발아래 쪽에 검은 상복 차림의 준하, 소주를 마시고 있고.

혜자 (E) 그래… 이 방법밖에는 없어. (울컥) 아빠엄마… 죄송해요. 오빠… 미안해. (그리곤 주머니에서 멈춰버린 손목시계를 꺼내서 보고) 그래… 너도 수고했어 그동안… (그리곤 힘껏 던져버리고 ON) 후우… 가자… (난간 밖으로 한 발을 조심스레 내딛는데)

먼저 뗀 발에서 벗겨져 아래로 뚝 떨어지는 신발.

혜자 (!!) 어?
준하 (OFF) 아…

혜자, 사람 소리에 놀라서 아래쪽을 내려다보는데
벽에 기대있던 준하, 떨어진 혜자의 신발 한 짝을 들고 위를 올려다보고 있고

혜자 헉!! (준하 얼굴을 알아보고 얼른 옥상 안쪽으로 숨고)
준하 … 할머니…
혜자 (!!!!)
준하 … 그런다고 안 죽어요.
혜자 (???)

준하 거기서 떨어져도… 안 죽는다구요. 골반이 나가든 척추가 나가든 평생 누워계실 거고, 가족들은 그런 할머니 똥오줌 평생 받아내며 고생만 더 할 거예요. 그러니까… 사세요, 그냥.

혜자 (준하 말에 눈물이 핑 도는데)

준하 사시는 날까지 사시는 게 가족들 편히 살게 해주시는 겁니다. (일어나고)

준하, 떨어졌던 신발 한 짝을 위로 던져 올려주고는 자리를 뜬다.
혜자, 여전히 숨어서 준하가 가는 뒷모습을 옥상에서 보고.
준하가 저 멀리로 사라지자, 자리에서 일어나서 던져 올려진 신발 한 짝을 본다.
혜자, 신발을 주워다 품에 안고 소리죽여 우는.

S# 2 혜자 집 거실 + 영수 방 (N) - 이른 새벽

거실
아직 어둑한 집안. 아무도 일어나지 않은 듯 조용하고.
혜자, 조심스레 집 안으로 들어와서 자기 방으로 들어가려다
테이블 위에 뒀던 편지를 찾는데 어디에도 안 보이고.

혜자 (걱정 E) 뭐야… 편지… (하다 헉! E) 엄마가 본 거 아냐? (살금살금 안방 문에 귀를 대보는데 뭔가의 인기척)

놀란 혜자, 얼른 커튼 한쪽으로 숨고.
안방에서 나온 엄마, 피곤한 듯 하품을 하며 주방으로 가고.
그리곤 일상처럼 물을 틀고는 쌀 씻는 소리.

혜자 (E) 하긴… 봤으면 엄마 성격에 나 찾는다고 난리쳤겠지… 그럼 혹시…

혜자, 엄마가 주방에 있는 거 확인하고 살금살금 영수 방 쪽으로.

영수 방

혜자, 조심스레 방문 열어보는데
방문 사이로 먹다 남은 음식들 (먹방 흔적)이 굴러다니고
컴퓨터는 여전히 켜놓은 채 아무렇게나 잠든 영수가 보이고.

혜자 (고개 절레절레)

S# 3 혜자 방 (N)

혜자, 방으로 들어와서 문의 잠금쇠 부분을 잡고 소리가 안 나게 문을 닫고.

혜자 (E) …그럼 편지가 어딜 갔단 거야 (갸웃하다) 늙고 나니 기억도 깜빡깜빡 하나. 차… 갑자기 경황없이 늙었는데도 할 건 다 찾아서 하네… (혼자 자조적으로 웃다가 고개 돌려 거울 쪽으로)

이불로 가려둔 거울 앞에서 살짝 주저하다 이불을 확 걷어내고.
거울에 비친 자기 모습에 여전히 살짝 놀라는 혜자.
혜자, 마치 타인을 보듯 거울 안의 모습을 찬찬히 살펴본다.
주름지고 윤기 없이 버석거리는 피부. 힘없이 늘어진 머리칼.
혜자, 자신의 얼굴과 머리를 손으로 만져보는데 낯선 감촉.

(E) 노크 소리.

혜자, 노크 소리에 놀라 멈칫하는데

엄마 (OFF) 일어났니?

혜자 …

엄마 (OFF) 오늘은 비가 올라나 손목이 쿡쿡 쑤시는 게… 진짜 미용실 문 닫아 걸고 목욕탕이나 가서 뜨끈한 물에 몸이나 지졌음 딱이겠네… 너도 목욕탕 가는 거 좋아하잖아. 듣고 있어?

혜자 ……

엄마 (OFF) 이제 가을도 없어지려나… 여름 간 지 얼마나 됐다고… 벌써 춥네.

엄마의 얘기를 들으며 멍하니 거울 앞에 앉은 혜자.

S# 4 준하 집 외경 (D)

휑한 마당에 햇빛 자락이 점점 들어차는데 미동도 없는 집안.

S# 5 준하 집 (D)

컴컴한 집안에 멍하니 앉은 준하, 건넛방의 열린 문 너머 할머니의 흔적을 본다.
할머니가 누워계시던 이불조차 그대로인 방안.
그때 문 두드리는 소리가 나고. 하지만 여전히 미동도 않는 준하.

희원 (OFF) 준하야. 너 안에 있지?

준하 …

희원 (OFF) 이준하. 야. 문 열어보라고. 죽 사 온 것만 넣어주고 갈게.

준하 …

S# 6　준하 집 앞 (D)

희원, 손에 포장 죽 비닐을 들고 답답한 듯 서 있는데
할머니 1, 2, 3 조르르 다가와서 말 걸고. 각자 손에 비닐봉지 하나씩은 들고.

희원　준하야 야 임마!!

할머니1　집에 없지예?

희원　글쎄요… 대답이 없네요.

할머니3　(희원 다 아는데 조용히) 그게… 할머니가 갑자기 돌아가셔서…

희원　아. 네. 압니다.

할머니2　안대잖아유. 이 집 총각이 따로 식구가 없어서 끼니 굶을까 봐 집에서 좀 챙겨 와봤는디… (굳이 보여주며) 이건 봄에 산에 갔다가 쑥 따놓은 건디 밀가루랑 버무려서 찐 거구유… 이거는 저기 광양 갔을 때 매실 산 거… 그거 장아찌 담았다가 고추장에 무친 거고… 이게 입맛 없을 때 밥에 물만 말아두 한 솥은 드가유.

희원　… 아… 네…

할머니3　(또 조용히) 그게… 이 집 할머니가 갑자기 돌아가셔갖고…

희원　네… 아까 안다고 말씀…드렸는데…

할머니2　안대잖아유…

희원　(할머니들도 답답, 문 안 여는 준하도 답답한 표정)

S# 7　동네 전경 (N)

뉘엿뉘엿 해가 지는.

S# 8　혜자 집 거실 (N)

아빠와 영수, 어두운 얼굴로 밥상 앞에 앉아 기다리고 있는데
엄마, 윗부분이 다 말라버린 밥을 갖고 와서 앉고.

아빠　(혜자 방 쪽 시선 주며) 또 안 먹었어? (밥그릇 바꾸려는데)

엄마　(대답 없이 다시 가져와서 우걱우걱 먹고)

영수　(눈치 보다가 후후 밥 불며) 어우 밥이 너무 뜨겁네. 어머니 아시다시피 제가 뜨거운 걸 잘 못 먹지 않겠습니까? (손 내밀어 밥그릇 잡는데)

엄마　요란스럽게 굴지 말고 밥 좀 먹자. 안 그래도 나 폭발 직전이야.

영수　넵!! (바로 뜨거운 밥 입에 막 퍼 넣다가 뜨거워서 난리)

한참 조용히 밥 먹던 가족들. 아빠, 밥 수저 놓는다.

아빠　… 문 뜯자.

엄마　(보는데)

아빠　뜯어서 병원엘 데려가든가 어쩌든가 저렇게 둘 순 없잖아.

엄마　(밥 먹음) 쉽지 쉬워. 그래 지금 문이 안 열려서 못 나오는 거지? 평생을 남의 마음이라곤 헤아려 본 적이 없지 아주….

아빠　(한숨 푹. 다시 밥 먹으려다가 수저 놓고 밖으로 나가는)

S# 9　혜자 방 앞 (N)

영수, 방 앞에 앉아서 폰으로 게임하며 혼자 중얼댄다.

영수　아 왜 거기로 가서 죽냐. 아 이 붕!! 아 진짜!!

혜자 (꺼졌으면 좋겠다. 한숨만 OFF) 후우…

영수 게임은 혼자 하면 재미없어. 옆에 누가 봐줘야 재밌지. (다시 진 듯) 아 붕!! 진짜 이 새낀 뭐냐?

그때 엄마, 손에 비닐봉지를 들고 들어와 주방으로 가고.
잠시 후 접시에 김이 모락모락 나는 김치만두를 담아 와서 혜자 방 앞에 둔다.

엄마 (닫힌 문 너머에) 김치만두 사 왔어. 너 좋아하잖아.

혜자 …

엄마 식기 전에 먹어. 뭐 다른 거 먹고 싶으면 말하고.

혜자 …

엄마 (가는데)

영수 (걱정하는 톤) 방에선 안 나와도 좋은데 밥은 먹어야지. 사람이 밥심으로 사는 건데… (그러면서 손은 김치만두로. 통째로 입에 하나 넣으려는데)

혜자 (문 툭 치는 소리)

영수 (그대로 입에서 꺼내서 접시에 두는)

S# 10 공장 안 (N)

기계 돌아가는 소음이 가득한 공장에서 커다란 물건 나르는 준하.
준하, 아무런 표정 없이 계속해서 쉬지 않고 일만 하고.
그러다 준하, 너무 무거운 거 짊어져서 일어서며 휘청하는데

아저씨 (잡아주고) 어어! 얌마. 정신 안 차려! 그러니까 좀 쉬다가 하라니까. 그러다 사고 나.

준하 (꾸벅 인사만 하고는 다시 일만)

S# 11 공장 일각 (N)

공장 잠깐 쉬는 시간. 사람들 고기 구워 먹는데
저쪽에 혼자 멍하니 앉아 있는 준하.
아저씨들 '이리와~' '얼른 와서 먹어~' 손짓하는데 준하, 멍하니 초점 없는 시선.

S# 12 혜자 방 (N)

이미 캄캄해진 혜자 방. 거울 앞에 쭈그려 앉은 혜자 미동도 없고.
그때 멀리 개 짖는 소리에 놀라 깬 혜자

혜자 (놀라서 일단 불부터 켜고 시계 확인하고) 3시? 헉 세상에… (하다 E) 평생 3시에 잔적은 있어도 3시에 깨본 적은 없었는데… (시무룩한, ON) 늙으면 아침잠이 없어진다더니…

S# 13 혜자 집 밖 (N)

창문이 바깥쪽으로 턱 열리고.
잠시 후, 창문으로 쓰윽 올라오는 혜자의 머리.

혜자 (공기 들이마시고) 아… 좀 살겠다… (그리곤 기어 나오려 용쓰는) 아… 이게 안 되네. 나이 들면 근육도 빠지나? (다시 힘 써보는) 으으으윽!!

안간힘을 써서 창문을 겨우 빠져나오는 혜자.

혜자 (숨 몰아쉬며 E) 이거 두 번 넘다간 진짜 황천길 가겠네. (ON) 이게 이렇게 높았었나?

S# 14 동네 일각 (N)

컴컴하고 인적도 없는 동네를 혼자 천천히 걷는 혜자.
맨날 보던 풍경인데 뭔가 낯선 느낌.
어느새 눈앞에 보이는 포장마차의 따뜻한 불빛.

S# 15 포장마차 안 (N)

혜자, 포장마차로 들어서는데 주인, 졸고 있고.
혜자, 조심스레 한쪽 자리에 앉는데 주인, 놀라서 깬다.

혜자 죄송해요. 문 닫으시려던 거 아니세요?
주인 아유 아니에요. 뭐 드려요?
혜자 … 우동 주세요.

그때 포장마차로 들어서는 작업복 차림에 모자를 눌러쓴 준하.
혜자, 자길 알아볼까 봐 괜히 고개 돌리는데 준하, 당연히 못 알아보고 안쪽 자리에 앉고.

준하 (자리에 앉으며) 소주 한 병만 주세요.
주인 또 소주야? 밥은 먹고 먹는 거야? 속 버려. (어묵 퍼다가 소주랑 같이 놔주고) 서비스니까 먹어가면서 마셔.

혜자 (아련한 듯 준하를 바라보고 있다)

준하 (어묵에 관심도 없는 듯 소주만 따라 마시고)

주인 (우동 만들며 준하 쪽보고) 덕장 황태마냥 말랐어. 진짜… (혜자에게) 우동 나왔습니다. (그리곤 혜자를 유심히 보는데)

혜자 (주인 시선 느끼고는 바로 고개 푹 숙이고 우동만 먹는데)

주인 이 동네 분… 아니시죠?

혜자 (주인 보면)

주인 아 저도 이 동네 토박이라 얼추 얼굴들을 아는데 못 뵌 것 같아서요.

혜자 (준하 신경 쓰며) 아… 네.

주인 친지분이 계신가? 아니면 아드님 집이 여기예요?

혜자 (대충) 네네… (그리곤 괜히 우동만 먹고)

주인 (뭔가 눈치챈 듯) … 사연 없는 사람이 없죠. 뭐… (그러다 수통 확인하고) 어물이 떨어졌네… (수통 들고 나가고)

혜자 (또 괜히 울컥해서는 우동 입에 욱여넣고… 그러다 준하 쪽을 보는데)

준하 (어묵에 손도 안 대고 술만 따라 마시고 있는)

혜자 (E) 넌 뭔 일인데 또? 뭔 일이길래 술만 마시는데? (점점 화가 나는) 뭔 일이든 니가 나만큼 괴롭겠냐? 하룻밤 새 늙어버린 나만 하겠냐고!! (준하를 보는 눈이 이글이글)

준하 (술병이 비자 일어나서 새 술 가져가다가 혜자를 보는데)

혜자 (준하를 한껏 노려보고 있다)

준하 (별로 신경 안 쓰고 술 가져다 자리에 앉는데)

혜자 (계속 준하 노려보며 E) 딱 죽고 싶던 사람 죽지도 못하게 해놓고… 넌 왜 죽을상을 하고 앉았냐고!! 그래 놓고 나한테 살라 말라 얘기할 수 있어?!! 니가!! 니가 뭔데?!!

준하, 작은 한숨 쉬며 술잔 드는데
뒤통수 갈기는 손.

준하 (놀라서 돌아보는)

혜자 (준하 뒤통수 갈긴 손 든 채로) 니가 뭔데!! 뭐가 힘든데!! 뭐가!!

준하 (어이없는 듯 혜자를 보고 있는데)

혜자, 그대로 씩씩대며 포장마차를 나가버리고.

준하, 혜자가 간 쪽을 한동안 보다가 소주를 입에 대고 꿀꺽꿀꺽.

S# 16 동네 일각 (N)

씩씩대며 걸어 올라가는 혜자.

구시렁거리며 한참 가다가 숨차서는 일단 보이는 아무 데나 앉아서 숨 돌리고.

혜자 (이래저래 분하다) 씨… 숨차서 화도 맘대로 못 내잖아!!

S# 17 준하 집 (N)

집으로 들어와서 거의 바닥에 처박히듯 쓰러지는 준하.

그대로 미동도 않고 곤히 잠든 숨소리가 난다.

S# 18 혜자 집 외경 / 혜자 방 앞 (D)

새벽에 일어난 엄마, 푸석한 얼굴로 보는데

혜자 방 앞에 놓여진 그대로 말라비틀어진 만두.

엄마, 한숨 한번 내쉬고 쟁반째로 들고 주방으로 가고.

S# 19　　혜자 집 주방 (D)

엄마, 만두접시를 랩으로 씌우려다 랩이 제멋대로 붙고.
엄마, 랩을 떼어내려다 점점 손이 거칠어지더니
접시째로 요란하게 개수대에 처넣고 나가고.

S# 20　　혜자 방 앞 (D)

엄마, 거칠게 문고리를 잡아 흔든다. 하지만 열릴 리 없고.
엄마, 다시 주방으로 가더니 식칼을 들고 돌아오고.
식칼을 문틈으로 욱여넣어 문을 따는 엄마.

S# 21　　혜자 방 (D)

혜자, 멍하니 누워 있다.
엄마가 들어와도 미동도 않는 혜자.

엄마　(화난) 왜 만두 안 먹는데? 어? 너 환장하는 거잖아 저거.

혜자　…

엄마　올드보이 최민식한테 군만두 대신 김치만두를 줬으면 그렇게까지 화 안 냈을 거라며? 넌 김치만두만 주면 평생도 갇혀있겠다더니 왜 안 먹냐고!!

혜자　… 생각 없어.

엄마　밥을 생각으로 먹어? 너는 아니라 그래도 뱃속은 못 속여. 너 지금 며칠째 먹는 거 입에도 안 대고 있는지 알어?! 어쩌려고 그러는데?

혜자　… 죽어버리지…

엄마 (!!!! 입가가 씰룩대며 눈물이 쿨럭쿨럭 차오르는데)

혜자 … 어차피 내일 죽어도 안 이상하잖아. 지금 나는…

엄마 (분노를 꾹 누른 목소리) … 나와.

혜자 …

엄마 (폭발) 나오라고!!!

S# 22 미용실 (D)

미용실 의자에 멍하니 앉아 있는 혜자.
혜자 머리를 염색해주고 있는 엄마.

엄마 … 넌 좋겠다. 평생 공짜로 염색해서…

혜자 (심드렁) … 그럼 엄마도 늙어. 내가 해줄게.

엄마 이미 늙었거든? 일을 황소처럼 하니까 내가 이팔청춘처럼 보이지 아주?

혜자 … 난 궁금하긴 했었어. 매번 오는 할머니들 보면서 저 할머니들은 젊었을 때 어떻게 생겼었을까… 그리고 …난 늙으면 어떻게 생겼을까… 근데 이렇게 생겼네.

엄마 (아무 말 없이 염색만 해주다가) 으유. 머리숱이 어찌나 많은지 약이 모자라네. 더 타 올 테니까 기다려. (안쪽으로 들어가고)

혜자, 초점 없는 시선으로 멍하니 틀어놓은 TV 속 아침뉴스 여자 앵커를 보는데
물소리에 섞여들리는 엄마의 울음소리.
그마저도 마음 놓고 못 우는 듯 억지로 참는데 새어 나오는 소리.
혜자, 여전히 시선은 멍하니 TV에만…

혜자 (E) 엄마보다 먼저 늙어버린 딸…

S# 23 혜자 방 (D)

거울 앞, 염색한 머리를 한참을 바라보는 혜자.

혜자 (E) 그 늙은 딸의 머리를 염색해주는 엄마… 이 지옥 같은 상황…

혜자, 자기 손, 얼굴 찬찬히 보는가 싶더니 일어난다.

(Cut to)

혜자, 옷장에서 작은 짐가방을 꺼내 조용히 짐을 싼다.

혜자 (E) 이렇게 늙어버린 나를 가족들에게 평생 보게 할 수는 없다.

혜자, 옷을 챙기려다가 분홍색 원피스를 본다.

혜자 (E) 스물다섯 김혜자는… 이제 사라지고 없다. (원피스 던져두고)

혜자, 옷을 가방에 다 넣었는데 지퍼 안 잠기고.

혜자 더 큰 가방 없나… (옷장 뒤지는데 큰 캐리어 나오고) 오 여깄네… (모자 챙기며) 이것도 쓸지도 모르니까 챙기고… (왕골 가방 챙기며) 여름엔 필요하지 이거… (하다)

보면 큰 가방에 가득 찬 짐.

혜자 (실소 E) 여행가냐 여행가? 진짜… 이렇게 늙어도 철이 없어요… (ON) 어뜩하면 좋니 김혜자…

S# 24 혜자 집 앞 (D) - 몽타주

이제 동이 트려는 듯 푸르스름한 공기.
창으로 나온 듯한 혜자, 창문 닫고는
캐리어를 달달달 끌고 내려가고.

S# 25 버스터미널 (D)

혜자, 고속터미널에 도착했는데 수많은 행선지 목록 중 어딜 갈지 못 고르고.
이리저리 사람들만 구경하다가 일단 줄은 서고.

창구직원 (혜자 안보고) 어디 가세요?
혜자 (잠깐 머뭇) …바…다요.
창구직원 어느 바다요?
혜자 …
창구직원 (혜자 보더니) 한 시간 뒤에 출발하는 거 있는데 그걸로 드려요?
혜자 … 네.
창구직원 8,500원이요.
혜자 (지갑 꺼내는데 한쪽에 끼워둔 웃고 있는 젊은 혜자의 접혀진 사진. 물끄러미 보는데)
창구직원 드려요?
혜자 (그제야 정신 차리고 돈 건네며) 네네. 여기요.
창구직원 (표 끊어서 건네고)

Cut to

혜자, 한 손에 표 쥔 채 멍하니 대기실 의자에 앉아 있고.
오가는 사람들을 보는 혜자. 그러다 대기실 의자에서 졸고 있는 할아버지 보고.

혜자 물끄러미 그 할아버지를 쳐다보는.

그때 그런 혜자에게 다가오는 젊은 여자 두 명.

여자1 저기 할머니. 혹시 신촌 가려면 어떻게 가나요?

혜자 아 신촌이요. 2호선 타셔야 되니까. 저기 지하철로 가시다가 한 번 갈아타시면 될 것 같은데…

여자1 아 감사합니다. (하다) 근데 안색이 안 좋으신데… 괜찮으세요?

혜자 (얼굴 쓰다듬으며) 아… 티 나요?

여자2 (바로 혜자 손잡고) 네에… 어쩜 좋아… 최근에 억울한 일 있으셨죠?

혜자 (!!!) 네!

여자1 저희가 그쪽 공부를 하는 사람들인데 멀리서 보다가 워낙 얼굴에 안 좋은 기운이 가득하셔서 좀 도와드리고 싶어서요.

혜자 도와줘요? 어떻게요? (작게 배에서 꾸루룩 소리)

여자2 저희 주변에 이렇게 힘든 일 겪으신 분들

혜자 (점점 커지는 꾸루룩 소리)

여자2 (소리 신경 쓰며) 힘든 일 겪으신 분들 도와주시는 분들이… (꾸루룩) 계셔서… 저희랑 같이… (꾸루룩) 가시면… (꾸루루루룩)

여자1 (웃으며) 식사… 안 하셨나 봐요?

혜자 (입 떼려는데 꾸루룩 소리가 먼저 난다. 민망한 표정)

여자1,2 하하하… (어색한 미소)

S# 26 식당 (D)

식당에서 밥 먹는 혜자와 여자1,2.

혜자, 배 많이 고팠던 듯 우적우적 밥 먹고.

여자1 (혜자 식욕에 놀라며) 안 좋은 일 있으셨던 거에 비해서는 식욕이 좋으시네요…

여자2 그것도 복이죠, 하하하.

혜자 (입가에 밥풀 막 묻어있고 힘든 표정) 제가 진짜 아무 의욕도 없어서… 죽으려고도 하고… (그러다 지나가는 식당 아줌마한테) 아줌마 여기 찬 한번 다 리필해 주세요. (다시 죽을상) 근데 또 가족들 생각하면 그게 아니고…

여자1 그죠? 저도 몇 달 전에 할아버지 돌아가시고, 돈 사기당하고, 회사까지 잘렸는데 병명도 모르고 아프기까지 해서… (여자2에게) 너 기억하지?

여자2 그러엄. 언니 진짜 그 제 한번 올리고 아픈 것도 낫고 안 풀리던 일도 잘되고 그랬잖아.

혜자 (솔깃) 제요? 제사?

여자1 왜 옛말에 조상이 도왔다는 얘기가 있잖아요. 조상을 잘 모셔야 집안 기운이 뚫리고 자기 운도 뚫리는 거거든요.

혜자 정말 그렇게만 하면 다 해결이 돼요? 제만 올리면 다시 25살로 돌아갈 수 있는 거예요?

여자1/2 (???) 네?/ 뭘 돌아가요?

혜자 (진지) 제가 사실… 25살이거든요…

여자1/2 (서로 얼굴 마주봤다가) 아… 스물 다… 하하하… / 정말요?

혜자 제가 시간을 돌리는 시계가… 아 말하려면 기니까 이건 스킵. 암튼 원래 25살인데 어쩌다 보니 이렇게 된 거거든요. 이런 것도 제만 올리면 해결된다 이거죠?

여자2 (황당) …언제 스물다섯이…

혜자 그러니까… 한 두 달 됐나? 갑자기 이렇게 늙은 것이에요. 그동안 뭐 조금씩은 늙어봤는데 이렇게 팍 늙은 건 또 처음이라 어찌나 당황스럽던지…

여자1 (여자2 툭툭 치고는 애써 웃으며) 하하하… 네 저희도 당황스럽네요…

여자2 (슬쩍 가방 들고 일어나는데)

혜자 (마지막 밥 김에 싸서 입에 욱여넣고) 멀어요? 그 제 지낸다는 곳이?

여자1/2 (기겁) 가시게요?/ 어우 멀어요. 저희도 돌아갈 때 한 삼일 걸려요.

혜자 (물 마시며) 시간 많아요. 저.

여자2 (카드 들고 일어나며) 아줌마 계산이요!

혜자 (커피 자판기 보고) 저기 커피 공짠데 안 드실래요? (커피 뽑고)

아줌마, 계산해주자 여자 1, 2 얼른 가게 빠져나가는데

혜자 (커피 세잔 뽑아서 돌아보는데 여자 1, 2 없고) 어? 어디 갔어… (둘러보다가) 아… 뭐야. 제만 지내면 해결 된다메… 씨… (커피 세 개를 원샷하고는 나가려다가) 어? 내 가방. 가방 어디 갔지?

아줌마 (상 치우며) 아까 맨손으로 오셨던데?

혜자 (!!!)

S# 27 몽타주

혜자, 놀라서 터미널 곳곳 가방 찾으러 다니는 모습들.
상인들에게 물어도 보고. 화장실 안에도 찾아보고.

S# 28 경찰서 (D)

울상이 된 혜자, 경찰 앞에서 가방 없어졌다고 얘기 중

혜자 (손으로 설명하며) 요만한 캐리어구요. 무늬가 여기에 미키마우스가 있고…

경찰 (자판 치며) 미키마우스… 흰색이라 그러셨죠? 찾게 되면 집으로 연락을

드릴 테니까 집에 가서 기다리시면 됩니다. 댁이 어디시죠?

혜자 (!!!) 댁이요?

경찰 네 집이요. 주소 좀 불러주세요.

혜자 … 없습니다.

경찰 네?

혜자 … 없다구요. 집…

경찰들, 자기들끼리 의아하단 표정 교환하고.

경찰 저기 할머니. 혹시 댁이 기억이 안 나시는 거예요?

혜자 아뇨. 기억이 안 나는 게 아니라 집이 없다구요. 집이 없는데 어떻게 기억을 합니까. 없어요. 절대 없어요. 완전 없어.

경찰 그럼 그동안 어디서 지내셨는데요?

혜자 …… 노숙! 노숙했어요. 알죠? 길에서 자는 거… 그거요.

경찰 (의심하듯 보다가) 할머니. 지문 한 번만 조회해볼게요. 지문 조회하면 주민등록상 주소가 나오니까…

혜자 (당황) 지… 지문이요?

경찰들, 지문조회 기기 가져오는데

혜자 (갑자기 배 움켜잡고) 아… 배야… 타임! 저기 잠깐 화장실 좀…

S# 29 경찰서 화장실 밖 (D)

화장실 창문에서 빠져나오는 혜자.

혜자 와… 그동안 단련한 걸 여기서 쓰네… 역시 아빠 말이 맞아. 뭐든 배워두면 도움이 된… (하다 갑자기 코 시큰) 아 아빠 보구싶다… (하다 얼굴 찰싹) 정신 차려! 넌 가출한 거라고! 아빠엄마가 날 찾아내기 전에 최대한 멀리 가야하… 는데 가방도 없고 돈은 더 없고….

S# 30 **버스정류장** (D)

버스 문 열리는데 혜자 괜히 배실배실 웃는다. 공짜로 타도 되냐는 표정.
그러자 야멸차게 닫히는 문.

혜자 (표정 변하며) 웃기까지 했는데 좀 태워주지 거… 확…

그런 혜자 앞에 서는 택시.

혜자 (조수석에 대고 공손히) 저기 바다를 갈 건데… 제가 돈이 없어서요…

택시 쌩 떠나고. 다음 택시 또 혜자 앞에 서고

혜자 (또 조수석에) 저 돈이 없는데…

택시 바로 또 떠나고.

혜자 그래. 기름 한 방울 안 나오는 나라에서 누가 공짜로 차를 태워줘.

그때 다시 택시 한 대 와서 서자 혜자, 시선도 안 주고.

기사　(조수석 창문 내리고) 어머니. 어디 가시게요?
혜자　(안 될 것 같으니까) 저 돈 없어요.
기사　(웃으며) 저도 돈 없어요. 어디 가시냐구요.
혜자　(잉? 돌아보곤) …바…다?
기사　타세요. 데려다 드릴게요.
혜자　(오 웬 떡이지? 하면서도 좀 의심하는 듯 보다가 택시에 타는)

S# 31　택시 안 (D)

혜자, 뒷좌석에 타서 약간 경계하듯 웅크리고 앉아서는 대시보드에 붙은 택시 기사 이름이랑 번호를 외우려고 중얼댄다.

기사　뒤에 열선 넣었는데 좀 따뜻하세요?
혜자　… 네…
기사　저희 어머니도 살아계셨음 딱 어르신 연세셨을 텐데…
혜자　네? (하다가) 기사님 어머니 연세가…?
기사　병원에 계실 때 사람들이 몇 살이냐 물으면 그 연세에도 7학년5반이라고… 하하하
혜자　(E) 7학년5…!! 일흔다섯? (심각 ON) 근데 돌아가셨다면서… 언제 돌아가셨는데요?
기사　(순간 긴장) … 5년 전?
혜자　(E) 일흔다섯에… 5년 (울컥/찌릿 ON) 그렇다면 제가 여든으로 보인다는 계산이 나오네요.
기사　(웃으며) 아이고 유머러스하신 것도 딱 우리 엄니 같으시네. 하하하
혜자　(정색) 이게 유머로 들리십니까?
기사　(땀 삐질) 그냥… 어르신 뵈니까 저희 엄니 생각나서 한소립니다. 평생 고

생만 하시다가 돌아가셨는데… 에으… 복 없는 양반….

혜자, 기사의 룸미러에 달린 기사 가족사진을 보고.

기사 시골서 저 새로 이사한 집 보러 오신다더니 그 길로 실종되셨었어요. 6개월 있다가 시설에서 찾았는데 그사이 뭔 일이 있었는지 반송장이 되셔서는…. 그렇게 병원에 계시다 가셨어요.

혜자 …

기사 돈 몇 푼 벌자고 안 모시러 간 게 평생 한이 돼서…. (울컥한 듯 조용)

혜자 (생각 많아진 듯 창밖 보는)

(Cut to)

어느새 잠든 혜자. 아예 옆으로 쓰러져서 편히 누워 자는.

그때 누군가 잠든 혜자를 깨우는 손길.

혜자, 놀라서 깨는데 또 경찰이고.

혜자 뭐예요!! 합승 같은 거 하시면 안 되죠 아저씨…

경찰 (웃음) 어르신 너무 곤히 주무셔서…

혜자 아니 그건 식곤증이… (하다 둘러보고는) 근데 왜 또 경찰서예요?

경찰 할머니가 길을 잃으신 것 같다고 기사분이 모시고 오셔서요.

택시 앞에 나와서 경찰과 얘기 나누고 있는 기사 모습 보이고.

S# 32 경찰서 앞 (D)

혜자, 아니라는 데도 괜찮다며 모시고 경찰서로 들어가는 경찰들.

혜자 아니 저기… 나는…. 길을 잃은 게 아니에요. 저기 아저씨! 어이 7학년 5반~

기사 (혜자에게 꾸벅 목례하는)

S# 33 경찰서 (D)

혜자, 입도 꾹 닫고 지문도 안 찍으려 손가락 말아 쥐고 버티고.
경찰들, 혜자 앞에서 고개 절레절레.
그때 나이 좀 들어 보이는 경찰이 다가오고.

경찰2 와~ 어머니. 고집 대단하시다 진짜. 나 경찰 30년 하면서 웬만한 범죄자들도 다 입 열게 만들었는데 어머니는 내가 인정! (엄지척하고)

혜자 (칭찬하자 신나서 같이 엄지척하는데)

경찰 둘 달려들어 전광석화의 속도로 한 명은 엄지에 잉크 칠하고
한 명은 종이에 척 찍고.

혜자 (허망) 와 경찰이 이런 식으로 시민을 속여도 되는 겁니까?

경찰2 (웃으며) 협조 감사합니다. 어머니. 요샌 세상이 좋아져서 지문도 바로바로 나와요. 여기 잠깐만 앉아 계세요. (가고)

혜자 아니 내가 가기 싫다는데….

그때 경찰서로 들어서는 준하를 본 혜자, 말문이 막혀서 준하를 쳐다보고 있고.
준하, 혜자를 지나쳐서 경찰과 몇 마디 하더니 한쪽으로 가서 앉고.

혜자 (E) 경찰서에 웬일이래… 취재하러 온 건가…?

준하에게 와서 마주 앉은 형사.

형사 자곡서 쪽에서 얘기는 다 들었어요. 힘든 일 겪으시고 정신없으실 텐데…

준하 (고소장 내밀며 O.L) 이게 집으로 왔길래…

형사 사실 무고죄 자체로는 크게 처벌받긴 힘든데… 아버지…시라면서요?

준하 …

형사 처벌을 원한다기보다 괴롭히겠다는 목적인 것 같아서… 혹시 금전 문제 같은 거 얽혀있어요?

준하 …

그때 혜자 쪽 소란스럽자 형사, 혜자 쪽으로 시선 준다.

여자경찰 (혜자에게) 할머니… 지문조회가 잘 안돼서 한 번만 더 찍을게요.

혜자 (손 말아 쥐고) 아 진짜 집 없다니까 그러시네.

경찰3 (타이르듯) 요새요~ 자식한테 폐 된다고 이렇게 무작정 가출하시는 분들이 많아서 그러는 거예요.

준하 (혜자 보고 있다) 저희 동네 사세요. 그 할머니.

경찰3 그래요?

준하 네. 자곡2동.

혜자 !!!!!

경찰3 (준하에게) 잠깐만 이리 와보세요.

준하 (다가오고)

경찰3 할머니. 이분 알아요?

혜자 (준하 보고 고개 돌리며) 전혀 몰라요.

준하 맞아요. 자곡2동.

혜자 (모르는 척) 아니거든요?! 저 자곡2동 안 살거든요?!

준하 포장마차에서 제 뒤통수 때리셨잖아요. 뭐가 힘드냐면서…

혜자 !!!

S# 34 경찰서 앞 (N)

경찰차에 억지로 태워지는 혜자. 버둥대고 도망가려는데 경찰들이 잡고.
잠시 후 혜자 안으로 밀어 넣듯 뒷자리에 타는 준하.

혜자 (뒷문 열려고 레버 막 당기는데)

준하 … 경찰차 뒷문은 못 열어요. 앞에서 열어줘야 돼요.

혜자 (그 말에 바로 앞쪽으로 넘어가려 버둥버둥)

경찰3 (앞에 타며 혜자 저지) 아이고. 참…

혜자 (준하에게 투덜투덜) 내가 그쪽 머리 좀 때렸다고 지금 복수하는 건가? 그거지? 그지? 와… 완전 쫌생이….

준하 (대답 없이 창밖만 보는)

S# 35 동네 일각 (N)

경찰차 도착해있고 주변 지나가는 사람들 수군대는데
경찰차 뒤에 탄 혜자 안 내리고 버티고

경찰3 여기 사시는 동네 맞으시죠?

혜자 (시치미) 어머 여긴 또 어디야? 너무 처음 와 봐요 이런 데…

경찰3 (난감해하다가 준하에게) 댁이 어딘지는 몰라요?

준하 …

그때 저쪽에서 눈물 콧물 흘리며 뛰어오는 영수.

영수 저기요!! 경찰 아저씨!! 저희 할머니 좀 찾아주세요… 키는 쬐그맣고 (뒷좌석에 탄 혜자 힐끔 보고) 눈이 저렇게 크고… 머리 하얗… (하다 혜자 알아봤다) …염색했네?

혜자 (영수 흘겨보는)

Cut to

경찰차 떠나고 영수, 한쪽 손으로 혜자 팔 꼭 잡은 채 경찰차에 인사.
준하도 그제야 자리 뜨는데

영수 (준하 쪽에 대고) 고맙수다.

준하 (그냥 가고)

영수 역시 잘생긴 것들은 재수가 없어… (하다 바로 인상 구기며) 야… 너 내 빤스 (혜자 돌아보자 움찔) …가져갔죠?

혜자 … 여름에 입으면 시원하고 편하단 말야.

영수 아 그거 내 행운의 팬티라고.

혜자 뭔 행운? 이미 효과 없는 거 증명됐네. 그리고 나 가방 잃어버려서 영영 사라졌는데 그 팬티.

영수 (손 내밀고)

혜자 아 뭐. 나중에 사줄게. 집 나갔다 돌아온 동생 보자마자 삥 뜯냐? (한쪽에 주저앉으며) 안 그래도 하루종일 쌩쇼 하느라 기운도 없어 죽겠구만.

영수 (혜자 보다가 혜자 앞에 등 대고 앉으며) 업혀.

혜자 미쳤냐?

영수 우리 동생 쌩쇼 하느라 힘들다며…? 업히라고.

혜자 아 싫어… (하다가) 집안 난리 났지? 나 집 나가서…

영수 … 엄마 아빠 몰라. 너 방 안에 있는 척했거든. (팔 다 까진 거 보여주고) 봐봐.

니 방 창문으로 들락거리느라고 온데 다 긁힌 거. 내가 이런 오빠다.

혜자 (한심) 하… 내가 방 안에 있든 없든 어차피 닫혀있는 문인데… 굳이…

영수 아!!!

S# 36 혜자 방 (N)

방 창문으로 들어오는 혜자를 받아주는 영수.

영수 니가 이러려고 작게 컸구나. 잘했다. 어우…

혜자 진짜 아빠 엄마는 모르는 거 맞지?

영수 (혜자 쥐어박고) 그거 걱정한다면서 집을 나가? 너 나가면 엄마 아빠가 '아우 신경 쓸 일 없어서 속 시원하다~' 그러고 배 두드리면서 잘 사실 것 같냐?

혜자 …

영수 키만 안 자란 게 아니라 머리도 덜 자랐지 아주. (품에서 편지 꺼내며) 그러니까 이런 중2스러운 편지나 남기고…

혜자 오빠가 가져간 거였어? 어쩐지 찾아도 없드라니까… (편지 가져가려는데)

영수 (안 주고) 너 이제 내 말 안 들으면… 이거 바로 엄마아빠한테 넘긴다. 알아서 해.

혜자 아 뭐래. 내놔.

영수 너 땜에 하두 돌아다녔더니 배고프네. 라면 좀 끓여와 봐.

혜자 됐거든? 하루종일 돌아다녔더니 피곤해 잘래.

영수 (말없이 편지 들어서 보여주고)

혜자 와씨…

S# 37 영수 방안 + 밖 (N)

영수 방 밖

휴대용 버너에 라면 끓이고 있는 혜자.

혜자 내 팔자야… 진짜….

영수 (창문 쪽에서 고개 내밀고) 야 나 달걀노른자 터지면 안 먹는다.

혜자 노른자 말고 다른 거 터지기 싫음 주는 대로 먹어라.

영수 엄~

혜자 (!!) 아 알았다고. 이 봐 노른자 살리고 있잖아. 보여? 노른자…
(사이) 다 끓였어. 먹어.

영수 이리 줘.

혜자, 냄비째 영수에게 건네면

영수 방안

영수, 삼각대에 카메라 세팅되어 있고,

카메라, 영수의 개인 방송용 카메라를 잡으면.

영수의 개인 방송 화면으로 넘어간다.

영수, 라면 들고 화면으로 들어와서.

영수 나더위탔슈님 별사탕 천개미션. 뜨거운 라면 1분 컷 시작합니다.

[B.G - Nightwish - The Kinslayer]

스톱워치, 1분 15초에서 거꾸로 가기 시작한다.

스톱워치가 1분 되기를 기다리는 동안 몸 풀고.

스톱워치 딱 1분 되면. 그때 라면 젓가락으로 듬뿍 퍼서 입에 넣는데.

영수, 입에 라면 한 젓가락 넣고 뜨거운 거 들어갈 때의 그 기침!! 켁~!!

문밖에서 그 모습 한심스럽게 지켜보고 있는 혜자.
영수, 켁켁 기침한 다음에 고개 드는데.
콧구멍 두 개로 라면 줄기가 나와 있다.
혜자, 더 못 보고 문 닫아버리는.

S# 38 혜자 집 거실 (D)

다음 날 아침 밥상 차리는 엄마.
엄마, 평소처럼 작은 쟁반에 혜자 밥상을 따로 차려 혜자 방 앞으로 가려는데
문 철컥 열리며 나오는 혜자.
엄마, 놀라서 그 자리에 멈춰 서 있는데

혜자 (아빠 앞으로 가더니 돌아보며) 엄마 이리로 오세요.

엄마 (자리에 와 앉자)

혜자 (큰절을 한번 하고 나서 무릎 꿇고 앉는데 우두둑!!)

아빠/엄마 !!!!

혜자 무릎이 안 좋아서 불경스럽지만 그냥 앉겠습니다. (편히 앉고) 그동안 죄송했습니다…. 아빠 엄마….

아빠/엄마 (어안이 벙벙해서 그저 보고만 있는데)

혜자 평생 효도라고 제대로 한 적도 없는데 이렇게 늙어버려서 불효를 하게 되네요. 아나운서 되면 집안 빚도 갚아 드리고 아빠 차도 바꿔 드리고 엄마 미용실도 2층으로 지어드리려고 했었고….

영수 (기대하는 눈빛)

혜자 (무시) 근데 보시다시피 이 모양 이 꼴이라 약속 못 지킬 것 같습니다.

아빠/엄마 (숙연해진)

혜자 대신 빨래나 밥이나 청소나 그런 거… 내가 할 수 있는 만큼은 도울게요. 아직은 그래도 몸은 움직이니까…. 그리고 엄마.

엄마 (보는데)

혜자 오늘 나랑 같이 병원 좀 가.

엄마 왜? 어디 아퍼?

혜자 아니. 내가 몇 살인지는 알아야 될 거 아냐.

아빠 (혜자 보는 표정)

S# 39 병원 외경 / 병원 대기실 (D)

혜자와 엄마, 앉아 있는데 초조한 얼굴.

혜자 … 안 들키겠지?

엄마 어차피 시골에 계셔서 거동도 못 하시는 이몬데…

혜자 근데 이모할머니 여든 다 됐잖아. 내가 그렇게 보일까?

엄마 (물끄러미 혜자 보다가) 어 그렇게 보여.

혜자 (상처받은) 와… 엄마 맞어 진짜?

간호사 전혜림 씨!!

엄마와 혜자, 자기 부르는 줄 모르고 앉아 있는.

간호사 전혜림 씨! 안 계세요? (하다 혜자 쪽으로 와서) 전혜림 씨 아니세요?

혜자 아닌…

엄마 (O.L) 네. 맞아요 전혜림. (혜자 툭 치면)

혜자 그죠. 전혜림이에요 제가.

간호사	진료실로 가실게요. (앞서가고)

엄마	네. (따라가는데)

혜자	(따라가면서) 이모할머니 이름이 전혜림이었어? 와 진짜 내 이름 빼곤 다 이뻐. 내 이름이 젤 구려 아주. 혜자가 뭐야 혜자가….

엄마	(혜자 등짝 때리고)

S# 40 병원 외경 / 병원 진료실 (D)

30대 사람 좋아 보이는 젊은 의사, 차트보고 있고.
혜자와 엄마, 두근대며 기다리고 있는데

의사	어우 어머니. 나이보다 신체나이가 훨씬 어리시네요.

혜자	… 제 나이가 몇인데요?

엄마	(당황하는데)

의사	아아… 여기 78세로 나와 있는데… 맞으세요?

혜자	(!!) 그렇게 많… (하다) 네 맞아요.

의사	근데 신체 나이는 65세 정도로 나오셨어요.

혜자	(짜증 난다)

의사	(웃으며 박수까지) 축하드려요.

혜자, 바로 욱해서 의사 멱살 잡는데 의사 당황. 엄마, 말리고.

의사	(애써 웃으며) 아… 더 젊게 나오시길 바라셨나보다 하하하…

혜자	(후후… 숨 고르며 화 내리는)

엄마	(대화 진행시키려) 다른 데는요?

의사	아… (혜자 눈치 보며) 특히 간 기능이 진짜 좋으시네요. 완전 청년 수준이네요…

혜자 … 몇 살…?

의사 (눈치 보다가) 오십… 오…

혜자 (의사 멱살 잡고) 오십오가 청년이면 넌 애기냐? 세포분열 상태냐?

엄마 (떼어내며) 그만해 좀.

혜자 알았어. 알았어.

정리된 것 같은데, 혜자 다시 달려들어 멱살 잡는.

S# 41 진료실 앞 (D)

결국 엄마에게 질질 끌려서 나오는 혜자.

엄마 젊다는데 뭐가 문제야!! 어?!!

혜자 아 놔봐. 놔보라고 좀.

엄마 왜 들어가서 또 멱살잡이 할려고?

혜자 아냐. 딱 하나만 더 물어볼 게 있어서 그래 진짜야.

엄마 (의심) 진짜지? 멱살 안 잡을 거지?

혜자 콜… (엄마가 놓아주자 문 열고) 쌤! 혹시… 폐경은…

엄마, 전광석화처럼 혜자 끌고 나오는.

S# 42 동네 학교 운동장 (D)

혜자, 운동복 갈아입고 나와 있고 옆에 서 있는 영수.

혜자 기록 잘해.

영수 (수첩이랑 펜 들고) 갑자기 뭔 운동이야.

혜자 내가 어디까지 되고, 어디까지 안 되는지는 알아야 될 거 아냐.

사뭇 진지한 표정의 혜자, 운동장 한켠 계단 5칸 오르고는

혜자 적어 '숨차다'

영수 (받아 적고)

혜자 (10칸 째 오르고) 무릎에서 쩌그덕쩌그덕 소리가 난다.

영수 (또 받아 적고)

혜자 (헉헉대며 15칸 오르고는) 이런 (묵음처리) 삐삐삐

영수 (받아 적는데 글자에 모자이크된다)

혜자 그걸 왜 적어!!!!

Cut to

운동장 트랙 앞에 서 있는 혜자.

혜자 내가 여기서 저까지 뛰어볼게. 몇 초 나오나 재봐.

영수 (휴대폰의 스톱워치 기능을 켜는데)

혜자, 비장한 각오로 준비. '땅' 하면 프레임에서 사라졌다가
바로 다시 프레임으로 들어온다.

혜자 (헉헉대며) 적어… 못 뛴다.

Cut to

노래방 마이크 들고 노래하는 혜자.

아이유 '좋은 날' 노래 부르고 있다.
옆에서 수첩에 메모하는 영수.

[INS 수첩]
폐활량 테스트: 아이유 3단 고음

드디어 3단 고음 부분.
그런데 3단 고음은커녕 1단 고음도 거의 안 된다.

혜자 아임 인 마이 드리~~~~~~임… 쿨럭쿨럭 (마이크 대고) 적어. 0.5단 고음까지 가능.

영수, 쯧쯧거리며 메모한다.

S# 43 **양복매장** (N)

매장 거울에 양복을 빼입은 준하.
마치 마네킹처럼 표정 없이 양복을 입어보는 준하.

희원 야 역시 옷걸이가 좋으니까… (직원에게) 이걸로 주세요.

S# 44 **귀금속매장** (N)

관심 없어 보이는 준하에게 희원, 손목시계 보여주고.

희원 골라보라니까. 이게 더 낫지?

준하 … 됐어.

희원 야 취직기념으로 형이 하나 사준대도.

준하 양복 사줬잖아.

희원 야 양복의 완성은 시계야. 얼른 골라봐. (하다 가격 보고) 요기 위쪽은 보지 말고 이쪽으로…

준하 (무심히 시계 보는데)

[FLASH BACK]

1화 엔딩

손목시계 들고 시간 돌려주겠다던 혜자

2화

손목시계 찾으러 왔었던 혜자

S# 45 어느 집 옥상 (N)

마른오징어에 맥주 사와서 희원과 한잔하는 준하.

희원 뭐 조촐하다만 취업 파티는 해야지. (맥주 캔 들고) 이준하와 김희원의 눈부신 미래를 위하여!

준하 (심드렁하게 맥주 캔 들어서 건배하고 마시고)

희원 (한 모금 크게 들이키고) 크으… 아… 이 동네 뷰가 의외네. 완전 구질구질한 동네일 줄 알았는데 해 지니까 포근해 아주.

준하 (멍하니 풍경을 보다가) 난 어렸을 때부터 하두 이사를 다녀서 동네에 정을 붙인다는 게 무슨 얘긴지도 몰랐어. 사람도 아니고 동네에 정을 붙인다는 게…

희원 (보는데)

준하 근데 정이 들었어… 이 동네는… (혜자가 생각난다) 나를 이해해주는 누군가가… 그리 멀지 않은 곳에 산다는 것만으로도… 그것만으로도 위로가 된다는 거… 처음이었어. 이 동네에서…

희원 (할머니 얘기로 듣고 준하 어깨 툭툭) 힘내 엄마….

준하 (맥주 마시고)

S# 46 동네 전경 (N → D)

밤에서 아침이 되는 동네 모습. [FAST]

S# 47 미용실 앞 (D)

미용실 앞을 쓸고 물을 뿌리는 혜자.
그리고는 빨아놓은 수건을 탁탁 털어서 건조대에 널어놓고.
그때 문 열고 나오는 엄마.

혜자 일어났어? 요샌 자꾸 새벽에 깨네. 잠도 안 오길래 겸사겸사…

엄마 … 응 고마워.

S# 48 혜자 집 거실 (D)

아빠, 일어나서 TV를 켜는데 혜자, 화장실에서 머리 감고 나온다.
허리 아픈 듯 툭툭 치며 "어이구 허리야" 하는 혜자.

그 모습 물끄러미 바라보는 아빠.

혜자 (괜히 민망) 아 샴푸를 하는데 자꾸 거품이 안 나는 거야. 이상하다 이상하다 해서 계속 짜는데 린스야… 어쩐지…. (웃는데)

아빠 (무심히 TV로 시선 다시 돌리는)

혜자 (혜자 한쪽에 앉아서 머리를 드라이기로 말리는데) 그래도 나 편한 건 하나 있다?

아빠 (보는데)

혜자 늙으니까 머리 말리는 데 얼마 안 걸려. 숱도 줄었나 봐. (괜히 오바 웃음)

아빠 (혜자 보다가) 오늘 잠깐 나갔다 오자.

혜자 (신난) 어디?

S# 49 거리 외경 /안경점 (D)

커다랗게 확대되어 보이는 화면. 이리저리 둘러보는 모습.
그러다 작은 글씨 보는데 잘 보이고.
보면 돋보기 써보고 있는 혜자.

혜자 와 이렇게 보이는 거였어?

직원 어지럽진 않으세요?

혜자 네. 괜찮아요. (되게 작은 글씨 가리키며) 나 이것도 보여. 대박.

아빠 (혜자 보는 표정)

혜자 (보다가) 근데… 이거 테만 좀 바꿀 수 없나? (아빠에게 조용히) 조금 노티나 보이는 것 같애서…

아빠 (피식) … 그래. 물어봐.

혜자 (점원에게) 이거 테만 바꿔두 돼요?

점원 네 가능하세요. (테 보여주고)

혜자 (열심히 고르고)

Cut to

아빠와 혜자, 안경 나오기 기다리는 중.

점원 다 됐거든요. 닦아서 드릴게요.

아빠 (말없이 창밖만)

혜자 아빠… 속상해?

아빠 … 어?

혜자 (아무렇지 않은 듯) 난 안경 쓰는 거 괜찮은데. 안경 쓴 여자 지적이지 않아?

아빠 … 그래.

혜자 아빠… 내가 낯설지??

아빠 (!!!)

혜자 예전처럼 나한테 말도 안 걸구… 웃지도 않구… (괜히 웃으며) 나두 낯설어. 세수하려고 거울 볼 때마다 깜짝깜짝 놀라고 그래. 이렇게 될 줄 알았음 아빠한테 더 잘할걸….

아빠 (다시 시선 창밖으로)

혜자 근데 받아들이기로 했어.

아빠 (혜자 보는데)

혜자 (아빠 보며 애틋) 내게 소중한 걸 되찾기 위해서 겪어야 하는 일이었으니까…. (눈물 그렁) …그럴 가치가 있었다고 생각해.

아빠 소중한 게… 뭔데?

혜자 (아빠 보며 눈가가 촉촉하게 젖는가 싶더니 씩 웃으며) 비밀.

아빠 (혜자 보는데)

점원 (OFF) 안경 나왔습니다.

아빠, 점원에게 서둘러 걸어가는데

불편한 다리가 혜자 눈에 들어온다.

S# 50 거리 일각 벤치 (D)

벤치에 앉아 음료수 마시고 있는 혜자와 아빠.

혜자 … 이제 택시는 안 하지?

아빠 (물끄러미 혜자 보다가 끄덕) …경비일… 하잖아.

혜자 (갑자기 울컥) 다리는? 좀 낫고 하지…

아빠 괜찮아… 괜찮으니까 일하는 거지….

혜자 (울먹) 진짜 괜찮은 거지? 병원은 꼭 다녀야 돼!

아빠 (울컥하는) … 응.

S# 51 편의점 (D)

준하, 편의점 뒤쪽에서 점주인 형에게 얘기 중이고
상은은 계산대에서 준하를 힐끗거리며 서 있고.

점주 (준하 어깨 툭툭) 취직했다니까 좋네. 가끔 놀러나 와.

준하 네. 그동안 감사했습니다.

점주 음료수나 다 마시고 가. 아쉬운데.

준하 그럴게요. (음료수 마시고)

그때 오토바이 헬멧을 쓰고 검은색 옷을 입은 남자, 편의점으로 들어오고

상은 어서 오세요.

현주 (헬멧 쓴 채) 나야.

상은 (못 알아보다가) 옴마야. 니 성형수술 했나?

현주 미쳤냐. 돈 들여 성형해놓고 이딴 거 쓰고 다니게. 혜자네 집에 좀 가보려고.

준하, 음료수 마시다가 혜자 소리에 멈칫.

상은 와? 여행 갔는데 가봤자 뭐 할라꼬. 아~ 영수오빠야 보러 가나?

현주 (상은 쥐어박고) 야. 하루아침에 여행을 간다는 게 말이 돼? 게다가 우리한테 말도 안 하고? 혜자가? 수상해…. 분명 뭔 일이 있는 거야.

준하, 표정.

S# 52 미용실 앞 (N) - 몽타주

현주, 그 모양새 그대로 미용실 앞을 어정어정대고.
미용실 평소처럼 사람들 드나들고 달라진 게 없고.
그러다 문 열려 손님 나오면 현주, 성급히 자리 뜨고.
현주, 해질녘까지 계속 어정어정대는 모습.

S# 53 혜자집 거실 (N)

엄마, 어깨 두드리며 집으로 들어오는데 음식 냄새나고.
엄마, 자연스레 주방으로.

S# 54　혜자 집 주방 (N)

혜자가 뭔가 지지고 볶고 밥을 하고 있다.

엄마　그런 거 안 해도 돼! 힘들어! 엄마가 한다니까…

혜자　안 힘들어. (신난) 엄마 먹어봐. (어묵 김치찌개 한 수저 엄마 입에 떠 넣고)

엄마　(데일 뻔)

혜자　(기대) 맛있지? 그지?

엄마　… 맛있네.

혜자　엄마 나 늙었더니 손맛이 생긴 거 같아. 처음 했는데 어쩜 이리 맛있어? (자기도 한 입 먹어보며) 그래 이 맛이야! (영수 방 쪽 보고) 얘~ 영수야~ 밥 먹어라~~~

영수, 방에서 나온다.

영수　아주 맞먹어라!!! 뭐? 영수? 이걸 확!! (꿀밤 때리려고 하는데/ 보면 나이 든 혜자다) 후우 (한숨) 내 안의 충효 사상이 널 살렸다.

혜자　퍽이나 고맙다!

엄마　그만들 해.

그때 문 열리는 소리 나고.

영수　(OFF) 아빠 오셨어요?

S# 55 혜자 집 거실 (N)

가족들, 저녁 먹는데 혜자가 만든 음식으로 차려진 저녁 밥상.
아빠의 반응 기대하며 보고 있는 혜자.
근데 아빠, 한술 뜨더니 묘한 표정.

혜자 왜?? 맛없어? 엄마는 맛있댔는데?

아빠 … 맛있어.

혜자 (신난) 그지? 그지? 나 진짜 요리사 될 걸 그랬나 봐.

영수 (한번 먹어보고는) 에이 김치찌개는 돼지고기지. 어묵이 뭐냐 어묵이…

혜자 맛만 있구만. 아 먹기 싫음 먹지 마!!

아빠 (눈가 벌게져서 목이 메는 듯) 저기… 나 물 좀…

엄마 (일어나는데)

혜자 (벌떡 일어나는데 뚜둑) 내가 갖다줄게 내가. (주방으로 가고)

아빠 (혜자가 가자 눈물 훔치고)

엄마 (아빠 보고도 못 본 척 밥만 먹고)

혜자 (물 떠다가 아빠 주고) 자 천천히 드세요.

아빠 … 고마워… (말 못 잇는)

엄마 (화제 돌리며) …당신 옆 아파트 경비원 또 바뀌었다며? 뭐 일이 손에 익을 만하면 바꿔대면서 일 못한다고 타박들은… 당신은 괜찮아?

아빠 우리 쪽은 아직 얘기 없어.

혜자 (아빠의 먹는 모습 흐뭇하게 지켜본다) 많이 드세요! 아빠. 잘 먹어야 다리도 금방 낫지. 식사하시고 약도 드셔 꼭!

아빠 (그 모습 물끄러미 보다가 울컥해진 듯 시선 피하며) 오늘 야간 조야.

엄마 (눈물 훔치며) 아 그랬지. 깜빡했네. 알아서 나가요. 나 피곤해서 먼저 잘 거니까. (괜히 밥만 더 욱여넣는)

S# 56 거리 전경 (N)

인적 없는 조용한 거리

S# 57 혜자 집 거실 (N)

아빠, 출근하려고 나오는데 혜자가 TV 켜놓고 졸고 있다.
아빠, 혜자 보다가 조용히 나가려는데

혜자 (깨서) 어 아빠! 지금 나가?
아빠 어.
혜자 잠깐만. (그러곤 주방으로)

혜자, 손에 삶은 계란 세 개 담은 봉지랑 보온병을 내민다.

혜자 새벽에 배고프잖아.
아빠 (계란 보다가 주머니에 넣고) 얼른 자.
혜자 아빠 파이팅!!
아빠 (잠깐 멈춰 서서 그런 혜자를 보다가 가는)

S# 58 미용실 밖 (N)

문을 닫고 나온 아빠. 후우… 길게 한숨 내쉬고는 걸어간다.

S# 59 동네 전경 / 미용실 안 (D)

할머니 1, 2, 3 평소대로 미용실에 와서 떠들고
엄마, 손님 머리 해주고 있는데
그때 미용실로 나오는 혜자.
엄마, 당황한 듯 혜자 보는데 혜자 괜찮다는 표정.
할머니 1, 2, 3 혜자가 궁금한 듯 왔다 갔다 하는. 혜자, 동선대로 고개가 움직이고.
혜자, 머리하고 있던 아줌마 중화해주는데

할머니1 딸이에요?
혜자 (!!!) 네?
할머니1 (엄마 가리키며) 아니 사장님이 딸이냐꼬.
엄마 (당황) 아니에요.
혜자 저는요… 이… 이모예요. 이모.
할머니3 아 어쩐지 닮았드라… 뭔가 느낌이 비슷해….
할머니2 놀러 오셨슈?
혜자 네? 아… 네… 잠깐 들렀어요.
할머니1 원래는 으디 사는데요?
엄마 (당황) 아 뭘 자꾸 물어싸…
혜자 그게… 저기 브라질… 살아요.
엄마 (!!!)
할머니2 부라질유? 아이고 멀리서 오셨네.

그때 한 아줌마, 문 열고 들어오고.

아줌마 파마 되죠? 얼마에요?
엄마 이만 원요.

아줌마 아유 저 옆 동네는 만 오천 원이면 하던데… 만 오천 원에 하자. (그러면서 자리에 일단 앉으며 누룽지 주워 먹고)

엄마 아유 재료값도 안 남아요.

아줌마 에이 무슨… 동네 장사는 그렇게 하믄 안되지.

혜자 그럼 그 동네 가서 하시면 되겠네요. 만 오천 원 주고.

아줌마를 비롯한 엄마, 할머니들, 다 혜자를 보는데.

아줌마 재료값도 안 나오면 만 오천 원 하는 집은 뭐 적자 내고 장사하나. 말이 되는 얘길 해야지.

혜자 (욱!) 약만 있음 파마가 돼요? 큰 롯뜨야 몇 개만 말면 땡이지. 그 작은 롯뜨 말아대는 게 얼마나 손목이 아픈데요. 거기다 다들 안 풀리게 말아 달래. 아니 안 풀리는 파마가 어딨어요. 그거 있었음 진작에 미용실들 다 망했지. 요샌 먹으면 없어지는 치킨도 이만 원인데 머리하는 내내 서서 손으로 다 해주는 걸 이만 원이 비싸다고 하면 안 되죠.

아줌마 (말문 막힌 듯) 아니 그래도 동네에서…

혜자 우리는 동네 장사 이렇게 하니까 그 동네 가서 하시라구요. 에? (바로 상냥하게 다른 할머니한테) 머리 염색? 오징어 먹물로 해드릴까?

아줌마 (맘 상해서 나가버리고)

혜자 (아차 싶어 엄마 보는데)

엄마 (잘했다는 듯 웃는)

혜자 (기분 좋고)

할머니1 야야… 목소리 낭창낭창하니 장난 아이시네.

할머니2 그러게유. 왕년에 목소리로 좀 날리셨겠슈?

혜자 (기분 좋아서) 날렸죠. 아나운서였어요.

엄마 (!!!)

할머니3 어쩐지. 그냥 일반 목소리는 아니네. 아주 귀에 쏙쏙 들어오는 게….

할머니2 (유심히 혜자 보는)

S# 60 미용실 앞 (D)

또다시 헬멧을 쓰고 수상하게 미용실 앞을 어정대는 현주.
그때 미용실 앞쪽으로 하품하며 나오는 영수. 현주, 얼른 모른 척.
영수, 현주 못 알아본 듯 혼자 맨손체조를 하고.
현주, 더 이상 알아낼 게 없다 싶어서 내려가려는데

영수 가냐?
현주 (나한테 한 소린가 싶어 멈춰 서는데)
영수 내일 올 땐 군만두라도 좀 갖고 와. 식은 것도 잘 먹어. 먹던 것도 먹어.
현주 (!!!!놀라서 영수 쪽을 돌아보고)
영수 뭘 놀라. 설마 넌 줄 모르게 하려고 그러고 온 거였어? 난 또….
현주 (계속 영수 쪽만 보고 서 있는데)
영수 (하품 찍찍하며) 내가 널 못 알아보겠냐. 설마. 내일 군만두 잊지 마라.
(들어간다)

영수, 집 안으로 들어가고 나서도 한참을 영수 쪽을 보고 서 있던 현주.
겨우 손을 뻗어서 헬멧을 벗는데 얼굴이 발그레하다.

현주 (심쿵한 표정/ 심장박동 소리) …저 …저 …찐따새끼가… 또…

S# 61 혜자 집 거실 (D)

혜자와 엄마, 양푼에 밥 비벼서 먹고 있다.
그때 영수, 주머니에 손 넣고 들어오는데.
립밤이 주머니에서 쓱 떨어진다.
영수, 손 빼고, 허리 굽히고 줍기도 귀찮은.
영수, 발가락으로 립밤 잡으려고 발 뻗어 발가락 벌렸는데.

영수 아!! 쥐쥐!!
혜자 아우 진짜 손 많이 가!!

영수, 바닥에 누워 있고,
혜자, 축구선수처럼 다리에 쥐 난 거 풀어주고 있다.

영수 (누운 채) 현주 왔드라… 너 뭐 하나 보러 온 것 같던데….
혜자 …
영수 걱정되겠지. 갑자기 뭔 여행이야 여행이….
엄마 그럼 니가 가서 말 되게 설명을 해보든가.
혜자 됐어. 내가 할 거야.

S# 62 미용실 앞 (N)

미용실 앞 평상에 나와 앉아 누군가를 기다리는 혜자.
그때 저쪽에서 올라오는 상은과 현주를 보는데 둘이 올라오면서 툭탁툭탁.

상은 그니까 혜자가 어디로 여행 갔냐 물어보라꼬?

현주 그게 아니고오 이 밥통아. 물어보는 건 내가 할 테니까 넌 슬쩍 화장실 가는 척하면서 혜자 방으로 가보라고. 애가 감금되어있을 수도 있잖아.

상은 (멍) 와 감금이 되는데?

현주 (답답) 그럴 수도 있단 거지.

혜자 (둘 보고 피식 웃다가) 야!

혜자 목소리에 상은과 현주 돌아보더니 혜자를 못 알아보고
다시 둘이 툭탁. 그러다 둘이 멈칫! 다시 돌아보고.

(Cut to)

혜자 (애써 밝게 웃으며) 그래서… 뭐… 이렇게 된 거지…. 어색… 하지?

현주/상은 (이미 눈가에 눈물이 그렁그렁해서 곧 떨어질 듯)

현주와 상은, 혜자를 확 끌어안고.

(E) 혜자와 친구들 웃음소리

S# 63 혜자 방 (N)

간만에 혜자 방에서 까르르 웃음소리 새어 나오고.

현주 (웃으며) 난 진짜 얘 뭔 사고치고 머리 밀려서 갇힌 줄 알구… (혜자 보고는) 요….

혜자 (빤히 보다가) 편하게들 좀 앉지?

보면 혜자 앞에 현주, 상은 무릎 꿇고 앉아 있다.

상은	그래도 되… 나? (편히 앉으려는데)
현주	(상은 옆구리 쿡 치면)
상은	(다시 무릎 꿇는)
혜자	왜 이래? 아까 설명 다 했잖아. 자꾸 불편하게 할래?
현주	머리로는 알겠는데 몸이…
혜자	그래 나도 아직 못 받아들이는데 니들은 오죽할까.
현/상	(편하게 앉는)
혜자	(풀려서) 차라리 머리나 밀렸으면 좋았지. 머리야 자라면 되는 거구.
상은	(멍) 늙으면 머리도 안 자라나?
혜자	야 뭐래. (하다 목이 마른 지 옆에 있던 맥주 컵 드는데 비어있다)
현주	(바로 맥주병 들고 자기도 모르게 두 손으로 따르는)
혜자	(어이없는) 뭐하냐? 이제까지 본 중 너 최고로 공손한 손이다 지금?
현주	(그제야 깨닫고) 아… 이게 이상하게 자꾸 이래진다. 미안.
상은	야 친구 사이에는 미안하고 그런 거 없어야 진짜 친구라 카드라. 친구아 이가! (그러고는 맥주 마시는데 고개 돌려 마시는)
혜자	(피식) 차!… 하긴 그래도 뭐 평생 못 받아 본 대접 받는 기분이고 뭐… 나쁘진 않네. (하다 하품하며) 야 너네 담부턴 낮에 놀러 와. 요샌 해만 지면 맥을 못 추겠다. 늙었나 봐 진짜….
상은	(다시 눈물 터지는)
현주	뭘 울어? (그러면서 자기도 울고)
혜자	야 대신 새벽에 일찍 일어나. 나도 하루 24시간 똑같애 이것들아. 오바는….
상은	나는 잠이 너무 많아가 걱정인데…. 나도 할마시 되면 잠이 좀 없어질라나?
혜자	늙어 볼래? 늙게 해줘? 이게…
현주	동네 할머니들이 얘기하던 게 너일 줄은 몰랐다.
혜자	내 얘기했어? 벌써?
현주	미용실에 웬 할머니가 왔는데 장난 아니라고 하더라고. 뭘 어쨌길래….

혜자 아… (웃고) 하도 궁금해들 하길래 거짓말 좀 했지. 하긴 거짓말도 아니지 뭐. 사실 아예 건너뛴 인생 속에 진짜 내가 아나운서가 됐을 수도 있고….

현주 아나운서 했다고 뻥 쳤어?

혜자 어. 하두 목소리 좋다며 뭐 했었냐… 자식들 얘기 물어보길래 뭐 아는 게 있나. 대충 아들 있고 손주도 있고 그런데 다들 브라질 산다고 뻥 쳤어.

상은 그걸 믿나?

현주 그게 이 동네지. 뭔 뻥을 쳐도 그러려니….

혜자 … 그래도 내 얘기가 제일 뻥 같애….

상은 (또 울고)

현주 (또 울컥) 아 왜 울어 자꾸 짜증 나게….

혜자 …

S# 64 혜자 방 외경 (N)

혜자 방 불 안 꺼지고 잠시 후 다시 깔깔깔 웃음소리.

S# 65 미용실 앞 또는 안 (D)

혜자, 아침부터 일어나 문 여는데 평상에 앉아 기다린 듯한 할머니2가 다가오고.

혜자 아직 엄… 아니 사장님 안 일어났는데…

할머니2 그기 아니구유…. (주머니에서 금반지 꺼내서 보여주고)

혜자 … 자…랑하러 오신… 거예요?

할머니2 이걸 좀 팔려고 금은방에 갔더니만 만 원짜리 한 장 주면서 가라 그려서…

혜자 … 만원이요? (반지 보고) 딱 봐도 꽤 나가 보이는데?

할머니2 그쥬? 내가 행색이 이려서 우습게 본 건지…. 그래서 말인디유… 혹시 나랑 같이 좀 가줄 수 있슈?

혜자 제가요?

할머니2 경우가 아닌 건 알지만유… 어제 보니께 말도 참 조리 있게 잘허시구….

혜자 (고민하다가) 그럼 잠깐만 기다리세요. 준비 좀 하고 올게요.

S# 66 귀금속 가게 앞 (D)

아이라인 찐하게 그린 센 메이크업한 혜자와 할머니2 가게 앞에 서 있고.

혜자 (가게 안쪽 보며) 이 집 맞아요?

할머니2 맞어유. 저 주인이유.

혜자, 보는데 우락부락한 인상의 금은방 주인.

혜자, 얼른 가방에서 아이라인 꺼내서 더 진하게 그려주고.

할머니2 난 가슴이 떨려가지구….

혜자 (거울 보곤 눈에 힘 한번 주고) 반지 주세요. 저 혼자 갔다 올게요.

할머니2 진짜유. 아유 고마워유. 고마워유. (손수건에 싼 반지 건네고)

S# 67 귀금속점 안 (D)

혜자, 들어가는데 이미 보고 있는 우락부락한 인상의 주인.

혜자 (약간 쫄아서) 저기 이 반지 좀 팔려구요.

주인 (바깥쪽에 서 있는 할머니2 보고) 아 저 할머니 또 오셨네. 할머니한테 부탁받으신 거죠?

혜자 (세게 나가려는데 목소리 떨리는) 네. 그쪽이 처음부터 제대로 값 쳐줬음 내가 이렇게 올 일도 없었잖아요.

주인 (피식) 할머니. (다가오는데)

혜자 (쫄아서 피하는데)

주인 이거… 가짜예요.

혜자 (!!!) 네?

주인 금 도금이라구요. 여기 까진 거 보이시죠. 아들이 칠순 선물로 해준 거래요. 이제 와서 아들 돈 보태준다고 파시겠다는데 솔직하게 얘기하기도 뭐하고….

혜자 (가게 밖에 서 있는 할머니2의 자그마한 등을 본다.)

주인 에으… 나쁜자식. 칠순에 이딴 걸….

S# 68 귀금속점 밖 (D)

혜자, 나오는데 할머니2 기다리고 있고.

할머니2 뭐래유? 안 된대쥬?

혜자 할머니. 아들이 칠순이라고 해준 반지라면서요. 맞아요?

할머니2 (끄덕끄덕)

혜자 주인분이 그 얘기 듣고 너무 소중한 거라 자기가 사면 안될 것 같아서 그랬대요.

할머니2 근디 아들이 이번에 돈이 좀 부족하다고 그려서….

혜자 그렇다고 이거 팔아서 아들 주면 아들이 좋아해요 어디? 아 내가 능력 없어서 엄마가 그 반지까지 팔았구나 그러고 맘 아파하지 않겠어요?

할머니2 ……

혜자 (반지 쥐어주며) 이건 평생 갖고 계세요. 아들 마음이잖아요.

할머니2 (반지 소중히 싸서 주머니에 넣으며 끄덕끄덕)

혜자 (할머니 보며 마음 안 좋은) 가요.

S# 69 동네 일각 (D)

할머니2랑 같이 집으로 가는 길에 양복 빼입은 준하 발견.

준하, 할머니2 알아보고 꾸벅 목례하는데

할머니2 취직 했나벼… 아이고 멋지네. (혜자 보고) 그쥬?

혜자 (준하랑 이제 안면 있으니까 쳐다보는데)

준하 (혜자에게 시선도 안 주고 대충 가려 하고)

혜자 (도발!!) 나 저어기 미용실 집에 살아요. 행복 미용실.

준하 (돌아본다!)

혜자 (E) 그래. 기억나지? 기억날 거야. 김혜자에 대해서 묻고 싶을 거야. 그지?

준하 (관심 없다. 꾸벅 목례하고 가는)

혜자 (E) 저런… (어이없는 ON) 허!! 차!!

S# 70 중국집 외경 / 중국집 안 (D)

영업 끝난 중국집 홀에 혜자, 현주, 상은 있다.

평소처럼 빼갈 마시는데 완전 독하고… 금방 취한 혜자.

진상처럼 울고 있는 혜자와 취해 자는 상은과 난감한 표정의 현주.

혜자 야. 고거 좀 늙었다고 못 알아보나? 나랑 그렇게 많은 에피소드들이 있었는데…. 뭐 새로운 곳에 갔으니 이제 여기는 다 잊고 싶다 이거야 뭐야… 어쩜 내가 미용실 얘길 했는데 내 얘길 안 물어봐?

현주 (별말 없이 술만 마시고)

혜자 … 나 왜 이렇게 서운하지? 이렇게 술 퍼먹고 울 정도로 친하진 않았는데…(보며) 나 많이 좋아한 건가? 그런 건가? 아씨 억울해… 사귀지도 못할 거….

현주 (혜자 보고) 차마 아니라곤 못 하겠다.

혜자 아 억울해~~ (테이블 치는데)

상은 (퍼뜩 깨서 반사적으로 노래)

현주 아 이건 술주정을 노래로 해. 심란하게….

혜자 (서러워서 우는) 으아아아앙…

S# 71 몽타주 (N)

영수 방
영수, 혼자서 1인 방송 하면서 별사탕 터지자
'세일러문 봉' 꺼내서 동작하며 별사탕 리액션 하고.

아파트 단지 안
손에 손전등을 든 아빠, 불편한 다리로 아파트 곳곳을 돌아보는.

혜자 방
비어있는 혜자 방에 들어와 이불 아래 손을 넣어 온기를 돌보는 엄마.
혜자가 없는 방안을 휘둘러보는 엄마의 표정.

S# 72 중국집 안 (N)

혜자, 눈물은 그쳤는데 울음 끝이 남아서 훌쩍대고 있는데
상은, 젓가락으로 박자 맞추며 좀 빠른 템포의 트로트 부르고.

현주 야. 그만 불러. 넌 니 나이에 어울리지도 않게… (그러다 혜자 보고) 어랍쇼??

혜자 (자기도 모르게 가볍게 어깨 들썩거리며 리듬 타고 있는)

현주 야 뭐야?

혜자 (인지 못 한) 뭐가?

현주 너. 지금 너 춤추잖아.

혜자 (그제야 깨닫고) 어머. 나 왜 이래? 어머머머 나 왜 박자 쪼개고 있어?

현주 와… 이거구나. 본능이 몸을 지배한다는 게….

혜자 할머니들이 다 이렇진 않잖아.

현주 넌 흥이 많은 유형의 할머니인 거지.

혜자, 어느새 서서히 일어서고.

현주 야야… 일어서면 답 없다. 앉어. 앉어 김혜자.

혜자 아니 나도 가만있고 싶은데…. 자꾸 몸이… 몸이… (봉인 해제!!) 으아!! (덩실덩실 춤추는)

현주 (어이없어서 보다가) 그래. 몸을 어떻게 이기냐. 에라 모르겠다! (자기도 덩실덩실)

상은 (노래 부르며 덩실덩실)

S# 73 중국집 밖 (N)

문밖으로 보이는 혜자, 현주, 상은의 즐거워하는 모습.

깍깍대며 웃고 춤추는 모습들 속으로 어느새 젊어진 혜자의 얼굴이 보인다.

카메라 빠지면 그 앞을 지나가는 무표정한 준하의 모습.

젊은 혜자의 즐거워하는 모습과 대비되며 보이는 데서.

Episode 4

S# 1　혜자 방 (N)

혜자, 자고 있는 모습 보인다.
한참을 자는 모습이 프레임 안에 보이는데.
그 프레임으로 쓱 영수의 얼굴이 들어온다.
아프리카 개인 방송 화면이었다.

영수　(작은 목소리로) 안녕하세요. 안준모른다님의 별사탕 10개 미션. 죽음의 ASMR 시작하겠습니다.

영수, 혜자 누워 자는 그 앞에
작은 박스 들고 앉는다.
박스에서 노란 통 단무지를 꺼낸다.

영수　(ASMR 목소리로) 할머니가 엄청 무섭습니다. 깨면 죽을 수도 있어요. 할머니가 깨지 않게 이 단무지를 먹어보겠습니다.

영수, 통 단무지를 들고 먹는다.
단무지의 아삭아삭 소리 들린다.
그 소리에 뒤척이는 혜자.
영수, 숨죽이고 먹는 거 멈추다가 다시 먹는.

영수　이번엔 이 통 양배추를 먹어보겠습니다.

영수, 통 양배추를 아드득 씹어 먹는다.
마치 '무궁화 꽃이 피었습니다' 하듯이 혜자 움직이면 멈추고
움직이지 않으면 양배추 먹는 영수.

영수 마지막으로 이 청양고추를 먹어보겠습니다.

영수, 청양고추 5개 정도를 손에 쥐고 한입에 깨어 문다.
영수, 매워서 "쓰읍 하~" 하는데
소리가 커서 입을 막는다.
너무 맵지만 그래도 꾹 참는데.
혜자, 좀비처럼 쓰윽 일어난다.
혜자, 영수의 옆통수를 후려치면
영수, 프레임 밖으로 날아가는.
혜자, 잠 덜 깬 눈으로 말똥말똥 화면 보다가 카메라 OFF를 누른다.
개인 방송화면 OFF 되며 자연스럽게 화면으로.

TITLE.

S# 2 혜자 방 (N)

영수, 매워서 어쩔 줄 모르고.
혜자, 다시 자려고 자리에 눕는데.

영수 나 물 좀. 죽을 것 같아. 물 좀.
혜자 그냥 죽어.
영수 빨리빨리 물 좀.
혜자 왜 내 방에 와서 그래!
영수 물 좀 달라고.
혜자 싫다고!
영수 물 달라 그랬다.
혜자 싫다 그랬다.
영수 물 좀 줘 쫌.

혜자　　싫다고 쫌.

영수　　관둬.

혜자　　알았어.

영수　　물 달라고!!

혜자　　싫다고!!

영수　　됐어. 안 먹어.

영수, 그러다가 혜자 귀 있는데 눕더니
계속 "씁 하~ 매워 씁 하~ 매워" 그러고 있다.
혜자, 벌떡 일어나 "아우 진짜!"

S# 3　　거실 + 부모님 방 (N)

혜자, 대접 가득 물 들고 걸어가고 있는데.
부모님 방에서 엄마, 아빠 대화하는 소리가 들린다.

아빠　　(OFF) 병원에선 뭐래?

엄마　　(OFF) 뭘 뭐래. 큰 이상은 없는데 외래진료 몇 군데는 받아 보래는 거지.

부모님 방
엄마, 아빠 앉아 있다.
바닥에, 병원기록이며, 병원 예약 영수증 등 놓여 있다.

아빠　　(걱정스런 표정으로 병원기록 보자)

엄마　　병원 가면 이 정돈 다 나와 별거 아냐. 나도 병원 자주 가. 당신이 안 물어 봐서 얘기 안 한 거지만. (이미 기분 안 좋은)

아빠 …… 병원비 제법 나오겠네?

엄마 그깟 병원비야 얼마 한다고… 약값이 문제지. 이 약 저 약 먹기 시작하면 못 끊어. 아예 시작을 말든가 먹을 거면 계속 먹어야지.

아빠 … 내일부터 도시락 싸서 갈게.

엄마 (퉁명) 경비실에 앉아서 도시락 까먹는 거 세상 보기 싫어. 밥값 아낀다고 크게 달라지는 거 없으니까 시켜 먹어.

아빠 도시락이나 찾아놔 내가 쌀게.

엄마 (답답) 쯧… 가뜩이나 신경 쓸 것도 많은데 당신이라도 좀 신경 안 쓰이게 해주면 안 돼?

아빠 글쎄 내가 알아서 한다고.

엄마 그래 평생 알아서 한다고 그러고 산 사람이니까 알아서 하든가.

거실.
모든 게 자기 때문인 것 같아 마음 아픈 혜자.

S# 4 **준하 집** (N)

준하, 컴컴한 집 안으로 들어와서는 바닥에 주저앉고.
피곤한 듯 넥타이를 느슨하게 풀고는 냉장고로 다가가 문을 연다.
아무것도 없고 휑한 냉장고 안에서 언제 사 놓은 지 모르는 생수를 꺼내 꿀꺽꿀꺽.
그리고 닫으려는데 냉장고 가장 아래쪽에 박스에 담긴 무언가.
준하, 박스 열어보는데 그 안에서 나오는 한약 팩.

[FLASH BACK]
바삐 나가는 준하를 붙들고 컵에 급히 한약 팩을 따라서는 먹이던 할머니

준하, 멍하니 박스를 보다가 박스째로 들고 나간다.

S# 5 준하 집 마당 (N)

준하, 박스째로 마당 한쪽에 던져 놔버리고.

그 바람에 몇 개가 터진 듯 박스 바닥을 적시며 마당 쪽으로 흐르는.

준하, 안으로 들어가 버리고.

그때 준하 집 마당으로 눈치 살피며 들어서는 강아지 한 마리.

흐르는 한약을 낼름낼름….

// 잠시 후

뭔가 쐑쐑 헥헥 거리는 소리가 나고.

그 소리를 들어 나와 보는 준하.

모르는 개 한 마리가 파워풀한 점프를 하고 있다. 힘이 넘친다.

준하 한쪽에 던져놓은 한약 박스를 본다.

그리곤 계속 점프하고 있는 개를 쭈그리고 앉아서 보는.

S# 6 혜자 집 외경 (D) - 이른 새벽 / 혜자 집 주방 (D)

아빠, 방에서 나와 주방으로 나오는데.

혜자, 분주하게 도시락을 싸고 있다.

여러 반찬들 예쁘게 도시락에 넣어져 있고.

반찬 중에 멸치볶음이 보인다.

혜자 아빠 도시락. 맨날 시켜 먹는 것도 하루 이틀이지 질리잖아. 한 끼에 오천 원만해도 한 달이면 얼마야…. 어차피 집에 있는 밥이고 반찬이니까 도시락 드셔. 노는 딸 뒀다 뭐해 이럴 때 써먹는 거지.

아빠 …

혜자 또 감동했다. 근데 어떡하지? 먹어보면 더 감동할 텐데….

혜자, 아빠 손에 도시락 쥐여 주면
아빠, 도시락 들고 절뚝거리며 현관으로 가는데.
그 모습 보던 혜자

혜자 아빠!

아빠 (돌아보면)

혜자 병원은 꼬박꼬박 다니는 거지?

아빠 응. 갔다 올게. (나간다)

S# 7 집 밖 도로 (D)

아빠, 뒤따라 나온 혜자.
아직 해가 뜨지 않은 어슴푸레한 새벽이다.

아빠 추워. 들어가.

혜자 가는 거 보고.

아빠, 가는데.

혜자 멸치볶음은 다 먹어. 멸치가 뼈에 좋대.

아빠, 가다 멈칫하며 뒤돌아보면.

혜자, 밝은 미소로 아빠한테 손 흔들어주고 있다.

아빠, 다시 절뚝이며 걸어가면.

혜자, 뭔가 짠한 느낌이다.

S# 8 거실 (D)

혜자, 들어오는데.

엄마, 늦잠 잔 듯 부스스한 모습으로 나온다.

혜자 왜 더 자지 벌써 일어났어?

엄마 느이 아빠는?

혜자 도시락 잘 싸서 잘 챙겨 보냈으니까 걱정하지 마.

엄마 … 밥 차려줄게 밥 먹어. (주방으로 가려는데)

혜자 입맛이 별로 없어. 이따 먹을게.

엄마 약 먹어야 되잖아. 입맛 없어도 먹어.

S# 9 주방 (D)

혜자, 식탁에 앉아 밥 먹고 있고

엄마, 주방 한쪽 서랍 열어 봉투약 챙기고 있다.

보면 서랍 가득 보이는 약봉지들.

영양제 뚜껑 열어 봉투약과 함께 작은 접시에 담는다.

엄마 (약 접시 건네며) 밥 먹고 먹어. 점심땐 손님 있으면 챙겨줄 새 없으니까

알아서 챙겨 먹고. (나간다)

혜자, 약 접시 바라보는 표정 위로

혜자 (Na) … 나이를 먹는다는 건… 그 나이만큼 약을 먹는 거나 다름없다.

S# 10 혜자 방 (D)

책상 위에 놓인 약을 바라보며

혜자 (Na) 예전 어르신들이 밥상 앞에서 밥맛이 없다는 얘길 하던 게 이해가 간다. 식사보다 그 이후에 먹어야 하는 수많은 약들을 떠올리는 것만으로도 이미 배가 부르니까…. (약을 접시 위에서 이리저리 굴려보는) 예전에 티비에서 봤던가…. 양식장 속의 연어들이 밥과 그리고 같은 양의 항생제를 매일 같이 먹으며 작은 수조에서 살고 있었다. 그쯤 되면 연어들은 스스로 사는 게 아니라 말 그대로 약빨로 사는 거였다. 앞을 가로막는 세찬 물살도, 매서운 곰의 발톱도 경험해보지 못한 연어는…. (침 꿀꺽) 연어 초밥 먹고 싶다…. (E) 엄마~ 우리 저녁에 연어 초밥 먹으면 안 돼?

S# 11 거리 외경 / 중국집 (D)

현주, 철가방 들고 들어온다.
헬멧 벗고, 잠깐 쉬려는데

현주부 (OFF) 배달 있어. 짜장면 10그릇.

현주 10그릇 어디?

현주부 (OFF) 혜자네 집이라는데.

현주 혜자네? 미용실 손님이 골든 벨이라도 울렸나?

S# 12 혜자 집 거실 (D)

현주, 얼어붙은 듯이 철가방 들고 서 있고,
영수, 현관 앞에 서서 현주를 맞이한다.

S# 13 영수 방 (D)

영수, 짜장면 들고 방으로 들어오고,
현주, 나머지 들고 방으로 들어온다.
영수, 짜장면 랩 벗기며.

현주 또 개인 방송이냐?

영수 이건 유튜브. 너 퓨디파이가 유튜브로 1년에 버는 돈이 얼만 줄 아냐?

현주 그건 모르겠고. 짜장면 10그릇 6만 원이나 주지?

영수 요즘 동남아랑 중국에선 먹방이 대세야. 거기서 터지면 부자 되는 거 순식간이다.

영수, 카메라 세팅하고 있다.

영수 짜장면 10그릇 빨리 먹기 공식기록이 15분이야. 오늘 그거 깬다. 내가.

현주 안물안궁이거든. 돈 줘 가게.

영수 공식기록으로 인정받으려면 증인이 있어야 돼. 참… 오해는 하지마라.

현주 (?)

영수 여자들 그런 오해 잘한다며? 이런 자리에 부르면 내가 저 사람한테 특별한 사람인가? 아님 혹시 나를? 이런 거 절대 아니야. 그냥 증인 그 이상 그 이하도 아니야.

현주 (움켜쥔 주먹이 부들부들)

영수 (카메라 보고) 영수TV 오늘의 도전 종목은 짜장면 10그릇 빨리 먹기 입니다. 시청 전에 구독! 좋아요! 버튼 눌러주세요. 제가 지금부터 짜장면 10그릇을 15분 안에 먹고 기네스 기록을 세워보겠습니다. 스타트!!

영수, 짜장면 먹기 시작하는데.
몇 젓가락은 정말 빨리 넣더니, 점점 젓가락 속도 느려진다.
아직, 한 그릇도 다 안 먹었는데, 그냥 식사하는 수준이다.
한 그릇 다 먹었는데, 소스가 남아 있다.

영수 … 짜장면 9그릇 아직 랩 안 뜯었는데 반품되냐?

현주 되겠냐? 돈이나 줘. 6만 원

영수 기억하고 있니? 첫눈 오던 날이었던가? 육교 밑에서 니가 나 좋아한다고 고백했었잖아. 그리고 연인이 됐었지. 현주야 우리 다시 시작할까?

현주, 영수의 입가에 묻은 짜장면이 클로즈업되어 들어온다.
현주, 지우고 싶은 기억, 다시 생각하고 싶지 않은 기억.
현주, 주먹을 날리고, 그 주먹에 옆 볼이 찌그러지는 영수.

현주 6만 원 내놔!

S# 14 혜자 집 외경 / 혜자 집 거실 (N)

아빠, 퇴근하고 들어온다.

아빠 다녀왔습니다.

혜자, 반갑게 아빠를 맞이한다.

혜자 아빠 어땠어?

아빠 뭐가?

혜자 도시락! 맛있었어?

아빠 응. (도시락 건네면)

혜자 (도시락 풀어보며) 다른 아저씨들이 뭐래? 막 부럽다 딸이 좋다 그러지?

도시락 보는데 멸치볶음만 빼고 다 먹었다.

혜자 에헤이~ 멸치만 남겼네 무슨 애도 아니고… 이거 먹어야 된다니까. 멸치가 뼈에 좋다잖아. 아빠 그 삔 다리에도…. (하는데)

아빠 (O.L) 씻을게.

혜자 아 진짜… 딸이 챙겨주는 정성을 봐서라도 좀 드시지.

엄마 (지나가며) 어렸을 때 멸치 많이 먹어서 질렸대.

혜자 (아빠가 남긴 거 주워 먹으며) 이 맛있는 걸 왜… 참… 더 잔멸치로 해볼까….

엄마 (그런 혜자 보는 복잡한 표정)

S# 15 마트 (N)

건어물 코너 앞의 혜자.

잔멸치를 집어 들고는 유심히 보고.

S# 16 포장마차 앞 (N)

혜자, 봉지를 들고 휘휘 걸어오는데 포장마차 앞을 지나다 멈춰서고.

몇몇 사람들 앉아 있고 술잔 오가는 모습들.

혜자, 멈춰 서서 안쪽을 본다.

혜자 (혼잣말) …벌써 왔다 갔나? (안쪽 보는데)

주인 (혜자 알아보고 꾸벅 인사)

혜자 (같이 목례)

주인 누구 찾으세요?

혜자 (과하게 부인) 아아뇨. 무슨… 찾긴 뭘… 찾는 사람 없어요. 수고하세요. (자리 뜨면서 혼잣말) 그래. 찾는 사람 없다아~ 그놈도 나 안 찾고 혼자 잘 사는데 뭐 하러… 에이 퉤퉤!!

그때 혜자 앞을 지나쳐 빠른 걸음으로 자기 집 쪽으로 가버리는 준하.

혜자 (순간 반가움에 웃음 짓다가 바로 표정 바꾸고) 에이… 퉬퉤!!

S# 17　　준하 집 앞 (N)

준하, 안으로 들어가면 프레임에 쓱 나타나는 혜자.

혜자　　(의도치 않은 척) 아 뭐야… 길을 잘못 들었네. 이거 봐 동네가 너무 오래돼서 그 골목이 그 골목 같잖아. 아 누가 보면 오해하겠네 이거….

준하　　(문 너머로 들리는 OFF) 하루종일 심심했겠네?

혜자　　(?!!)

S# 18　　준하 집 (N)

혜자, 버려진 캐리어 엎어 놓고 쓱 담 안쪽 쳐다보고 있다.
준하 집 안, 준하의 실루엣만 보인다.

준하　　(OFF) 조금만 기다려 금방 밥 줄게.

혜자, 뭐지? 하는 표정
그때, 준하, 문 열고 나와 마당 쪽으로 가고,
보면, 준하, 개 한 마리 앞에 가서 사료를 준다.

혜자　　(귀엽다는 듯) 댕댕이네.

혜자, 준하와 개를 한참 쳐다보다가 캐리어에서 내려온다.

혜자　　원래 개가 있었나… (갸웃하다) 근데 저 개 우리 밥풀이랑 많이 닮았다.

S# 19 거실 (N)

혜자, 들어왔는데, 엄마, 아빠 걱정스런 표정.

엄마 이렇게 늦게까지 어딜 다니는 거야?

혜자 걱정 마셔요. 이상한 짓 안 하니까.

엄마 뭘 해도 걱정이 되니까 그러지….

아빠 왔으면 됐지. 들어가.

혜자 아빠. 근데 나 우리 밥풀이랑 똑같은 개 봤다.

아빠 응?

혜자 우리 밥풀이랑 똑같이 생긴 개 봤다고.

아빠 아 밥풀이. (하며 엄마와 시선 교환)

혜자 (웃는) 생각해보니까 내가 이 난리 겪으면서 밥풀이를 까맣게 잊고 있었던 거야. 맨날 물고 빨고 하던 애를… (나가며) 진짜 밥풀이가 언니 욕 많~이 했겠다.

혜자, 나가면.
엄마, 아빠 툭 친다.
아빠, 난처한 표정.

S# 20 미용실 밖 (N)

밥풀이 있던 자리에 아무것도 없다.
혜자, 뭐야? 하는 표정이고,
아빠, 뒤에 따라와서 서 있다.

혜자 아빠. 밥풀이 어디 갔어?

아빠 그게….

혜자 아빠!

아빠 어… 증평 삼촌 알지? 거기 삼촌 네 집에 보냈어. … 신경 쓸 것도 많고….

혜자 나한테 말도 안 하고 왜 보내!!

아빠 (혜자 눈치 한 번 보고) 보면 생각 날까 봐 집까지도 다 보냈어.

혜자 내가 더 잘 보면 되잖아. 삼촌한테 전화해 내일 당장 데리러 간다고.

아빠 ……

혜자 내가 전화한다?

아빠 그게….

혜자 왜?

아빠 사실은…. 잠깐 줄 풀어둔 사이에 집을 나가버렸어….

혜자 (눈 커지며) 언제?

아빠 … 몇 주… 됐나 봐.

혜자 (울컥) 근데 찾아보지도 않은 거야? 하 진짜!!

혜자, 눈물이 그렁그렁하다.

그런 혜자 보는 아빠, 당황스럽고 미안하다.

S# 21 혜자 방 (N)

혜자, 훌쩍이고 있다.

혜자 얼마나 속상할까? 자기 잃어버렸는데 아무도 안 찾으면… (E) 다 나 때문이야. 밥풀아 미안해…. 언니가 이렇게 되는 바람에… 진짜 미안해….

혜자, 자꾸 눈물 나오는데.

[FLASH BACK]
준하 집에 있는 밥풀이.

혜자 에이 아니야. 그냥 닮은 개겠지….

S# 22 준하 집 안 (N)

밥풀이, 마당에서 배 깔고 누워 있는데.
담벼락 밖에서 머리가 쓱 올라온다. 혜자다.

혜자 (준하까지는 안 들리게) 밥풀아. 밥풀아.

혜자, 밥풀이 부르면, 밥풀이 누워서도 꼬리를 살랑살랑 흔든다.

혜자 메리야! 메리야!

이번엔, 꼬리치지 않는다.
혜자, "개똥아! 해피! 토토! 서덜랜드!" 불러도 꼬리 반응 없다.

혜자 (긴장되게) 밥풀아!

밥풀이, 이번에도 꼬리 흔드는.

혜자 너 정말 밥풀이 맞니? 밥풀아!

밥풀이 고개 들어 쓱 쳐다보는.

혜자 (감동) 그래 언니야 언니.

S# 23 준하 집 (N)

준하, 집 문 여는데, 문 안 잠겼는지 쉬 열린다.
혜자, 문 열고 들어가.

혜자 (이산가족 상봉) 밥풀아!!!

밥풀이, 혜자를 알아봤는지 혜자에게 달려온다.
혜자도 두 팔을 벌려 밥풀이를 안으려고 하는데.
화면에 튀는 피.
밥풀이 혜자를 물었다.

S# 24 혜자 집 (N)

엄마, 혜자 물린 손 붕대로 감고 있다.

혜자 (혼자 애써) 많이 서운했구나. 우리 밥풀이… 그래 이해해 언니라도 물었을 거야. 얼마나 서운했으면….
영수 (중얼거리는 혜자의 눈이며 입을 뒤집어보고 있다)
엄마 (그런 영수 보며) 뭐 하는 거야 넌?
영수 검사해 보는 거야. 광견병 아닌가… 어? 눈이 좀 빨개진 거 같은데?

엄마, 영수, 등짝 스매싱.

영수 아 왜에~~

혜자 밥풀이가 왜 물었을까?

엄마 밥풀이가 아니니까 문 거지.

혜자 밥풀이 맞다니까.

엄마 한 달도 전에 집 나간 개가 거기 왜 있어?

혜자 맞다니까. 밥풀아~ 하고 부르니까 꼬리를 살랑살랑 흔들었어. 메리, 토토, 개똥이 다른 이름은 불러도 반응도 안 해. 글고 내가 그렇게 오래 키웠는데 우리 밥풀이도 몰라보겠어.

영수 니 개 내 개 구분을 어떻게 하냐? 종류만 같으면 다 똑같이 보이더만.

혜자 차…. 오빠가 개를 알아?

영수 아니면 어뜩할래?

혜자 맞으면 어뜩할래?

영수 내가 아니다에 울 엄마 건다!!

혜자 뇌가 없냐?

영수 뭘?

엄마 (노려보고 있는)

영수 말이 그렇다 그거지 엄마를 어따 걸어. 별로 탐내는 사람도 없는데. 아씨….

영수, 등짝 내밀면.

엄마, 등짝 스매싱.

아줌마 (문 빼꼼 열더니) 영수엄마! 나 머리…

엄마 네 가요. (일어나는)

S# 25 혜자 방 (N)

혜자, 거울 보고 있다.

혜자 밥풀이가 몰라보는 것도 이해가 가지.

[FLASH BACK]
처음 만난 사람처럼 쳐다보는 준하 얼굴.

혜자 갑자기 늙어서 사람도 몰라보는데 개라고 오죽할까? …그래도 개면 냄새는 알아볼 텐데… 냄새도 달라졌나?

혜자, 몸 냄새 맡아본다.
혜자, 다시 한번 몸 냄새 맡아본다.

혜자 씻어야겠다. (일어나 나가는)

S# 26 영수 방 (N)

영수, 방으로 들어온다.

영수 아우 등짝이야.

그때, 창문 똑똑 두드리는 소리 들린다.
영수, 창문 열면, 현주 서 있다.

현주 나와!

S# 27 **미용실 앞** (N)

현주, 영수에게 헬멧을 건넨다.

현주 타!

영수 왜?

현주 할 말 있으니까 타.

영수 어디 가는데?

현주, 헬멧 빼앗아 영수 얼굴에 씌워준다.

현주, 오토바이 타고, 영수 뒤에 앉아 출발한다.

S# 28 **어느 외딴곳** (N)

현주, 영수, 오토바이를 타고 한참을 달려 어느 외딴곳에 도착한다.

영수 여기 어디야? 우리 옛날에 연애할 때 왔던 덴가? 내가 이렇게 사람 한 명도 안 다니는 데를 좋아하긴 하는데… 미안하다 오빠가 여자를 많이 사귀다 보니 좀 헷갈릴 때가 있어.

현주 (헬멧 벗고 잔뜩 분위기 잡는다) 물어볼 말 있으니까 솔직하게 대답해줘.

영수 곤란한 질문만 아니라면 뭐든지.

현주 … 짜장면값 6만 원 있어?

영수 아니.

현주 그럴 줄 알았다.

현주, 바로 헬멧 쓰더니, 오토바이 출발해서 간다.
혼자 남겨진 영수.

영수 야!! 야!! 현주야!! 야!!

S# 29 혜자 집 외경 (D) / 거실 (D)

아빠, 주방에 나왔는데, 도시락 예쁘게 싸져 있다.
도시락 위에 메모.

혜자 (E) 도시락 싸주는 이쁜 딸 생각해서 멸치볶음은 남기지 말고 드세요. 아빠 파이팅.

아빠, 도시락 들고 간다.

S# 30 준하 집 (D)

혜자, 문 빼꼼 연 상태에서 밥풀이와 거리를 두고 서 있다.
혜자, 밥풀이에게 구구절절 설명하고 있다.

혜자 언니가 시계가 있었거든 시간을 돌리는 시곈데 그거 때문에 이렇게 된 거야. 언니 외관이 이렇게 바뀌었어도 내부 인테리어는 똑같다. 찬찬히 들여다보면 알 거야. 그치? 언니 맞지?

준하 (OFF) 누구세요?

혜자, 쳐다보면 준하 서 있다.

준하 (더 이상 이 할머니랑 엮이고 싶지 않다) …또 길 잃으신 거예요?

혜자 (!!) 길을 잃긴 누가… 그때도 길을 잃은 게 아니고 내가 집을 나… 크흠….
암튼 오해 하지마! …뭐 사실 오해할 만한데… 나 그런 사람 아니야….

준하 그런 사람은 뭔데요?

혜자 아니… 허락 없이 남의 집에 막 들어와서 개랑 놀고 그런 사람 아니라고….

준하 … 지금 허락 없이 남의 집에 막 들어오셔서 개랑 놀고 그러고 계신데요.

혜자 (!!) 그렇긴 한데… 혹시 나 지금 의심하고 그러는 거야 설마, 뭐 개 훔치러 왔을까 봐?

준하 그럼 여기서 뭐 하시는 건데요?

혜자 개 찾으러 왔어.

준하 할머니네 개를 왜 여기서 찾는데요?

혜자 저 개가 내 개야.

준하 녹용이가요?

혜자 밥풀이! 저 개 원래 이 집 개 아니잖아… 원래 여기 개 없었잖아.

준하 그건 어떻게 아셨어요?

혜자 소문이 그래….

준하 남의 집 개 없는 것도 소문이 나요?

혜자 … 그니까… 동네가 작으면 별 소문도 다 나고 그래. 이 집 개 아니지?

준하 얼마 전에 갑자기 집에 들어왔어요. 주인 허락도 없이 누구처럼 뻔뻔하게.

혜자 거봐. 뻔뻔한 게 비슷하지. 개도 주인 닮는다잖아. 우리 밥풀이 맞아.

준하 할머니 개란 증거가 있어요?

혜자 아니란 증거는 있나?

준하 (혜자 다리 쪽 보며) 그거면 충분히 아니란 증거가 될 거 같은데요.

혜자 뭐가?

하고 보는데 밥풀이 어느새 혜자 다리를 물고 있다.

혜자 (!!) 안 찾으러 왔다고 많이 서운했나 봐. 어 그래 밥풀아! 됐어! 서운한 거 알았으니까 그만 놓자… 그래 그만 놓자…. (밥풀이 계속 물고있다)

준하 녹용아 안돼….

밥풀이, 후다닥 떨어지는.

준하 할머니 개라고 증명할 만한 거 가져오시면 그때 드릴게요.

혜자 증명할 만한 거?

준하 네. 사진이든 동영상이든 녹용이랑 찍은 게 있을 거 아니에요. 그런 거 있으면 드릴게요.

혜자 (생각하니 없다) 얘가 워낙 부끄러움이 많아서 사진이 없어. 근데 뭐라고 해도 얘는 우리 밥풀이가 맞아. 그게 팩트야. 팩트 알지? 그쪽 많이 쓰잖아. 직업상. 얘 내 말 잘 들어! 팩트체크 한번 해 보까?

밥풀이, 배 깔고 누워 있다.

혜자 밥풀아! 앉아!

밥풀이, 앉는 게 아니라 일어난다.

혜자 (민망) 그래? 우리 밥풀이 서 있고 싶구나. 그래 서 있어!

밥풀이 (앉는다)

혜자 (저게!) 그래 앉… (하는데 밥풀이 일어나 돌아다닌다) …지 말구 돌아다녀! 돌아다녀! (밥풀이 달려온다) 그래그래 언니한테 오구 싶어?

밥풀이 (으르렁거리며 물려고 하면)

혜자 (뒷걸음으로 도망가며) 밥풀이 또 언니 물구 싶구나. 언니 나중에 또 올게. (문 빼꼼 열고) 지금은 이렇게 가지만 반드시 돌아온다. 그리고 밥풀이야! 녹용이 아니고!!

그 모습 보는 준하의 표정.

S# 31 혜자 방 (D)

혜자, 옷장 열고 씩씩거리며 있다. (다리에 밴드)

혜자 밥풀이 너 두고 봐! 나중에 나 딱 알아보고 나한테 막 꼬리치고 혓바닥 내밀고 그럴 때 차갑게 외면해 줄 거야. 내가.

혜자, 옷장에서 옷 꺼내놓고 있다.
혜자, 꺼낸 옷 하나씩 냄새 맡아보며

혜자 (생각해보니 서운하다) 밥풀이는 우매한 짐승이라 몰라본다 쳐. 너는? 아니 공부도 잘하고 눈치도 빨라서 내가 아나운서 재목이 아닌 것도 대번에 알아본 놈이 왜 나를 몰라봐. 늙는다고 이목구비가 랜덤되고 그러나? 같이 보낸 시간이 얼만데…? 응? 우동 먹어, 술도 마셔, (하다 생각난 듯) 업어주기까지… 차… 구한말이었음 업어주는 순간 바로 결혼이었다.

하는데 옷 하나 발견.

혜자 킁~ 아 이거다! 스물다섯 살의 냄새.

[FLASH BACK]
혜자, 술 취해서. 준하 머리 잡고, 우회전, 좌회전할 때 입었던 그 옷이다.

혜자 그때 그 옷이네. (아련한 표정) 기억하려나?

S# 32 준하 집 밖 (D)

혜자, 그 옷 입고 준하 집 문 앞에 서 있다.
혜자, 심호흡하고, 문을 열고 들어서면

S# 33 준하 집 안 (D)

문을 열고 들어오는 25세의 혜자의 모습.
준하, 빗자루 들고 서 있는데.
들어온 혜자를 보더니 빤히 쳐다본다.
혜자, 혹시 날 알아본 건가 싶어 설레고 긴장되는데.

준하 똥 밟았어요.

다시 현재의 혜자, 바닥내려다 보면, 개똥 밟고 있다.
혜자, 아씨!! 깨금발로 뛰어서 밖으로 나가는.

Cut to

혜자, 문 열고 다시 들어온다.

혜자 오늘은 데려갈 거야.

준하 할머니 마음대로 하세요.

혜자 (경계/ 약간 무서워하며) 밥풀아 언니야. 이 옷 기억하지? 언니가 좋아하는 옷이라 자주 입었었잖아. 조금 눈썰미만 있어도 대번 그 옷인지 알겠잖아.

준하 (유심히 보는)

혜자 (준하도 신경 쓰이고) 알아보겠지? 잘 보고 냄새 잘 맡아봐봐.

밥풀이 (킁킁거리는)

혜자 그렇지. 알아보겠어?

밥풀이, 으르렁거리며 옷 물어 당긴다.
혜자, 버티다 힘에 밀려 옷 빼앗긴다.

혜자 봤지? 추억이 워낙 많은 옷이다 보니 저 옷을 많이 좋아해. (밥풀이에게) 자, 충분히 추억 즐겼다~ 이제 줘야지?

밥풀이 옷 거칠게 물어뜯고 있는.
겁먹어서 달라고 할 엄두를 못 낸다.

준하 저 출근해야 되는데 계속 계실 거예요?

혜자 그르니까… 갈라고… 출근이 늦네. (뻘쭘)

S# 34 경비실 (D)

아빠, 다른 경비원이랑 작업 마친 듯.
경비실로 들어와 도시락 연다.
반찬통을 여는데, 다른 반찬은 없고 멸치볶음만 있다.
메모도 있다.

혜자 (E) 아빠!! 지금 멸치보고 한숨 쉬었죠!! 아빠가 자꾸 도시락에 멸치만 남겨 오길래 이 딸이 특단의 조치를 내렸습니다. 멸치볶음 다 먹을 때까지 다른 반찬 없음! 뼈에 좋다니까 제발 좀 드시라구요. 사랑하는 딸내미가.

아빠, 물끄러미 보다가 반찬통 닫는.

S# 35 거리 일각 (D)

영수, 밤새 걸어온 듯 꼴이 말이 아니다.
손에 컵라면 하나 든 채 비틀비틀 걸어가다가
뭔가 느낀 듯 갑자기 뛰기 시작한다.
뛰는 영수 옆으로 나란히 와서 달리는 오토바이.
현주다.

현주 어디 먼 데 갔다 오나봐?
영수 어? 어.
현주 태워줘?
영수 운동 중이야 운동.

영수, 힘들어서 못 뛰겠다. 멈춰 서면.

오토바이도 멈춰 선다.

현주 무슨 배짱이래? 무슨 배짱으로 돈도 없이 짜장면을 시켰대? 그것도 10그릇이나?

영수 대박 나면 갚으려고 그랬지.

현주 어느 세월에.

현주, 영수 들고 있는 컵라면을 확 뺏는다.

현주 800원 갚았으니까 이제 오만 구천 이백 원 남았네? 수고했어!

영수 표정.

S# 36 혜자 방 (N)

혜자, 좌절하고 있고,

상은, 현주, 컵라면에 소주 마시며 옆에서 다독이고 있는.

혜자 어떻게 나한테 이럴 수 있니? 어떻게 날 몰라볼 수 있어.

현주 밥풀이 얘기야? 그 자식 얘기야?

혜자 …

상은 아 로맨틱하다.

현주 오늘도 로맨틱 타령이냐? 개한테 물려서 돌기 직전인데 뭐가 로맨틱해?

상은 얼마나 로맨틱해. 개 한 마리를 두고 남녀가… (하다 혜자를 보곤) 남과 할머니가….

혜자 (부글부글)

현주 잊어! 그만….

혜자 누굴? 밥풀이를? 그 자식을?

현주 (혜자 빤히 보다가) 내가 이쁜 강아지 한 마리 사줄게. 잊으라고! 마음 떠난 여자는 잡는 게 아니라잖아.

혜자 잊는다고 잊혀져? 추억이 그렇게 많은데.

현주 아무리 사랑했던 사람도 잊으려고 마음먹어봐. 이름도 잊어버려.

혜자 이름도?

현주 그래. 그냥 싹 다 지워져…. (하다가 갑자기 냄새 맡는) 킁킁~ 아씨!!! 나 먼저 간다.

현주, 창문 열더니 후다닥 나가는.

그때, 문 열리면서, 영수 "아 배고파"하며 들어온다.

영수 야 김혜자! 밖에 맛있는 거 많던데… 나 먹어두 되는 거야?

혜자 미쳤어? 밥풀이 줄라구 산 거거든? 그냥 놔둬라. 이제 개 껴도 먹냐?

영수 (혜자와 상은 보다가) 둘 뿐이야? 현주 소리도 들렸는데. (나간다)

혜자 차… 현주가 밥풀이보다 낫네.

상은 근데… 뭔가 중요한 걸 놓친 거 같아. 왜 밥풀이가 너를 못 알아봤을까?

혜자 내가 밤늦게 집에 오면 항상 안아주고 그랬거든. 나 가끔은 밥풀이랑 밖에서 자고 그랬다.

상은 그거네!

혜자 뭐?

상은 내가 볼 땐 그때 넌 항상 꽐라였지 싶다.

혜자 (번쩍) 맞다….

[FLASH BACK]
25세의 혜자,
알딸딸한 상태로 와서 "밥풀아!!" 하며 끌어안고 쪽쪽 거리고.

혜자 언니 보고 싶었어용~?

// 현실
혜자 그거네!! (술 한 잔 입에 털어 넣으며) 밥풀이는… 술 먹은 나를 기억하는 거겠네….

S# 37 거실 (N)

거실에 보이는 개 관련 물건들 잔뜩.
개껌, 개 사료, 각종 개 통조림 등등.
영수, 신기한 듯 이것저것 만지고 있다.

혜자 (문 벌컥 열리며) 이래도 안 넘어오나 봐.

영수, 혜자의 서슬에 찔끔하다가 바로 나가려는 것 같자

영수 어디가 또 이 시간에? 엄마 아빠 걱정하신다니까!
혜자 금방 올 거야. (나가고)
영수 아… 저거 진짜….

영수, 개 통조림 들어본다.
영수, 통조림의 여기저기 살펴보다 문득 궁금해진다.

영수, 통조림 따서 냄새 맡아본다.

영수 제법 맛있는 냄새 나네.

영수, 심각하게 바라보다가 손가락으로 찍어 먹어보는.
영수, 맛을 모르겠다는 듯 갸웃한다.
그러다 숟가락으로 한 숟가락 퍼먹는.
그때, 엄마, 방에서 나온다.
영수 등짝 때리는.

엄마 이제 하다 하다 개밥까지 처먹냐?
영수 (훌쩍이는)
엄마 또 왜 질질 짜 아파서 그래?
영수 아니.
엄마 아닌데 왜 울어?
영수 자존심 상해서.
엄마 뭐가?
영수 개밥이 맛있어.

S# 38 준하 집 앞 (N)

술 먹고 알딸딸한 혜자, 문이 잠긴 듯 캐리어 밟고 담 안의 밥풀이에게

혜자 (술 냄새 풍기려는 듯) 밥풀하아아~~ 어때? 언니야! 언니 술 냄새 기억나지? 응 밥풀하아아아아~ (하는데)

준하 (OFF) 언제까지 오실 건데요?

혜자, 돌아보면 준하가 서 있다.

혜자 (정신 안 놓으려 애쓰며) 밥풀이 데리고 갈 때까지.

준하 (어쩔 수 없다는 듯) 이렇게 하죠. 개를 풀어놓고. 이름 불러서 누구한테 오는지. 할머니한테 가면 데려가세요. 대신 나한테 오면… 다신 찾아오지 마세요….

혜자 오케이. 콜! ….

S# 39 준하 집 마당 (N)

준하, 밥풀이 줄 잡고 있다.

준하 그럼 시작합니다.

혜자 (손 든다) 자 잠깐…

준하 (?)

혜자 … 최후변론… 한번 갑시다.

준하 … 하세요.

혜자 … 밥풀아 언니야. 언니가 옛날에 대학 입학 기념으로 용돈을 받았거든. 그 돈으로 옷 사러 가던 중에 하필 너를 본 거야. 그때 30만 원이나 들여서 너를 샀어. 애견샵 주인이 말티즈라고 그랬는데, 커보니 너더라. 사기당한 거 알았는데 그래도 괜찮았어. 넌 내가 가장 사랑하는 밥풀이니까. 니가 말티즈건 똥개건 변하지 않는 건 그거야. 잘 봐. 니가 알았던 사람과 다를 수 있어. 니가 나한테 안 와도 괜찮아. 근데 내가 그 언니였다는 건 꼭 기억해줬으면 좋겠어. 언니도 니가 기억하는 그때가 그리워. 우리 다시 꼭 만나자! 응?

준하 (그런 혜자를 보는) … 다 하신 거죠?

혜자 (호흡 가다듬으며) 후우… 응.

준하 (밥풀이에게) 기다려.

준하, 밥풀이 멀리 놓고 혜자 옆으로 가서 선다.

준하 하나, 둘, 셋 하면 부르는 거예요. 하나… (둘 하려는데)

혜자 (반칙하는) 밥풀아.

준하 (쳐다본다)

(SLOW)

밥풀이 혜자에게 뛰어온다.

혜자, 됐다 싶어. "밥풀아" 부르는데.

다시 한번 화면에 피가 튄다.

Cut to

밥풀이, 준하한테 안겨 꼬리 치고 있고,

혜자, 팔 물려 피가 난다.

혜자 (억울해서 무릎에 얼굴 묻고 울다가 고개 들고) 너무해!! 어떻게 그래!

준하 (밥풀이 안은 채 쳐다보는데)

혜자 (밥풀이 보며) 아무리 그래도 넌 알아봐야지. 다른 사람은 몰라도 넌 기억했어야지. (준하를 보며) 내가 이렇게 늙고 변했어도. 넌 난 줄 알아야지. (밥풀이 보며) 내가 못 찾으면… 니가 찾았어야지.

준하 (뭘 어떻게 해야 하나 난처한 얼굴)

[FLASH BACK]

1화, 2화 때 25세의 혜자와 준하의 즐거웠던 장면들이 파노라마처럼 지나가는

혜자 (울먹거리는) 우리 같이 우동도 먹고… 술도 먹고….

준하 (??)

혜자 같이 즐거운 줄 알았는데…. 나만 행복하고… 나만 설렜고… 나만 좋아했나 봐. 이럴 줄 알았음 괜히 좋아했어…. (쪼그려 앉으며) 엉엉….

준하 (설마 날 보고 하는 얘긴가… 난처한 표정)

그때 준하 품에 안겨있던 밥풀이가 내리라는 몸짓.

준하, 내려주면 혜자에게 다가가 물린 팔을 핥아준다.

그 모습 보는 준하.

S# 40 혜자 방 (N)

혜자 방에서 누워 있고,

혜자, 몸살 걸린 듯 앓는다.

엄마, 옆에 앉는다.

엄마 약 안 먹었어?

혜자 ……

엄마 선생님이 뭐랬어. 약 거르지 말고…

혜자 (짜증 섞인 OL) 나 괜찮으니까 가서 자.

엄마, 이불 걷고 혜자 종아리를 주물러 준다.

엄마 가만 놔두면 내일 단단하게 뭉쳐. 그깟 개가 뭐라고?

혜자 그러게 왜 내 허락도 없이 줬냐고.

S# 41 거실 (N)

엄마, 혜자 방에서 나온다.

아빠, 소파에 앉아 있다.

아빠 괜찮아?

엄마 저러다 앓아눕는 거 아닌가 모르겠네….

엄마, 주방에 가서 아빠 도시락 여는데.

멸치볶음은 그대로다.

엄마 (답답) 당신도 엔간해. 싸준 사람 생각하면 억지로라도 먹던가. 그게 싫으면 보지 않게 버리고 오던가. 그대로 들고 와 이걸.

아빠 (뭔가 생각하다가 일어나는) 나 나갔다 올게.

아빠, 나가면.

엄마, 멸치볶음 보며 지친 표정.

S# 42 준하 집 (N)

준하, 밥풀이한테 밥을 주고 있다.

준하 … 그 할머니가 너 많이 좋아했나 보네….

밥풀이 (밥만 먹고)

준하 (밥 먹는 밥풀이 보다가 뒤로 물러나 앉아 동네를 보며) 참 이상한 동네야…. 봄바람처럼 훅 불고는 흔적도 없이 사라지고…. 꿈같아. 모든 게.

S# 43 **동네 일각** (N)

아빠, 종이에 써 있는 주소 보고 여기저기 기웃거리면서 가고 있다.

드디어 준하 집 앞쪽에 도착하는데.

그때, 문 열리고,

아빠, 박스에 개를 담아 들고나오는 준하를 본다.

준하, 아빠를 보자 어색하게 인사한다.

S# 44 **혜자 집 밖** (N)

아빠, 밥풀이를 개 줄에 묶어 고정하고 있다.

혜자, 잔뜩 달뜬 표정이고, 영수, 엄마 옆에 서 있다.

혜자 순순히 내줘?

아빠 우리 집에 데려다주는 길이었다더라.

혜자 그게 다야? 뭐 다른 말은 없었어?

아빠 응.

혜자 (조금은 서운한) 그래? …자식 그럴 거 진작 주지.
밥풀아~ 이제 언니랑 행복하게 살자~

혜자, 손 뻗는데.

밥풀이 으르렁 이빨을 드러내는.

혜자, 움찔하는.

S# 45 혜자 방 (N)

혜자, 잠 못 자고 이리 뒤척 저리 뒤척 한다.

혜자 (E) 잘 지내던데 둘이… 괜히 데리고 왔나?

S# 46 준하 집 (N)

준하, 빈 마당 한쪽에 놓인 밥풀이 밥 주던 그릇을 주워 든다.

적적하다.

S# 47 미용실 (N)

엄마, 정리하고 있다.

급하게 들어오는 영수.

영수 엄마! 엄마.

엄마 왜 또 호들갑이야?

영수 밥풀이가? 밥풀이가?

엄마 (보며) 밥풀이가 왜?

영수　　밥풀이가 고추가 있어!

엄마　　뭐?

영수　　언니라고 그랬잖아. 근데 고추가 있다고.

엄마　　그걸 못 봤으려고?

영수　　중성화 수술인가 했는지 잘 안 보여.

엄마　　절대 혜자한테 얘기하지 마.

영수　　얘기하면 안 되겠지. 충격받겠지. (표정 싸늘해지며) 그렇다면 입 다물고 있는 나한테 떨어지는 뭔가는 있어야지 안 그래?

엄마　　(싸늘한 표정) 내가 살려는 드릴게.

영수　　(침 꿀꺽) 입 다물고 있을게요.

S# 48　혜자 집 외경 (D) / 주방 (D)

혜자, 여러 가지 음식 만드는 모습 컷컷 보인다.

Cut to

혜자, 완성된 음식들 반찬통에 담는다.

S# 49　동네 외경 (N) - 초저녁 / 준하 집 (N)

준하 집 문 빼꼼 열리면 혜자, 들어온다.

혜자 손에 들려 있는 반찬통

혜자　　아무도 없어요? 아무도 없나?

혜자, 닫힌 문을 두드린다. 하지만 여전히 대답이 없고.

혜자 할머니이… 안 계세요? …저번에도 안 계셨던 것 같은데… 어디 몸이 안 좋으신가….

혜자, 문 앞에서 고민하다가 슬쩍 문을 열어보는데 열린다!

혜자 어? 주무시나? 할머니이~ (들어가는)

S# 50 준하 집 안 (N)

혜자, 현관문을 연다.
아무도 없이 깨끗하게 정돈된 집안.

혜자 할머니! 할머니 안 계세요? 어디 가셨나 통 안 보이시네.

혜자, 신발 벗고, 집으로 들어간다.
반찬통 식탁 위에 올려놓으려다가
다시 들고, 냉장고 문을 여는데.
냉장고, 전원도 안 들어와 있고,
감자 하나만 싹이 나서 덩그러니 놓여 있다.

혜자 밥도 안 해 먹나?

혜자, 반찬통 식탁에 놓고 나가려는데, 문득 방이 궁금해진다.
혜자, 방문을 여는데.

준하 할머니의 영정사진이 놓여 있는 상이 보인다.

혜자 (놀라는) 돌아가셨구나… 어뜩해….

혜자, 방을 다시 나오려는데.
혜자, 돌아서더니.
할머니 영정사진 보며 고개 숙여 기도하는 듯.
그때, 드르륵 현관문 열리는 소리.
혜자, 얼결에 커튼 뒤에 가서 숨는다.
그때, 방으로 들어오는 사람이 있다.
혜자, 커튼 틈으로 쓱 보는데 모르는 남자(준하부)다.
준하부, 여기저기 뭔가를 찾기 시작하고.
점점 혜자 쪽으로 온다.
준하부, 혜자가 숨어있는 커튼을 치려는 찰나.

(E) 문 열리는 소리
손에 비닐봉지 든 준하, 들어와서 준하부 보더니 투명 인간 취급하고.

준하부 어디다 놨어? 말로 할 때 내놔.
준하 (냉장고에서 물 꺼내 마시며) 뭘?
준하부 뭐긴 뭐야. 보험금. 내놓으라고.
준하 (물병 구겨서 한쪽에 던져놓고) 당신이 그걸 왜 찾는데….
준하부 차! 애새끼 말꼬라지 하곤…. 애비한테 당신?
혜자 (놀란…아버지?!!)
준하 (고소장 꺼내 던지며) 나한테 이거 보낸 순간부터 당신이랑 나랑 법적으로 남남된 거 아니었어?
준하부 (고소장 보고 피식) 생각보다 빨리 왔네? 그래 이제 피차 남남인데 깨끗하게 나눠 갖고 빠이빠이 하자고.

준하 (준하부 보다가) …오늘이 무슨 날인지나 알아? 할머니 49재야.

준하부 … 어차피 돌아가신 거 49재면 어떻고 50재면 어때…

준하, 눈 뒤집혀서 준하부에게 달려드는데

준하부 (뒤로 물러서며) 고인 앞에서 험한 꼴 보이지 말고 잘 해결하자고. 니 말대로 막장인 난 상관없는데 앞길 창창한 니가 걱정돼서. (서늘) 니 말대로 이제 남남인데… 내가 뭔들 못하겠냐.

준하 (주먹 쥔 채 부들부들 떠는데)

준하부 (옷매무새 가다듬고 나가며) 엄마 아들 가요~ 조심히 가슈. (문 닫고 가고)

준하, 부들부들 떨고 있는데.
혜자, 행여나 커튼 끝에 발이 보일까
뒤로 물러나려 애쓰다가 뒷벽에 밀려 커튼 밖으로 튕겨져 나온다.
혜자, 튕겨지는 탄력으로 자연스럽게 할머니한테 절하는 느낌의 자세가 된다.
그 모습 보는 준하.

혜자 (할머니 영정에) 또 찾아올게요. 그럼 안녕히 계세요.

준하 (아직 남은 화를 억누르며) …… 후우….

혜자 (준하 보고 민망) 아니 그게… 미안도 하고 고맙기도 해서 음식 좀…

준하 (O.L) 가세요.

혜자 이렇게 가면 오해할 것 같네. 내가 일부러 숨어서 있었던 건 아니고…

준하 됐으니까 가시라구요.

S# 51 포장마차 (N)

혜자, 터벅터벅 들어온다.

혜자 (떨리는 목소리) 우… 우동 하나 주세요. (후들대는 다리로 의자에 앉고) 아 심장 떨려… 뭔 일이야. (E) 아버지라고 그 사람이? (물 마시고 숨 좀 돌리다가) 할머니 돌아가셨으면…. 그럼… 준하 혼자 된 거야?… (울상 E) 아 어떡해… 불쌍해서….

S# 52 준하 집 (N)

할머니 제사상 앞에 약식으로 초라하게 음식 몇 가지 놓여 있다.

준하 할머니! 49재 때 잘 먹어야 먼 길 갈 때 안 지친다는데 미안해.

준하, 술 따라서 할머니 상에 올려놓고 물끄러미 보다가.
고개 돌려 식탁 위에 혜자의 반찬통 본다.

Cut to

혜자가 만들어온 음식 챙겨 제사상에 올려놓고
젓가락 올려놓는 준하.

S# 53 포장마차 (N)

혜자, 막 일어나려는데 (우동은 반쯤 먹었다)

그때, 준하 포장마차로 들어와 앉는다.
혜자, 준하가 불편해할 것 같아 일어나 나가려고 준하 옆을 지나는데

준하 오늘 할머니 49재였어요.

혜자 아….

혜자, 나가려던 동선 그대로 다시 돌아와 소주 한 병 가져와서는 앞에 앉아
화려한 액션으로 소주병을 따서 준하의 빈 잔에 술을 따라준다.
준하, 그 잔을 입으로 가져가려는데

혜자 쯧! 이건 할머니 꺼. (술 따른 잔은 한쪽에 잘 올려놓고, 다른 잔을 준하에게 주고는 그 잔도 채워주고)

준하 ……

혜자 (물어보고 싶은 게 있지만 참는다. 괜히 동선이 안절부절)

준하 … 대답 안 할 거니까 묻지 마세요.

혜자 아우 그럼. 뭘 물어봐. (술병 들고) 술이나 마시고, 아 아직 안 마셨구나.

준하, 아무 말 없이 소주만 홀짝홀짝.
혜자도 옆에서 뭐라 말도 못 하고 소주만 홀짝.

혜자 (분위기 바꾸려) 밥풀인 잘 지내.

준하 (보는데)

혜자 (손 보여주며) 이제 안 물어. 봐봐 흉터 없잖아.

준하 … 다행이네요.

혜자 … 걱정했나 보네?

준하 ……

혜자 보기보다 정이 많은 스타일인가 봐?

준하 … 절 언제 보셨다구요.

혜자 뭐 이래저래 많이 봤지. 뭐 경찰서에서도 보고, 동네에서도 보고…. 그전에도… (준하 눈치 보며) 이래저래 많이 봤는데…. 기억이 안 나… 나봐?

준하 그 전이요?

혜자 그… 잘 생각해 봐. 여기서도 꽤 봤는데….

준하 할머니를요?

혜자 (답답) 저기. 지금 너무 고정관념에 갇혀서 나를 보고 있는 거 알아? 사람을 본다고 할 때 그 'see'라는 동사. see-saw-seen 할 때 그 동사 알지? 이 see는 눈으로 보다! 라는 의미 외에도 함축적인 의미가 있는 거야. 아바타에서 그 시퍼러둥둥한 애들 둘이서 왜 'I see you' 그랬겠냐고.

준하 …

혜자 그마안큼! 본다는 건 외모뿐만 아니라 그 안에 숨겨진 내면을 느껴라!

준하 느껴져요.

혜자 (응?) 그지? 기억나지?

준하 지난번에 여기서 제 뒤통수 때리셨잖아요.

혜자 (실망/당황)

혜자 왜 때리신 거예요? 니가 뭔데… 뭐가 힘든데… 그러시면서….

혜자 (할 말 없어 말 돌리는) …지금 그게 중요한 게 아니고. 혹시… 저기 저 위 동네 끝자락에 그 행복미용실이라고 아나?

준하 알죠.

혜자 왜 거기 딸 하나 있었잖아?

준하 …

혜자 왜 큰 눈이 반짝반짝반짝 그러고 코도 이렇게 오똑하고 이목구비 조화롭고 조그맣고 이쁘장하게 생긴 딸 말야.

준하 있었죠. 이쁜진 모르겠지만.

혜자 뭐 임마?

준하 네?

혜자 아니… 그니까 이쁘긴 한데 자기 스타일이 아니었구나.

준하 아뇨. 스타일 그런 게 아니라. 그냥 안 이뻤어요.

혜자 그래. (혼잣말) 니가 안 풀리는 이유가 있지….

준하 근데 할머니랑 혜자랑 무슨 관계가 있어요?

혜자 (혜자를 기억했다 감동) 응. 혜자. 김혜자…. 기억하는구나. 어… 나… (심호흡) 놀라지 말고 들어. 내가…. 바로 그 혜자… 이모할머니야.

준하 네.

혜자 끝이야?

준하 놀라야 돼요?

혜자 아니 그건 아닌데. (혼잣말) 소시오패스인가? (하곤 준하 이리저리 살펴본다) 암튼 늦었지만 취직 축하해! (건배하려는데)

준하 (놀라는)

혜자 (흐뭇) 혜자한테 들었어. 어디로 갔어? 사회부? 경제부?

준하 (일어나는) 술값은 내가 낼게요. 아까 주신 음식값이에요.

혜자 (따라 일어나며) 어딘데? 뭐 기밀인가? 뭔데 뭔데~

준하 (나가며) 말 많으신 건 똑같네요. 혜자랑…. (가고)

혜자 저런 씨…. (준하 뒤에 대고) 가끔 혜자 안부 전해줄게!! 궁금하지?

준하 (그냥 가던 길 가는)

혜자 그래. 엄청 궁금해하네 짜식…. (서운한 표정)

S# 54 거리 외경 (D) - 한낮 / 아파트 일각 (D)

혜자, 머리 대충 빗고 손에 도시락 들고 허둥지둥 오는

혜자 (E) 아… 늙어서도 술 처먹고 늦잠을… (ON) 아빠 어딨지?

혜자, 두리번거리며 경비실 앞에까지 왔다.
아무도 없는 경비실.
혜자, 문 열고 경비실로 들어간다.

S# 55 경비실 (D)

혜자, 경비실에 들어가는데 숨이 턱 막힌다.
혜자, 경비실 문을 열어놓는다.

혜자 환기도 잘 안되네.

혜자, 도시락 올려놓고 말똥말똥 앉아 있는데.

혜자 (E) 이런 데서 일하는구나 아빠는.

그때, 아빠, 경비실로 온다.
혜자 보고 놀라는.

아빠 어쩐 일이야 여긴?
혜자 도시락.
아빠 …
혜자 다른 반찬도 싸 왔으니까 걱정하지 마.
아빠 뭐 하러 와.

그때, 울리는 인터폰.

아빠 정문 경비입니다. 네네 102동 805호요. 알겠습니다.

계속 인터폰 울린다.

아빠 관리실로 돌려드릴게요.

그때, 빵빵거린다.
보면, 택배 차량 정문으로 들어온다.

Cut to

택배, 내리면, 아빠, 택배기사랑 같이 택배 날라 경비실로 옮겨 놓는다.

아빠 (겨우 숨 한번 돌리는데)
혜자 아빠.
아빠 응.
혜자 택시 할 때가 더 나았나 싶지? 그래도 그때는 아빠 차니까 힘들 땐 쉬어도 됐고….
아빠 아냐 맨날 걸어 다니고 힘쓰니까 운동도 되고 좋지.
혜자 (괜히 미안한)
아빠 가. 집에.
혜자 밥 먹는 거 보려고 왔는데.
아빠 이따 먹을게.
혜자 또 멸치만 안 먹을려고 그러지. 그거 먹는 거 보기 전까진 집에 안 갈 거니까 알아서 해. (자리 잡고 앉는데)
아빠 (난처하게 보다가) 지금 순찰 시간이라 나가봐야 돼. 일단 집에 가 있어.

혜자, 시계 보는데, 이미 1시를 넘었다.

혜자 밥때 지났구만.

아빠 아빠 한 바퀴 돌고 와야 돼. 조심히 가.

아빠, 혜자, 두고 나간다.

혜자, 일어나 밖으로 나온다.

S# 56 **경비실** (D)

아파트 사이에 보이는 나무와 예쁜 꽃들.

혜자, 산책하듯 조용하게 그 길을 걷는데.

어디선가 웅성거리는 소리가 들린다.

혜자, 자연스럽게 그쪽으로 발길이 옮겨진다.

아빠, 어느 젊은 놈한테 굽실거리며 혼나고 있다.

젊은놈 내가 실수라 그러잖아. 실수로 분리수거 잘못된 거 가지고 사람을 가르치려고 들어?

아빠 그런 게 아니잖아요. 다음엔 조심해 주십사하고.

젊은놈 정신상태가 썩었네. 좀 섞여 있으면 실수했나보다 하고 그냥 댁이 알아서 분리하면 되잖아. 어차피 여기 있는 거 팔아서 당신들 나눠 갖는 거 아니야? 우리는 공짜로 일해 주는 거고. 그럼 이 정도는 해야지 어디서 날로 먹을라 그래.

아빠 오해가 있으신가 본데 여기서 나오는 돈 저희가 갖는 게 아니에요.

젊은놈 다 갖는다더만. 누굴 속이려고 그래. 한번 다 따져봐? 어디로 들어가는지? 가서 관리비 대장 가져와.

아빠 죄송합니다. 제가 처리할 테니까 그만 들어가세요.

젊은놈 돈 얘기 나오니까 물러나는 거 봐. 켕기네 그지? 켕기지? 말해봐. 말해봐.

젊은놈, 배로 밀면,

아빠, 절뚝거리는 다리로 뒤로 밀리는데.

혜자 (OFF) 이봐요!!

아빠/젊은놈 (돌아보는)

혜자 해도 해도 너무하는 거 아니에요?

젊은놈 할머니~ 모르시면 잠깐 빠지세요.

혜자 모르긴 내가 왜 몰라!

젊은놈 아니 할머닌 누군데 나서요?

혜자 (고민하다) 엄만데요! 왜요! 이 경비 아저씨 엄마!! 이 사람이 이거 팔아서 집에 10원 한 장이라도 들고 오면 내가 대신 수갑 찰게.

젊은놈 아 진짜!

혜자 진짜 뭐? 총각은 총각 엄마 앞에서 총각 그렇게 혼내면 기분이 좋겠어요? 좋겠냐구요?

아빠 (서글픈 표정)

S# 57 거리 일각 (N)

혜자, 아빠와 일 끝나고 같이 걸어오고 있다.

말없이 같이 걷는 아빠가 신경 쓰인다.

그렇게 한참을 갔을까… 발걸음 멈추는 아빠.

혜자 !

아빠 (물끄러미 보다가 입을 열려는데)

혜자 (선수 치는) 아빠 미안해…. 아니 그 젊은 놈이 난리 치는데 나도 모르게 화가 나서…. 아무리 그래도 엄마라 그런 건…. 좀 오바였다 그지?

아빠 (가만히 혜자를 보다가 혜자 손 지그시 잡는다)

혜자 !

아빠 (걷기 시작한다) … 든든했어. 내 편 들어줘서. (미소)

혜자 (미소 짓는데 왠지 울컥) 아빠…. 우동 먹고 갈까?

아빠 (보는)

S# 58 포장마차 (N)

우동 앞에 놓고 앉아 있는 아빠와 혜자.

아빠 오늘은 소주 한잔해야겠다. (소주병 따려고 하는데)

혜자 에헤!!

혜자, 빼앗아 화려한 기술로 병 따는.

혜자 아빠 오늘 귀한 거 봤다~ 내가 아무한테나 이러는 거 아닌데.

아빠 그래. (웃는데)

혜자 안주 뭐 시킬까?

아빠 안주 있다 아빠. (주섬주섬 도시락에서 멸치 반찬 꺼낸다)

혜자 (놀라는)

아빠 (한 잔 마시고 멸치 집으며) 멸치가 뼈에 좋다네. (씩 웃는)

아빠의 눈시울 붉어지고 혜자도 왠지 눈물이 그렁그렁

S# 59　동네 일각 (N)

아빠, 술에 취해서 노래 한 곡 부르며 걸어가면.
그 뒤에 혜자 따라 걷는다.
아빠의 마음이 느껴져서 울컥한 혜자다.

S# 60　거리 외경 (D) / 중국집 (D)

현주, 밖으로 나오는데.
영수, 서서 기다리고 있다.

영수　5만 9천2백 원 줄 테니까 따라와.

S# 61　번화가 (D)

현주, 영수 사람들 많이 다니는 곳에 와 있다.

현주　돈 준다며?
영수　기다려. 내가 여기서 별사탕 받아서 줄게. 별사탕 하나에 100원이니까. 600개만 받아도 6만 원이야.
현주　뭐라는 거야?
영수　(카메라 보고) 다 들어왔냐? 더도 말고 딱 600개 100두산 가자. 자 간다.

영수, 음악 틀더니, 길거리 한복판에서 섹시 댄스를 추기 시작하는.
영수 추는 춤 처음에는 섹시 댄스인데, 점점 저질 춤으로 바뀐다.

현주, 누군지 몰라보게 헬멧 쓴다.

영수에게 성큼성큼 걸어가, 돌려차기하면.

맞고 나가떨어지는 영수.

영수, 시멘트 바닥에 침까지 툭툭 흘리며 쓰러져 있는데.

영수, 화면 위로 터지기 시작하는 별사탕.

(** 아프리카에서 두산이라고 부르는 건 1개부터 2개 3개 순으로 100개까지 쏘는 것임)

영수 (들릴 듯 말 듯 한 목소리로) 으싸으싸.

S# 62 준하 집 근처 (D)

준하, 출근하는 듯 나오는데

혜자랑 밥풀이 기다리고 있다.

밥풀이, 준하 보자 반가워한다.

혜자 (준하에게) 밥풀이 보고 싶을 것 같아서….

준하 (밥풀이에게) 안녕…. (인사하고 가는)

혜자 개한테는 인사하면서 나한테는 인사도 없네….

하며 혜자, 밥풀이 데리고 준하 따라가는….

혜자 출근이 좀 늦네? 기자는 출퇴근이 자유로운가 봐?

준하 ………

혜자 밥은 먹고 가나? 일은 밥심으로 하는 건데?

준하 네.

혜자 (쫑알쫑알) 어때 회사는 다닐 만해? 여자들은 많나? 자고로 남자는 여자를 조심해야 하는 거야…

준하, 한숨 쉬더니 테니스공 꺼낸다.

혜자 뭐야? 그게?

준하 (밥풀이에게) 물어 와!

준하, 공 던지면 밥풀이 뛰어가고 혜자 끌려가는.

혜자 (끌려가며) 저런 씨….

S# 63 미용실 (D)

엄마, 파마 손님 머리 말고 있다. 여자 1, 2 대기 중

혜자, 숨차서 들어오면, 엄마 놀란다.

엄마 (손님 눈치 보며) 이모! 왜 헐떡거려? 괜찮아요?

혜자 좀 뛰었어. 근데 숨이 안 가라앉아.

엄마 그러게 왜?

엄마, 부채질하고, 안절부절못한다.

엄마 좀 누워요 여기.

혜자, 소파에 눕는다.

여자1 괜찮으신가?

엄마 괜찮아요. 미안해요.

여자1 뭘.

엄마 어때요? 좀.

혜자 (후~) 나 좀만 더 이렇게 있을게.

엄마 그래요. 그래.

엄마, 다시 가서 아줌마들 머리 만지는데,
시선은 자꾸 혜자 쪽으로.

여자2 근데 여기 늘 계시던 3총사 할머니는 어디 가셨어?

여자1 홍보관 가셨겠지.

여자2 홍보관이면 물건 팔고 막 사기 치고 그런데 아니야?

여자1 요즘은 약아서 그러면 가지도 않어.

여자2 홍보관에서 물건 안 팔면 뭐해?

여자1 홍보관이 노치원이야 노인들 유치원. 유치원처럼 간식도 주고, 프로그램도 있다고 노치원이래. 이 동네 시어머니, 친정엄마 할 거 없이 다 다녀.

여자3 우리 어머니 친구분도 가시는데 엄청 좋아하시더라고.

여자1 맨날 휴지 한 상자씩 들고 오는 데 좋아.

여자3 어르신도 가보세요. 재밌대요.

엄마 (얼른 혜자 눈치 보는데)

혜자 (엄마와 눈 마주치고 인상 쓰며 일어나는) 나는 됐어요. (들어가는데)

여자1 그래도 어르신이 그렇게라도 어딜 나가니까 내가 이렇게 머리하러 올 시간 있지 진짜 숨이 콱콱 막혀.

혜자 (멈칫, 가슴에 박힌다)

S# 64 거실 (D)

혜자, 거실에 우두커니 앉아 있다.

S# 65 동네 일각 (D)

할머니, 할아버지들 옹기종기 모여 홍보관 차 기다리고 있다.
그리고 저만치에 혜자 왕따처럼 발로 흙바닥에 그림 그리며 서 있다.
그때, 홍보관 차가 멈춰서고.
할머니, 할아버지들 우르르 탄다.
차 창문이 쓱 열리면, 차에 희원 타고 있다.
혜자, 고개도 안 들고 뻘쭘하게 서 있는.

희원 할머니 안 타요?
혜자 (대답 안 하는)
희원 탈 거예요? 안 탈 거예요?
혜자 (서 있는)
희원 (살갑게) 가시려고 기다리는 거 맞죠?
혜자 (고개 끄덕)
희원 타실 거예요?
혜자 (묵묵부답)
희원 괜찮아요. 처음엔 다 그래요. 타세요.
혜자 …
희원 (다른 분들에게) 부끄럼이 많으시네요. 그럼 탈 거면 손가락 하나 안 탈 거면 두 개 펴세요. 하나! 둘! 셋!

혜자, 확실하게 손가락 하나는 펴고, 다른 한 손가락은 반만 편.
희원, 내린다.

희원 가요! 가. 내가 할머니는 특별하게 계란 한 판 드릴게. 대신 누구한테 얘기하시면 안 돼요.

혜자, 마지못해 차에 끌려 탄다.

S# 66 홍보관 무대 (D)

혜자, 들어가 보면, 음악 소리 쩌렁쩌렁하게 들리고 있고,
노인들. 춤추는 사람들도 있고, 음료수 들고 춤추면서 자리 옮기는 할머니도 있고,
할아버지들 할머니랑 농 따먹기를 하는지, 둘이 깔깔거리며 웃는 분들도 있고,
혜자, 뻘쭘하니… 영 적응이 안 된다.
돌아서서 나가려는데.

직원 이제 시작인데 어디 가세요?
혜자 그게 아니고….
직원 좀만 참아보세요. 진짜 재밌어요.

그때, 노래 멈추고, 마이크 소리 들린다.

준하 (F) 누님! 형님들! 안녕하세요! ○○ 홍보관의 마스코트 누님! 형님들의 영원한 동생 인사드립니다!!

반주 들리기 시작하고.

반짝거리는 조명 받으며 나오는 사람 준하다.

혜자, 놀라는데.

준하, 트로트 노래 〈내 나이가 어때서〉 부른다.

준하, 노래 부르다가 혜자와 눈이 마주친다.

준하는 조금은 당황하는 듯, 혜자는 여전히 놀란 눈으로 준하 바라보는 데서.

Episode 5

S# 1 홍보관 무대 (D)

무대 위에서 환하게 웃으며 〈내 나이가 어때서〉 부르고 있는 준하.

할머니 할아버지들 한가운데로 모이기 시작한다.

준하, 노래 부르다가 혜자와 눈이 마주친다.

혜자, 놀란 눈으로 준하 바라보는데.

준하, 오히려 눈웃음까지 웃으며 간드러지게 노래를 부른다.

혜자 (그 모습 보며 E) 왜…. 니가 여기 왜 있어?

준하 (노래 중간) 형님 누님들 저희 효도원의 원장님을 소개합니다.

그때, 희원, 마이크 들고나오면 준하는 한쪽으로 내려가 박수 치고 있고

그 모습 계속 지켜보고 있는 혜자.

희원 야야 내 나이가 어때서 사랑하기 딱 좋은 나인데~~

혜자 (E) 왜? 기자가 돼도 벌써 됐을 텐데…. 넌 그냥 면접만 봐도 무조건 될 놈이었잖아? 여기 왜 있냐고?

희원 (노래 중간) 오늘도 이렇게 저희 효도원을 찾아주셔서 감사합니다. 오늘도 마음껏 효도 받고 가세요! (엔딩) 사랑하기 딱 좋은 나인데~~~

혜자 (놀란 눈으로 쳐다만 보고 있는)

희원 노래 끝나면. 준하는 뒤로 사라지고

할머니, 할아버지들 박수 치고 환호한다.

혜자, 준하를 찾으려는 듯 자리에서 일어나는데

희원 네! 맞아요.

혜자 (?)

희원　오늘 여기에 새로 오신 분입니다.

혜자　(주위 둘러보는데)

희원　네! (혜자 가리키며) 어르신! 앞으로 나와 주세요.

혜자　(준하 사라진 쪽 보며) 아뇨. 저는… 그게 아니고…

희원　그래도 다 또래분들이신데 서로 인사 정도는 하실 수 있잖아요?

혜자　아니, 전 금방 갈 거예요. (가려는데)

희원　자, 박수~~

노인들 박수 치자 할 수 없이 나와 고개만 까닥하고 다시 가려는데

희원　에이 자기소개도 하셔야죠~ 성함이…?

혜자　(작게 한숨) 제 이름은 김… 혜…

하는데 그때 복도 옆으로 지나가는 준하 보이자…

혜자　… 혜… 희… 선이에요. 김… 희선….

희원　김희선! 아 아주 예쁜 이름이시네요. 자 환영의 박수 한번 주실까요?

노인들 박수 치면, 혜자, 어쩔 수 없이 미소 지으며 인사하는데
눈으로는 준하의 동선을 계속 추적하고 있다.
한편, 한쪽에서 그런 혜자를 매섭게 보고 있는 우현.

S# 2　홍보관 사무실 + 밖 (D)

연아(직원), 사무실에서 나오다 들어가는 희원과 혜자에게 인사하고
지나가던 할머니 살피다가

연아 (할머니에게) 할머니, 뱃살 보니까 체조 수업 들으셔야겠어요. 2년 더 사시고 싶으시면 얼른 저 따라오세요. (할머니 억지로 데려가는)

희원, 들어와 앉고 혜자, 따라 들어온다. (한쪽엔 CCTV)

혜자 (마뜩잖은 표정으로 앉는다)

희원 어때요? 또래분들 만나니까 좋으시죠?

혜자 (표정 별로 안 좋다) 안 좋아요.

희원 에이 그래도 집에 혼자 계시는 것보다 바람도 쐬시고 얘기도 나누시고 좋죠. (신상기록부 기록하는) 김희선 어르신. 생년월일 주소 불러주실래요?

혜자 (적대적이다) 왜요? 남의 개인정보를 왜 알려고 하는 거죠?

희원 (어이없는 듯 피식 웃는) 그냥 요식 행위예요. 여기 다니시려면 필요해서 그러는 거예요.

혜자 (딱 자른다) 그냥 어떤 덴가만 보러 온 거예요.

희원 어르신!

혜자 (어르신이란 말이 거슬린다) 저 어르신 아니에요.

희원 말씀을 하시지. 골라보세요. 어머님, 할머님, 이모님 어떤 게 좋으세요?

혜자 (끙) 어르신….

희원 네, 어르신! 여기 막 나쁘고 그런데 아니에요. 홍보관이라고 하면 일단 나쁘다 먼저 생각하시는데 어떤 자제분들은 출근할 때 부모님 여기다 모셔다 놓고 퇴근 때 모시러 오구 그래요. 나쁜 데면 그러겠어요?

혜자 (퉁명) 아니 뭐 나랑 안 맞기도 하고….

희원 나이 든 어르신들끼리 재밌게 수업도 듣고, 맛있는 것도 먹고 유치원 알죠? 그거랑 똑같아요. 그래서 여길 노치원이라고 부르기도 해요.

혜자 알겠는데요…. 다음에 올게요.

희원 그럼 딱 하루만 있어 보세요. 아까 보셨죠? 우리 효도원의 마스코트 이준하 팀장! 싹싹하고 재주도 많은데 수업도 잘해. 여기 어르신들이 이준하 팀장 때문에 눈이 좋아졌어. 왜? 이준하 팀장 잘 보려구. 그 정도로 매력이 있거든요. 그니까 딱 하루만 계셔보셔.

혜자 (그 소리 들으며 표정 복잡해지는)

S# 3 강당 같은 약간 넓은 장소 (D)

[B.G - 건강체조 음악]
연아(여직원), 앞에서 무뚝뚝한 표정으로 건강체조 하고 있다.
노인들 다 건강체조 따라 하고 있는데.
희원, 혜자 데리고 들어온다.
다들 쳐다보는데,
희원은 혜자를 대열에 밀어 넣으며 계속하라는 제스춰.

연아 (혜자 보며 무뚝뚝한 표정) 안 어려우니까. 저 보시구 따라 하시면 돼요.

옆에서 보던 희원, 웃으며 혜자에게 따라 하라는 듯 시늉하면
혜자, 마지못해 뻘쭘하게 따라 한다.

혜자 (어색하게 따라 하면서 고민 E) 왜 여기에 있는 거지? 앞길 창창하던 기자가 왜 여기서 팀장을…. 무슨 일이 있었던 거지? 혜자야… 생각해… 생각해…. (고민하다 반짝) 잠입 취재? 그렇다면… 노인 대상으로 사기행각을 벌이는 홍보관의 비리를 파헤친다? 그거네 그거…. (미소)

혜자, 건강체조 중에 옆으로 보는 동작 있다.
혜자, 미소 지으며 옆을 보는데 훅 들어오는 우현의 얼굴.

혜자 (놀라) 엄마야!!

사람들 혜자 보자, 다시 체조한다.
그러다 다시 옆으로 보는 동작하는데.
우현, 일부러 혜자 보려고 다른 사람들이랑 동작 반대로 하고 있다.
우현, 느끼하게 혜자 바라보며 웃는.

혜자 (E) 하… 뭐냐 또 이 개밥그릇은….

S# 4 중국집 (D)

분주한 중국집.
현주, 다른 손님한테 주문받고 있다.
그때, 중국집으로 영수 들어온다.
삼선슬리퍼에 추레한 트레이닝복 입고 있다.

현주 어서오… 아씨. 왜?
영수 왜라니? 손님한테.
현주 뭐?
영수 짜장면.
현주 창 쪽 말고 저쪽 구석에 가서 앉아.
영수 왜?
현주 밖에서 사람들이 보잖아. 우리도 장사해야지.
영수 나 인기 BJ다.
현주 꼴랑 8명 보면서…. 다른 집 가든가.
영수 단무지나 많이 줘. (앉으러 가는데)

그때, 중국집으로 정장 입은 무리들 들어온다.

현주 어서 오세요! 몇 분이세요?

남자2 4명이요.

현주 여기 앉으세요.

현주, 자리 안내하고 가려는데.

구남친 (뒤늦게 들어오다 현주를 보곤) 이… 현주?

현주 (헉) 오빠….

구남친 여기서 일해?

현주 여기… 부모님 가게라서.

구남친 맞다 너희 부모님 짜장면집 한다 그랬지? 난 이 앞에 삼지전자 입사 했어.

현주 아 성공했네.

구남친 넌 취준 중?

현주 아니 뭐 딱히….

구남친 나 다음 달에 결혼해. 지연이 알지? 걔랑.

현주 대단하네. 원래 바람핀 애랑은 끝까지 못 가는데 결혼까지 하고.

구남친 바람이란 말은 좀 그렇네. 너랑 사귈 때 다들 오래 못 갈 거라 그랬어도 나 너 꽤 만나줬다. 지연이 만날 땐 솔직히 우리 뭐 아무 사이도 아니었고.

현주 (부들부들)

구남친 안 바쁘면 와서 축하해줘. 신아호텔에서 해. 거기 뷔페 비싸구 맛있대. 축의금은 안 내도 되니까 밥이라도 먹고 가.

현주 (주먹 움켜쥐는데)

영수 이봐요!!

영수, 현주 앞으로 나선다.

영수　　내가 한마디 해도 됩니까?

구남친　…

영수　　… 뷔페 나도 가도 됩니까?

구남친　(현주랑 번갈아 보며) 꼭 와! 남자친구도 같이.

S# 5　현주 중국집 밖 (D)

현주, 영수에게 화내고 있다.

현주　　빨리 가서 내 남친 아니라고 해!!

영수　　야. 그럼 뷔페 못 가잖아.

현주　　(버럭) 아니라고 하라고!!

영수　　신아호텔이라잖아. 나 한 번만 가보자 거기.

현주　　대신 때려줘도 모자랄 판에 그러고 싶냐?

영수　　왜 때려? 잘못도 없는데?

현주　　이렇게 여자를 모르니까 생전 여자를 못 사귀지?

영수　　너랑 사귀었잖아.

현주　　그땐 내가 미쳤었고!! 니 생애 처음이자 마지막으로 사귄 여자일 거다 내가!

영수　　차…. 내가 마음만 먹으면 여자? 얼마든지 사귈 수 있어.

현주　　웃기고 있네. 여자들이 총 맞았냐?

영수　　얘가 또 이렇게 시대의 흐름을 모르네. 너 내가 여자 사귀면 어떻게 할래?

현주　　니가 여자 사귀면 해달라는 거 다 해준다.

영수　　너 진짜지? 해달라는 거 다 해준다 그랬다?

현주　　그래 뭐 해줄까? 뭐 해줘?

영수　　내가 여자 사귀면 같이 신아호텔 뷔페 가.

현주　　하! 미친놈아!!!

S# 6　　홍보관 복도 (D)

체조 마친 노인들, 복도로 나온다.

그 뒤로 보이는 혜자, 약간 지친 표정이다.

그때 갑자기 혜자의 입속으로 쏙 들어오는 사탕.

놀라서 보면, 보행 보조기 잡고 있는 할머니(김단순)

김단순할매　(씨익 웃으며) 당 떨어져~

혜자　(!!) 하…! (황당한데)

김단순할매　(혜자 옷 보며) …근디 안 춥어?

혜자　… 괜찮아요, (하는데)

김단순할매　(혜자 퍽 때리며) 청춘이네~ (웃으며 가는데 느리게 걸어가는)

혜자　하아…!

짜증 나는 혜자, 입에 있던 사탕을 뱉어낸다.

그때 반대쪽 복도에서 다가오는 준하.

노인들에게 살갑게 인사하는 모습

혜자　(E) 애쓴다. 까칠했던 애가 잠입 취재를 하려니 저렇게 실실거려야 하고…. 그래. 도와준다. 내가 너랑 전략적인 한 편이 되어 주마.

걸어오던 준하, 정수기 앞에서 물 마신다.

혜자, 준하 옆으로 가서 종이컵 들고 정수기에 물 따른다.

혜자 저기…. 나 알지? 혜자 친척….

준하 (혜자 쪽 보며) 네? 네….

혜자 (O.L) 에헤!! 앞에 보고! 앞에 보고!

혜자, 준하 서로 안 보고 앞에 보며 물 마시는 분위기.

혜자 다른 사람들 알면 안 되잖아 그치?

준하 … 네 무슨…

혜자 앞에 보고!

준하 (앞에 보면)

혜자 (작게) 잠입 취재 나온 거야? 노인 아빠 사기… 그런 거 취재하려고?

준하 …

혜자 맞지? 내가 눈치가 빨라. 괜찮아. 다 아니까 나한테만 얘기해 봐!

준하 (뭔 소린지 하는 표정인데)

혜자 괜찮아. 뭐 내가 뭘 도와줄까? 인터뷰 같은 거 좀 할래? 한 사람씩 뒤뜰로 모시고 갈까?

그때, 병수(희원의 오른팔), 걸어온다.

혜자 앞에 보고! 자연스럽게…. (물 마시는 척하는데)

준하 박 팀장님. 이 어르신 오늘 처음 오신 분인데 지금 공작수업 시간이에요. (다정하게) 어르신. 박 팀장님 따라가시면 돼요.

준하, 가버린다.

병수 (기분 나쁜) 아…. 저런 싸가지 없는 노무 새끼가….

혜자 (이게 우리 준하한테… 불량스럽게 훑어본다) 슷! 이게….

병수 (혜자의 서슬에 표정 풀며 웃어 보이면)

혜자 쯧! (하고는 준하 쪽 보며 쟤 뭐지?)

S# 7 교육실 (D)

식탁 같은 테이블 여러 개 놓여 있고,
노인들 삼삼오오 모여 있다.
혜자, 전학 온 학생처럼 어색하게 앉아 있는데 뭔가 거슬리는 느낌.
보면, 중절모 쓴 우현 어느새 왔는지 미소 지으며 옆에 앉아 있다

우현 (느끼) 웰컴 투… (하는데)

혜자, 모자를 푹 눌러 씌워버려 얼굴 안 보이게 한다.
그때, 연아(옷 바뀜) 들어온다.

연아 안녕하세요.

일동 안녕하세요.

연아 지금 앉은 자리 잘 기억하세요. 거기 계신 분들이 같은 조예요. 수업은 조원들끼리 하실 거구요. 오늘은 색종이로 눈꽃 만들기를 할 거예요.

연아, 조별로 색종이와 가위 나눠준다.
얘기 듣고 있던 혜자, 뭔가 옆 볼이 찌릿찌릿해 쳐다보면.
우현, 비현실적인 미소로 혜자를 바라보고 있다.

우현 아까 체조할 때도 짝꿍이었는데… 인연이네 인연. 내가 제일 좋아하는 배우가 김희선인데 이름도 딱 김희선이시고….

혜자 (뭔가 짜증이 확 올라온다)

우현 저는 그냥 현이라고 불러주십시오.

혜자, 받은 색종이에 '현'이라고 쓰고는 부욱 찢어버리며 서늘한 표정 지으면
우현, 별 거 아니라는 듯 어깨 으쓱해 보인다.
혜자, 가위 쥔 손이 부들부들.

S# 8 홍보관 외경 / 교육실 (D)

노인들 색종이로 눈꽃 만들고 있다.
김단순할매, 느릿느릿 움직이고 있는 모습 보이고
몸빼할머니, 색종이며 가위며 풀이며 몸빼 속으로 넣자
옆에 앉은 할머니, 없어진 것들 찾느라 두리번두리번….
쌍둥이 할아버지 둘, 머리만 다르고 옷까지 똑같다.
그 밖에 시각장애 할아버지, 강아지(뽀삐) 안고 있는 할아버지 소개된다.

연아 (강아지 할아버지에게) 할아버지. 따님 좀 놓구 하시면 편하실 텐데….

뽀삐할아버지 (흐뭇하게 옆에 놓으며) 그래! 뽀삐야 언니 얘기 들었지? (뽀삐 보며) 아이 부끄러워! 아이 부끄러워!

뽀삐 (그에 맞춰 부끄러운 동작하는)

혜자, 그 모습들 보다가 '내가 여기서 뭐 하는 짓인가?' 하며 앉아 있는데
한쪽에 한 할머니, 혜자처럼 종이 자르기 안 하고 새초롬하게 앉아 있다.
샤넬 할머니다.
혜자, 그 할머니가 눈에 들어오는데.

연아 (시계 보곤) 오늘은 여기까지 할게요. 식사하시고 공연 관람 재미있게 하세요.

S# 혜자 집 외경 (D)

엄마 (OFF) 홍보관에 갔는데… 그냥 한번 가본다고…. 어떡하니?

S# 9 혜자 방 (D)

현주, 상은, 봉지 들고 방으로 들어오며

현주 괜찮아요. 그냥 우리끼리 먹구 갈게요.

봉지 열면 탕수육, 깐풍기, 군만두 등 중국요리로 싼 도시락.

상은 아깝다. 다 혜자 좋아하는 건데…
현주 오늘은 니가 많이 먹음 되지. 노래도 밥심으로 부르는 거야.

그때, 혜자 방문 벌컥 열리며.

영수 혜자야! 내 새우깡…

영수, 현주, 상은 있는 걸 본다.
영수, 갑자기 문 닫고 나가는.
바로, 다시 열리는 문.

영수, 교복 입고 머리는 왁스로 잔뜩 힘줘 세운 머리.
문에 멋진 포즈로 서 있는.

현주 (다가간다) 뭐 하는 거야? 왜 이래 이거?

영수 여자들은 제복 입은 남자 좋아한다며…. 너도 혹시 그때 내 교복 입은 모습에 반했던 거 아냐?

현주 뭐 하는 수작이냐?

영수 내가 여자 사귀면 신아호텔 뷔페 같이 가기로 했잖아?

현주 근데?

영수 알다시피 내 주변에 여자가 너뿐이라서 말이야. 뷔페 가려면 너랑 다시 사귀어야 할 것 같다.

현주 (웃음 터뜨린다) 하…. (하다) 꺼져 (끌어내고 문 닫아버린다)
누울 자리를 보고 발을 뻗어야지…. 미친 거 아니야? (상은 보면)

상은 (발그레) 이상하네.

현주 뭐가?

상은 나 오늘 영수오빠야 보고 심쿵했다.

현주 (뒤통수 퍽 때리며) 정신 차려 이년아!

S# 10 홍보관 복도 (D)

혜자, 노인 무리와 함께 나오는데
준하가 어디 있는지 두리번거린다.

우현 (OFF) 여기 있습니다.

보면. 중절모 쓴 우현, 한 손으로 벽 잡고 폼 잡으며 서 있다. (전 씬의 영수처럼)

우현 절 찾으시는 것 같길래…

혜자 그럴 리가요. (걸어가려는데)

우현 식당은 복도 끝에 오른쪽으로 가면 되구요. 수요일 날은 보양식 나오니까 빠지지 말고 오세요. 운동실은 재활실이라고도 부르는데 특별한 운동기구는 없고, 샤워실도 없고, 트레이너도 없고, 전 와이프가 없고.

혜자 네?

우현 원래 이런 얘기 잘 안 하는데 물어보시니까. 저 아직까지 싱글입니다. 돌싱 그런 거 아니구요. 싱글. 미혼. 총각.

혜자 안 물어봤거든요.

우현 (이빨을 딱딱딱)

혜자 (뭐지? 싶은데)

우현 틀니, 임플란트 없이 다 제 이빨입니다. 하하하. 운명을 느꼈다고 할까요.

혜자 (주먹 쥐며) 저는 살의를 느끼고 있어요. 비키세요.

우현 당황스럽네요. 여자한테 이런 반응은 처음이라. 저의 어떤 부분이 맘에 안 드셨는지 물어봐도 될까요?

혜자 음… 부분이 아니라 그냥 전체예요. (손동작 크게) 전체. 아주 싹 다!

우현 (여전히 미소) 누님!

혜자 누님…? (혼잣말) 누님은 무슨… 지가 더 늙었으면서….

우현 제가 볼 때 누님은 연하가 어울려요. 마침 제가 딱 연하네요.

혜자 차. 그쪽 얼굴이 연하가 아니세요.

우현 저 어디 가면 58세까지도 봅니다?

혜자 어디요 어디? 어디 가면 그렇게 보는데요?

우현 … 효창공원 쪽이요.

혜자 아오 진짜!

혜자, 때리려다 그냥 가는데 지하로 내려가는 통로가 눈에 들어온다.
뭔가 심상치 않은 분위기에 이상한 소리도 들려오는 듯하다.

우현 혹시라도 그쪽은 절대 얼씬거려서도 안 됩니다. 한번 내려간 사람은 있지만 다시 올라온 사람은 없거든요….

혜자, 귀찮다는 듯 한숨 쉬며 자리 뜨면 "누님" 하며 따라가는 우현
두 사람 지나가고 나면 내려가는 통로 쪽 느낌 있게 보여진다.

S# 11 홍보관 식당 (D)

왁자지껄한 분위기.
식판에 밥이랑 반찬들 담아서 테이블로 가서 먹는 사람들 보이고,
혜자, 식판에 밥이랑 반찬, 요구르트 담고는 앉을 자리 찾는데.
다른 데는 빼곡하게 차 있고,
샤넬할머니 맨 끝에 앉아 있는데 그 옆자리만 비어 있다.
혜자, 샤넬할머니 옆자리로 가서 식판 놓는데
샤넬할머니 숟가락으로 식판을 툭툭 친다.

샤넬 그거 안 보여요?
혜자 네?
샤넬 (옆자리 가방 가리키며) 거기 샤넬 있잖아요.
혜자 아….

혜자, 가방 들어서 샤넬에게 주려고.

혜자 여기요.
샤넬 그게 아니고. 거기 샤넬 자리라구요. 무슨 얘긴지 모르겠어요?

혜자, 어이없는 표정으로 가방 다시 의자에 내려놓는다.
그때, 할머니 1, 일어나며.

할머니1 여기 앉아요. 나 다 먹었어.

혜자, 그 자리에 앉는다.

할머니1 (속삭) 이해해요. 아들이 사줬대나? 맨날 저 백 하나 들고… 유세는….

혜자, 깨작거리며 밥 먹으려고 하는데.
할머니 1, 물 2잔 떠서 들고 온다.
한 잔은 혜자에게 주고,
한 잔은 샤넬 할머니 앞에 내려놓는데.

할머니1 맛있게들 들어요.
샤넬 (물잔 멀리 치워버리며) 난 됐어요!
할머니1 (민망)
혜자 (E) 어디 가도 재수 없는 인간들은 꼭 있다.
몸빼할머니 (불쑥 혜자 보며) 안 먹을 거야?'

보면 옆자리에 있던 몸빼할머니, 혜자 음식 뚫어져라 보고 있다.

혜자 (후우) …네….
몸빼할머니 (말 끝나기 무섭게 떡이나 요구르트 같은 것 몸빼 속에 챙기는)
혜자 (황당한 얼굴로 둘러보며 E) 아니다. 여긴 그냥 다 싫다.

S# 12　문방구 앞 (D)

현주, 문방구에서 배달하고 밖으로 나오는데,

영수, 문방구 구석에서 엉덩이골이 보일랑 말랑하게 앉아

100원짜리 캡슐토이를 뽑고 있다.

드르륵 돌리면 랜덤아이템이 들어있는 캡슐이 나온다.

현주　(한심한) 여기서 뭐 하냐?

영수　(쓱 보다 다시 돌리며) 너랑 그 뷔페 갈려구. (보는데) 아씨. 아니네.

(또 돈 넣고 돌리는/ 캡슐 열더니) 아씨….

현주, 캡슐토이 박스를 보는데,

거기 포켓몬 아이템들 있고, 한쪽에 가짜 쇠반지 보인다.

현주　혹시 너 저거 뽑냐? 쇠반지?

영수　(부인하지 않는)

현주　그거로 설마 나를 꼬시겠다고? 백 원짜리 반지로?

영수　선물이란 그게 무엇인가가 중요한 게 아니라 그걸 누가 줬느냐가 중요한 거야.

현주　(한심) 돌겠다….

영수　옛날에 좋아했잖아?

현주　(때릴 듯) 자꾸 옛날 얘기하지 말라고. 기분 더러워지니까….

현주, 가는데… 영수 표정 안 좋다.

S# 13　홍보관 사무실 앞 (D)

혜자, 사무실 쪽으로 걸어오고 있다.

혜자　(E) 얼마나 비싼 물건을 팔길래 이렇게 잘해주는 거야? (하다가) 근데 얘는 취재 잘하고 있는 건가?

혜자, 뭔가 알아낼 거리가 있나 해서 사무실 앞에서 안쪽을 힐끔거린다.

S# 14　홍보관 사무실 (D)

준하, 책상에 앉아 있는데.
혜자, 들어온다.

준하　(일어나 반갑게 웃으며) 어르신!
혜자　(사무실 새삼 훑어보며) 에이~ 풀어! 풀어! 우리끼리 있을 땐 연기 안 해도 돼! 같은 편이잖아….
준하　이따 재미있는 공연도 있어요. 조금만 더 계시다 가세요.
혜자　(빤히 보는) …그러니까 진짜 여기 직원 같다~
준하　진짜 직원이에요.
혜자　에이~ 나 다 안다니까. (목소리 낮추며) 잠입 취재.
준하　어르신…. 뭔가 오해가 있으신가 봐요. 저 잠입 취재하는 것도 아니고 더더군다나 기자도 아니에요.
혜자　(전문가처럼 여기저기 살펴보며 작게) 여기 도청 중이야?

그때, 희원 들어오며

희원 (작게) 도청 같은 거 안 해요. 어르신. (준하에게) 무슨 일이야?

준하 어르신이 재밌으신 분이에요. 제가 여기 있는 게 잠입 취재하는 거냐고. (친절한 말투로 딱 잘라) 저 기자 아니에요. 아시는 다른 분이랑 헷갈려 하시는 것 같은데….

혜자 (당황) 헷갈리긴 무슨…. 나… 알잖아. (희원에게) 나 이 사람 잘 아는데…?

희원 어르신, 저도 그 사람 잘 알아요. 안 지 20년 됐어요.

S# 15 교육실 밖 복도 (D)

혜자, 얼떨떨한 표정으로 나오면
준하, 따라 나온다.

혜자 … 진짜 여기서 일하는 거야? 왜?

준하 여기 좋아요. 오늘 끝까지 한번 수업 들어보세요. 그래도 가고 싶다 그러시면 안 잡을게요. 약속.

준하, 새끼손가락 내밀고.
혜자, 얼결에 새끼손가락 거는.

준하 약속하신 거예요. (웃으며 가는)

혜자 (가는 준하 보며) 저기… 이… 팀장….

S# 16 휴게실 (D)

혜자, 문 열고 들어와 털썩 소파에 앉는다.

할머니, 할아버지 누구나 할 것 없이 앉아서 다 자고 있다.
혜자, 아직까진 생각에 잠겨 못 본 듯.

혜자 (E) 뭐가 어떻게 된 거야? 준하가… 진짜 여기 직원이라고? 왜? 아니 기자보다 여기가 더 좋은 이유가 뭔데? 돈? 아무리 돈이 좋아도 그렇지….

그제야 둘러보는데, 노인들 모두가 자고 있는 모습.

혜자 이 풍경을 보고도? (하다가) 무슨 잠을 단체로…. 아니 이런 데서 잠이 와? 집도 아닌 이런 데서? (한심한)

카메라 자고 있는 노인들 비췄다가 혜자 잡으면
혜자도 어느새 고개 뒤로 젖히고 입 벌리고 자고 있다.

S# 17 편의점 (D)

현주, 편의점으로 들어오는데

영수 (OFF) 어서 오세요~
현주 왜 여기 있어? 상은이는 어디 가고?
상은 (창고 쪽에서 OFF) 어~ 현주 왔어? 나 여깄어! … 영수 오빠가 일 도와준다고 왔다.
현주 웬일이래? (하며 털썩 계산대 쪽으로 들어가 앉는)
영수 (아무 말 없이… 삼각김밥하고 샌드위치를 건네는)
현주 … 뭐야?
영수 너 배고플 시간이잖아.

현주 어?

영수 중국집 점심 시간때는 바빠서 밥 못 먹을 거고…. 먹으려면 지금 이 시간대인데… 여기로 온 거 보면…. 남은 중국음식 먹기 물려서 온 거 아냐?

현주 …… 큼…. (삼각김밥 뜯는데 버벅거린다)

영수 하여튼…. (능숙하게 삼각김밥 뜯어서) 면만 잘 뽑고 오토바이만 잘 타지…. (현주 입에 물려주고) 은근 챙겨줘야 할 부분 많다니까.

현주 너 혹시… 나한테 작업하는 거냐?

영수 그냥 너의 남자로써 하고 싶은 일을 하는 거야. 감동을 받던 나한테 빠지던 그건 너의 몫이다. (나간다)

현주 놀고 있네…. (하면서도 뭔가 심쿵한 표정)

S# 18 홍보관 무대 (D)

할머니, 할아버지들 벌써부터 앉아서 잔뜩 들뜬 표정들이고
보면 혜자, 금방이라도 나갈 사람처럼 출입문 근처에 가방 들고 비스듬히 서 있다.

연아 어르신! 저쪽에 앉아서 보세요.

혜자 아뇨, 금방! 갈 거라서요.

연아 네…

[B.G - 차력 공연 음악]
병만, 차력 쇼하는.
공연 끝나고 나면.
무대 위로 희원 올라온다.

희원 공연 재밌으셨죠? 원래 이 친구가 3개월 전까지만 해도 제대로 걸어 다니

지도 못했어요. 근데 3개월 만에 이렇게 튼튼해졌네. 특별한 운동 없이도 어떻게 이렇게 됐냐? 뼈가 튼튼해졌거든. 이 친구 뼈가 얼마나 튼튼해졌나 보실래요?

병수, 각목 2개 들고 들어와 하나는 희원에게 건넨다.

희원 이걸로 내리쳐도 각목이 뿌러지면 뿌러졌지. 이 친구는 멀쩡해요. 보세요.

희원과 병수, 각목으로 몸통과 허벅지를 각각 내려치는데

(E) 뼈 부러지는 소리.

병만 (헉! 흡!)

희원 (어떻게 된 거지? 병수에게 작게) …각목 안 잘라놨어?

병수 (작게) 잘라야 되는 거였어요?

병만 (슬픈 얼굴)

희원 (당황하다가) 하하하 … 좀 전에 소리 들으셨죠? 보기엔 멀쩡해도 이 안엔 싹 다 부러졌어. 뼈가 약한 거지… 이 약을 먹었어야 하는데… 자 수고했고! 오늘부터 이 약 열심히 먹으면 돼! 금방 나을 거야! 들어가! 여러분 박수 주세요!

병만, 박수받으며 오징어처럼 흐느적 들어간다.

희원 어떻게 해야 뼈가 금방 튼튼해지냐? 뼈에는 칼슘제만큼 좋은 게 없거든요. 오늘부터 저 친구가 먹을 칼슘제가 바로 이거예요.

옆에 있던 병수, 약상자 꺼내 보이며.

혜자　(E) 그럼 그렇지. 본색 나오네.

병수　자 한번 보세요.

직원들, 사람들에게 약 박스째 넘겨준다.
할머니, 할아버지들 박스 보는.

병수　이게 칼슘제랑 몸에 좋은 비타민 ABCD가 이 한 봉지에 다 들었어요. 아침에 일어나면 기운이 없다. 눈이 침침하고 입이 바짝 마른다. 앉았다 일어날 때 무릎에서 우두둑 소리가 난다. 손발톱이 자꾸 갈라진다. 하루 3알씩 한 달만 이 약을 드시면 그런 증상이 말끔히 없어져요.

혜자　(E) 애쓴다 애써.

그때 준하, 들어오고 그런 준하를 눈여겨보는 혜자.

준하　그런데…. 어르신들~ 이거 안 사셔도 돼요. 괜찮습니다.

혜자　(응?)

병수　(뭐지 이건?)

준하　어르신들한테 물건이나 팔려고 효도까지 들먹인다는 소리 듣고 싶지 않아요. 안 사셔도 되니까 오셔서 즐겁게 노시고, 그냥 가실 때 티슈 한 상자씩 공짜로 들고 가시면 돼요.

할머니1　그럼 여기 손해지 않나?

준하　효도하는데 손해가 어딨어요? 손해 따져가며 효도하면 안 되죠.

할아버지1　이거 팔아야 월급 받고 그런 거 아니여?

준하　그건 맞는데요. 그냥 우리가 어렵고 말지 물건 사셨다가 그거 갚으시려면 어르신들 어렵잖아요.

할머니2　너무 대접만 받고 미안해서….

준하　대접받으실만하니까 대접 받으시는 거예요.

혜자 (E) 신선한데?

준하 솔직히, 여기 있는 이 약! 칼슘제나 비타민제. 이거 드시면 좋아요. 제가 먹어봐서 알아요.

혜자 (E) 그럼 그렇지. 밑밥 잘~ 깔았네.

준하 칼슘제니까 뼈 튼튼해지죠. 그리고 비타민까지 들어있어서 먹으면 아침에 일어날 때부터 달라요. 아주 가뿐해요. 그렇지만 사실 필요는 없어요. 이 약은 그냥 단기간에 튼튼해지고 젊어지는 거지만 시간이 걸리더라도 저희 효도원에 오셔서 같이 운동하고, 같이 즐겁게 웃고 그러면 어느 정도까지는 이 약의 효과 보실 수 있으니까. 절대 약 사신다고 무리하지 마세요.

혜자 (E) 결국 약 사란 소리 아냐! 차…. 뭔 소리로 꼬셔도 절대 약은 안 산다.

S# 19 혜자 집 앞 (D)

홍보관 봉고차 와서 서고

남자 (OFF) 월요일 날 또 봬요!

차 출발하면, 혜자 손에 들린 칼슘제 보인다.
카메라 위로 올라가면 혜자, 입에 하나 물고 있다. (한약재 같은 팩에 든)

혜자 (E) 아 송송 구멍 난 뼈들 사이로 새 뼈들이 돋아나는 느낌. 반품 못할 것 같은 느낌. (하다가 한숨) …돈도 한 푼 없는데…. 엄마찬스 써야겠다.

S# 20 거실 (D)

엄마, 주방에서 바케스에 뜨거운 물 가득 받고 있다.
그때, 아빠, 현관으로 들어온다.

엄마 왜 지금 와요?

아빠 정 씨가 내일 어디 가야 한대 그래서 바꿔주기로 했어. 오늘은 정 씨가 대신 경비 보고.

엄마 밥도 없는데.

아빠 앉혀만 놔.

엄마 (답답한) …

아빠 (보다가) 미용실 뜨거운 물 안 나와?

엄마 순간온수기가 말썽이네.

아빠 그거 점화기 한참 누르고 있어야 돼.

엄마, 그게 아니라는 듯 한숨 쉬다가 바케스 들고 미용실로 간다.

S# 21 미용실 (D)

혜자, 다라이에 있는 수건 탁탁 털며 걸고 있다.
엄마, 들고 온 대야 머리 감는 곳 옆에 놓고

엄마 (허리 피며 쉰다) 그건 안 빤 거야.

혜자 (얼른 냄새 맡아보고 치우고)

엄마 오늘 간 데는 어때? 재미있디?

혜자 재미는…. 온통 할머니 할아버지에…. (고개 젓는)

엄마 엄마 괜찮으니까 집에 있어도 돼. 괜히 가기 싫은 거 억지로 가지 말고.

혜자 …… (말 못하고 쭈뼛쭈뼛)

엄마 … 뭐 엄마한테 할 말 있어?

혜자 아니…. 저기 엄마…. 일단은 손에 아무것도 들지 말고 내 얘기 들어.

엄마 (물건 하나 집으며) 뭔데?

혜자 에헤! 이거 놓고! 엄마 엄마의 스물다섯 먹은 딸이… 있잖아….

혜자, 그러면서 엄마의 손을 꼭 잡는데.

엄마 (아프다) 아!

혜자 왜 왜?

엄마 손이 또 갈라져서.

혜자 봐봐.

혜자, 엄마의 손 보는데 손 끝부분이 다 갈라져 있다.
손톱 안쪽으로 염색약이 스며들어 검게 변해있다.

혜자 (짠하게 보다가, 속상한 듯) 장갑 좀 끼고 하라니까…. 그 독한 걸 맨손으로 만지냐.

엄마 돌아서면 머리 감기고, 돌아서면 로뜨 말아야 되는데 어느 세월에 장갑을 끼고 벗어. 한두 번이야? (하다) 뭐? 엄마의 스물다섯 살 딸이 뭐 어쩐다고.

혜자 (눈물 그렁) 어. 스물다섯 먹은 딸이니까 앞으로는 엄마한테 잘한다고.

엄마 그게 아닌 거 같은데.

혜자 맞아. 그거. 나 먼저 들어간다.

S# 22 중국집 앞 (N)

현주, 배달 가려고 나오는데 영수 기다리고 있다.

현주 (약간 어색) …뭐냐? 또?

영수 (한참을 보다가) 그래 내가 졌다. 내가 바보 같았어. 너를 또 사귈 수 있을 거라고 생각했다는 게…. 맞아. 여자를 몰랐다. 다음에 그 자식 다시 만나면 내가 대신 두들겨 패줄게.

현주 (뜬금없이 훅 들어온) …

영수 그러니까 어깨 펴라! 속상해하지도 말고! 그리고 결혼식 꼭 가. 이쁘게. 세상에서 가장 이쁘게 하고 가. 가서 너 버리고 다른 여자랑 결혼한 그 자식 후회하게 해줘.

현주 (감동 받으려고 하는데) …저기

영수 그리고 결혼식 가면 꼭… 식권은 두 장 달라고 해. 내 꺼까지.

현주 그럼 그렇지. (조인트 까는)

영수 아!! 부러진 것 같아. (오토바이로 가며) 나 집까지 좀 태워 줘.

현주 웃겨 진짜. (확 밀며) 꺼져!

현주, 오토바이에 올라타는데.

영수 (다시 멋지게) 어깨 펴라!

현주 차! 지가 뭘 안다고! (헬멧 닫는데/ 살짝 미소가)

S# 23 동네 외경 / 중국집 (N)

우울한 얼굴의 혜자 모습 보인다.

보면, 현주 상은 혜자 빼갈 마시고 있다.
상은은 벼룩시장 신문 훑어보고 있다.

현주 엄마찬스는 물 건너갔어?
혜자 물 건너간 정도가 아니라…. 암튼 우울해. (테이블에 엎드리고)
현주 반품하면 안돼?
혜자 반품도 반품인데…. (한숨 하아) 진짜 우리 엄마 지지리 복도 없지. 평생 키운 자식들 이제 돈 좀 벌어오나 했더니 이거야. 차라리 돼지를 키웠음 내다 팔기라도 하지….
현주 그래서 직접 돈을 버시겠다?
혜자 응. 것도 많이.
상은 혜자야 너 덤프트럭 몰 줄 아나?
혜자 (이런…) 아니….
현주 미싱은 좀 돌리나?
혜자 (이걸 확) 못한다고! 그런 거!

셋, 벼룩 신문에 잠시 집중하는데

혜자 나…. 이준하 봤다….
현주 (먹으며) 요새 한창 바쁘겠다? 신입이라.
혜자 (끄덕) 바쁘더라고, 약 파느라….
현주/상은 (혜자 보며) …응?
혜자 홍보관에서 약 팔고 있더라구….
상은 푸하!
현주 (피식) 얘가 늙더니 개그감도 떨어졌어.
혜자 (찌릿) …진짜 거짓말이었음 좋겠다.
상은 … 뭐꼬? 진짜로?.

현주	정말… 이준하 걔가 홍보관에서 약을 판다고? 왜?
혜자	그래, 이상한 옷 입고 트로트까지 부르더라니까? 할머니들한테 누님누님 거리는데 와…~ 완전 다른 사람 같더라니까?
상은	헐… 대박. 진짜? 그냥 닮은 사람 아니구?
혜자	(한숨)
현주	얘기 좀 해보지, 왜 그러고 있는지….
혜자	해봤지. 근데 누님들 좋아서 하는 거라고, 능글거리면서 쏙쏙 빠져나가는데… 도저히 대화가 안되드라구….
현주	흠… 사람이 그렇게 달라지기 쉽지 않은데…. 기자에서 사기꾼이면 너무 접점이 없어…. 뭔 일이 있었나?
혜자	… 뭔 일?
현주	할머니 돌아가셨다며 걔! 그래서 그런 거 아냐?? 할머니 돌아가신 충격으로….
상은	혜자 니 때문 아이가?
혜자	(응?) 나…?
상은	널 좋아했는데 니가 갑자기 사라져 버려서 멘붕에 빠진 거지…. 첫사랑에게 버림받고 상처받은 비련의 남자~
혜자	(순간 두근하는데)
현주	풋! 영화를 찍어라. 첫사랑은 무슨…. 썸 근처도 못 가고 썸의 쌍시옷에서 끝났지 얘들은….
혜자	(째리며) 썸까진 갔거든? (하다) …내 생각에도 나 때문은 아닌 것 같긴 해. 나 때문에 망가져서 저러고 있다 그럼…. 그것도 너무 미안할 것 같고. 안 그래도 월요일에 나가서 다시 얘기해 보려구… 할머니 생각해서라도….
상은	거긴 어떻노? 재미있드나?
혜자	재미는… 거기 있는 사람들 다 이상해!… 언제 봤다고 개밥그릇 같은 할아버지가 좋다고 하질 않나…. 샤넬 아냐고 잘난척하는 할머니에… 다짜고짜 말 걸구 지 맘대루 막 입에 뭐 넣구!…

상은 (킥킥) 맞아…. 할머니 할아버지들 그래. 옛날에 우리 할머니는 가만히 잘 계시다가 뜬금없이 소리 지르고 화내고 그러셨다.

현주 (웃으며) 노인네들 보면 꼭 슬로우모션 걸어놓은 것 같지 않아? 횡단보도 같은 거 건널 때 보면 이렇게… (하면서 느리게 걷는 시늉해대고)

상은 (웃으며) 그리고 막 매너모드 걸린 것처럼 진동처럼 미세하게 몸이나 얼굴 흔드는 할머니들 있잖아!… (하며 또 시늉)

현주 푸하! 똑같아!… (해대는데)

혜자, 갑자기 먹던 단무지를 현주랑 상은한테 던지면
현주, 상은 얼굴에 척척 달라붙는 단무지.

혜자 이것들이 듣자 듣자 하니까!… 나도 그래! 나도 그런다고!… 니들이 뭘 알어!… 무릎이 안 좋아서 그렇게 걷는 거야! 맘은 벌써 100미터 뛈박질했어!… 니네들한텐 당연한 거겠지만! 잘 걷고, 잘 보고, 잘 숨 쉬고!… 우리한텐 당연하지가 않아 그게! …되게 감사한 거야. 하루하루 몸이 다르다고. 니네가 그걸 알아?…

현주/상은 (어벙벙) …미안./ 혜자야 미안해.

혜자 … 됐어. 나 먼저 갈게….

벼룩신문 움켜쥐고는 빠르게 나가버리는 혜자.

S# 24 거리 일각 (N)

빠른 걸음으로 화난 듯 씩씩거리며 걷다가… 얼마 안 가서 거친 숨 몰아쉬며…
한쪽에 걸터앉는다. 뒤돌아보니 얼마 오지도 못했다.

혜자 씨…. 얼마나 걸었다고…. 나쁜 년들…. 아무것도 모르면서…. 지들 늙었을 때도 똑같이 얘기할 수 있나 어디 보자…. (하다) 그때도…. 내가 살아있으면….

혼자 외로워 보이는 혜자 모습.
손에 꼭 쥐고 있는 벼룩신문 구인 광고에 시선 돌리는데
알바구인 글에 '우대사항: 목소리 좋으신 분, 나이불문' 보인다.

S# 25 동네 외경 / 동네 일각 (D)

혜자, 정장 느낌의 옷 잘 차려입고,
머리도 단정하게 하고, 화장도 했다.
정장이 어색한지 자꾸 치마를 쓸어내리는데.

무성 (F) 계란이 왔어요. 싱싱한 계란이 왔어요.

혜자, 계란트럭으로 간다.
무성, 계란트럭 있는데 짜증 섞인 표정으로 서 있다.
계란트럭에 근처에 손님 하나도 없는.

혜자 아저씨. 계란 하나만 주세요.
무성 계란 하나는 안 팔아요.
혜자 왜요?
무성 판으로 팔아요.
혜자 하나 필요한데. 하나만 팔아요.
무성 하나 팔면 비잖아요.

혜자 진짜 중요한 일 때문에 그래요. 하나만 파세요.

무성 아 진짜.

무성, 계란 하나 건넨다.

혜자 얼마예요.

무성 됐어요. 자리 옮겨야겠네.

무성, 트럭에 올라탄다.
혜자, 계란 이빨로 깨서 날계란 먹는다.

혜자 흠흠~ 그래 이 계란이야.

무성, 혜자의 목소리가 귀에 들린다.
무성, 다급하게 안전벨트 풀려고 하는데. 잘 안 풀린다.
무성, 안전벨트 비집고 나오며 "할머니!!" 부르는데.
혜자는 이미 없다.

S# 26 보이스피싱 회사 사무실 (D)

직원 3명 정도의 후줄근한 사무실
혜자, 난감한 표정의 사장 앞에 앉아 있다.

혜자 나이 상관없다면서요?

사장 (전화 거는 듯 무선 전화 들더니 직원에게 던지며) 야!! 광고 올린 놈 짜르고 40세 미만이라고 다시 광고 올려.

혜자 저 뭐든 할 수 있어요.

사장 할머니! 할 수 있다고 할 수 있는 일이 아니에요. 우리 일이요. 일종의… 텔레마케팅 같은 거라…. 귀도 좋아야 하고… 암튼 젊은 사람들이 필요하지 할머니는 필요 없어요. 가세요.

혜자 (일어나려다가) 저기…. 믿으실지 모르겠지만! 저 사실 스물다섯이에요.

사장 … 네? 무슨 소리예요?

혜자 저 올해 스물다섯 살이라구요. 시간을 잘못 돌리는 바람에… (주절주절)

사장 … 이 할머니 골 때리시네.

혜자 ……

사장 합격!!!

혜자 네?

사장 거짓말을 어쩜 이렇게 진실된 눈으로 할 수 있지? 완전 우리 쪽 인잰데?

혜자 (눈망울 초롱초롱하게)

S# 27 보이스피싱 회사 사무실 일각 (D)

혜자, 헤드폰 쓰고 앉아 있고,
직원 A4 건네준다.

직원 연결되면 여기 있는 대로만 읽으시면 돼요. 느낌 살려서…

혜자 네. (긴장한)

(E) 뚜뚜 신호음.

남자 (F) 여보세요.

혜자 (읽는다) 할미다~ 내가 지금 사고가 나가지고 병원에 있는데…

남자 (F) 저 할머니 없는데요.

혜자 (당황)

직원 2번, 2번

혜자 2번이요? (바로 목소리 바꾸며) 안녕하세요! 노인복지재단. 늘 푸르른 소나무를 보라입니다. 저희 늘 푸르른 소나무를 보라에서는 주변에 어렵고 힘든 노인들의 버팀목이 되고자 모금을 진행 중입니다.

남자 (F) 보이스피싱이네 이거! 아줌마 내 번호 어떻게 알았어? 이거 불법인 거 알지? 내 번호 어떻게 알았는지 빨리 얘기해 봐요!

직원 3번 3번.

혜자 3번이요?

혜자, A4에 적힌 3번 그대로 읽는.

혜자 (상냥한 목소리로) 그래 어디 니 마음대로 해봐라 이 자식아. (끊고 직원 보며) 근데 이거 진짜 보이스피싱이에요?

직원 에이…. 이게 보이스피싱이면 벌써 잡혀갔죠. 아니에요.

혜자, 사장 쪽을 보는데.
마침 경찰들이 와서 사장 잡아가고 있는 모습.

S# 28 거리 일각 (D)

혜자, 그래도 조금은 굽 높은 새 신발을 신고 있다.

혜자 씨. 뒤꿈치만 까졌네.

혜자, 터벅터벅 걷는데.

무성 (F) 거기 할머니!

혜자 (뭐야? 두리번거리는데)

무성 (F) 거기 두리번거리는 할머니.

혜자, 보면, 옆으로 무성의 계란트럭 따라오고 있다.

무성 할머니 서 봐요 서 봐.

S# 29 공원 일각 (D)

트럭 세워져 있고, 벤치에 혜자, 무성, 쭈쭈바 들고 앉아 있다.

무성 계란 드시고 뭐라고 했죠?

혜자 그래 이 계란이야.

무성 케헤이!! 할머니는 진짜 계란을 위해서 태어난 목소리예요.

혜자 그런 목소리도 있어요?

무성 제가 계란장사만 20년째예요. 내 녹음기로 계란이 왔어요. 한 사람만 60명이 넘어요. 내가 계란도 감별하지만 계란이 왔어요! 도 감별해요. 딱이야 딱. 녹음만 하면 대박 난다.

혜자 (머리 굴리는) 그니까 나한테 녹음해달라 그건가요?

무성 그렇죠.

혜자 얼마 주실 건데요?

무성 기본급은 적어요. 근데 인센티브가 쎄. 계란 팔고 순수익에 10%로.

혜자 계란 하나 팔면 몇 원 남는데요?

무성	원이 아니죠. 전.

혜자	그럼 기본급을 올려주시든가. 수익에 25%

무성	(고뇌하는) 20으로 갑시다.

S# 30 공중화장실 (D)

무성, 카세트랑 카세트 달린 마이크 세팅하고 있다.
혜자, 영 장소가 마땅치 않은데.

혜자 여기서 녹음해요?

무성 잘 들어보세요. 사람의 마음을 움직이는 목소리엔 울림이 있어야 돼요. "계란이 왔어요!" 들었죠, 울림.

혜자 아 그 울림이요.

무성 자 준비됐죠. 들어갑니다! 큐!!

혜자 계란이 왔어요~ 굵고 싱싱한…

무성 컷!! 너무 목소리를 이쁘게 내실려고 그래! 내츄럴하게 야생닭이 낳은 계란처럼 프레쉬하게. 다시!

혜자 계란이 왔어요~ 굵고 싱싱한 계란이 왔어요.

무성 오케이!! 좋았어요.

혜자 (미소 짓는데)

무성 다음 계란으로 갑시다.

혜자 다음 계란이라니요?

무성 할머니. 계란은 쓰이는 데만 따져도 280가지예요.

혜자 280가지요?

무성 그럼요. 후라이용 계란, 계란찜용 계란, 계란말이용 계란, 삶은 계란… 시위용 계란….

혜자 시위용 계란도 있어요?

무성 그럼요. 유통기한은 지났지만 깨질 때 일반 계란보단 화려한 장점이 있죠.

혜자 어쨌든…. 계란이니까 다 같은 거로 하면 되는 거 아닌가?

무성 에헤! 비전문가들은 이래. 각자 용도에 맞게 써야 계란의 참맛을 알지. 우린 어디 가서 딱 먹었는데. 이건 분명 후라이용인데 계란찜으로 나와. 안 먹지 그거. 왜? 프로니까.

혜자 그럼 280가지를 다 녹음해요?

무성 그거 다 구분하는 사람 우리나라에 딱 3명 있어요. 나까지.
그냥 굵직굵직한 거면 돼요. 자! 가죠! 7번째 꺼 보이죠? 시위용… (민중가요 허밍) 우우우우~ (손으로 큐 주면)

혜자 계란이 왔어요. 시위용 계란이 왔어요. 굵고 화려하게 터지는 시위용 계란이 왔어요.

S# 31 거리 외경 / 공원 일각 (N)

무성, 혜자에게 3만 원 쥐어 준다.

무성 계좌랑 연락처 받아놨으니까, 인센티브는 정확하게 입금 시킬게요.

혜자 네 감사합니다.

무성 (시계 보며) 올 때가 됐는데….

그때, 트럭의 헤드라이트가 무성, 혜자를 비춘다.
혜자, 뭐야? 하고 쳐다보는데.

성가 풍의 BGM
헤드라이트에 5명의 실루엣이 보이며 다가온다.

혜자, 앞에 서는 다섯 명의 남자.

무성 늦으셨네요. (혜자 가리키며) 여기 계신 이분입니다.

굴비 (혜자에게) 안녕하세요. 굴비 박입니다.

낙지 낙지 윤입니다.

배추 배추 김입니다.

고장 고장 난 세탁기, 컴퓨터 사요. 고장 곽입니다.

무성 이분들이 할머니 좀 꼭 뵙고 싶다 그래서.

혜자 (왜? 표정)

S# 32 현주 방 (N)

현주, 세안하고 방으로 들어왔다.

화장대 앞에 앉아서 서랍 열고 서랍 안에 있는 반지함 꺼낸다.

현주, 손에 끼고 있는 반지 뺀다.

반지함 여는데, 거기 낡은 백 원짜리 쇠반지가 보인다.

영수 (E) 오다 주웠다.

현주 (돌아보면)

S# 33 거리 일각 - 현주 회상

교복 입고, 얼굴엔 잔뜩 여드름이 난 영수 서 있다.

현주, 핑크 파마에 누가 봐도 날라리다.

현주 (반지 낀 손보며 좋아하는) 오빠 너무 이뻐요.

영수 반지가 이쁜 게 아니라 니 손이 이쁜 거야.

S# 34 **현주 방** (N)

현주, 그 쇠반지를 끼고 있다.

현주 미쳤지 미쳤던 거야.

현주, 반지 빼려는데 안 빠진다.
어? 어? 하며 반지 빼려 난리 치는.

S# 35 **혜자 방** (N)

혜자, 잠옷에 귀여운 헤어밴드 차림으로 (목 보호용 스카프도)
화장품 바르려다 뚜껑 돌려 여는데 그것도 힘든

혜자 아니 왜 이것들은… 뚜껑을 다 원터치로 만들면 좀 좋아? 돌리다가 손목 나가겠… (하다가) 아…. 목소리 다칠라. (화장품 내던지고 벌러덩)

[FLASH BACK]
S# 18
어르신들에게 약 파는 준하 모습
혜자에게 웃으며 칼슘제 박스 건네던 준하.

혜자 진짜…. 좋아서 하는 것 같기도 하고. 아니 아무리 돈이 좋다 그래도 젊은 놈이 뭐 할 짓이 없어서…. (E) 진짜 내가 사람 잘못 본 거냐 이준하? (심란한 듯 천장 보고 누워 있는)

S# 36 혜자 집 외경 / 혜자 방 (D)

혜자, 나갈 준비 하고 있는데.

엄마, 들어온다.

영양제 박스 숨기는 혜자

엄마 오늘도 거기 가려구? 엄마 괜찮으니까 집에 있어~

혜자 그냥 볼일만 보고 올 거야.

엄마 무슨 볼일?

혜자 (뭐 샀다 얘기 못하고) 그런 게 있어.

엄마 (좀 의심) 같이 가? 손님 오기 전에 잠깐 시간 있는데….

혜자 아니야. 진짜 잠깐 들렸다만 온다니까.

S# 37 홍보관 앞 (D)

홍보관 앞에 도착하는 봉고차.

준하, 병수, 연아 등 기다리고 서 있다.

할머니, 할아버지 내리면 반갑게 인사하는.

준하, 혜자 보자 다가온다.

준하 (인사하며) 오셨어요? 들어가세요.

혜자 (준하를 물끄러미 보고 서 있는데)

준하 (혜자 손에 들린 영양제 박스 보며) 반품이요? 해드릴게요.

혜자 지금 그게 중요한 게 아니고… 잠깐 얘기 좀 할 수 있어?

준하 (웃으며) 지금은 바쁘구요. 이따가 뵐게요. (그러고 다른 할머니 상대하는)

혜자, 어쩔 수 없이 안쪽으로 들어가는데 옆으로 비니 쓴 우현 붙는다.

우현 저기 누님.

혜자 (미치겠다는 듯 보며 E) 뭐냐 또 이 골무는?

우현 저기 오늘 끝나고 영화 같이 보실래요?

혜자 저 오늘 바빠요.

우현 그럼 내일은요?

혜자 내일도 바빠요.

우현 그럼 주말에?

혜자 주말엔 아플 거 같아요.

우현 그럼 언제 식사하실래요?

혜자 저 다이어트 해요.

우현 그럼 샐러드 드실래요?

혜자 저 샐러드 알레르기 있어요.

우현 그럼 소고기는요?

혜자 저 힌두교에요.

우현 언제부터요?

혜자 어제부터요. (쌩하고 들어가 버린다)

우현 (피식) 빈틈이 없군 …합격….

S# 38　　몽타주 (D)

// 색칠공부 시간
다른 할머니 할아버지들, 연아 선생의 지도에 따라
색색의 색연필로 색칠공부 하고 있는데.
혜자, 영양제 상자 꼭 움켜쥐고 앉아 있다.//

// 식물테라피 시간
화분에 꽃을 심는 수업 하고 있다.
병수 선생, 할머니, 할아버지 앞에 꽃 심는 흙 놓아주면.
다들 맨손으로 흙을 퍼 담아 꽃을 심는다.
꽃을 심는 둥 마는 둥 영양제 상자 쥐고 있는//

// 휴게시간
영양제 움켜쥔 혜자의 손.
혜자, 다른 노인들과 같이 고개 뒤로 젖히고 자고 있는.

S# 39　　홍보관 외경 / 홍보관 휴게실 (D)

달랑, 자판기 하나, 원형 테이블 하나 놓여 있는 휴게실.
혜자, 자판기에서 음료수 하나 꺼낸다.
혜자, 졸린 듯 하품하다가 돌아보는데 샤넬할머니 서 있다.
혜자, 엉겁결에 인사하자 도도하게 받는 샤넬.

혜자　　(어색하다. 캔 음료수 뚜껑을 따서 건네며) 드세요.
샤넬　　됐어요.

혜자 전 하나 더 뽑으면 돼요. 드세요.

샤넬 됐다니까요!

샤넬, 혜자 손 치면, 음료수 바닥에 떨어진다.
샤넬, 사과도 안 하고 딴 쪽 쳐다보고 있고,
혜자, 황당해하는데 그때 휴게실로 들어오는 준하.
혜자 있는 걸 보고 살짝 당황하는 듯

준하 (혜자 보며) 지금 사무실에서 반품하실 분들 기다리는 것 같던데요?

혜자 아…. (하고는 준하, 샤넬 둘을 번갈아 보다가 나간다)

준하 (샤넬할머니 보고) 무슨 일이세요? 어르신….

샤넬 이거 우리 아들한테 좀 부쳐줘.

나가려다 문 입구에서 둘의 대화 듣고 있는 혜자.

준하 아…. 네 L.A에 사시는 아드님 말씀이시죠? 주소는 똑같은 데로?

샤넬 부탁 좀 할게. 지난번 홍삼도 잘 갔나 몰라?

준하 잘 들어갔어요. 제가 확인했어요. 걱정 마세요. 메모해서 내일 바로 부칠게요. (쓰면서) L.A…

샤넬 고마워. 매번… 부치는 데 돈도 많이 들 텐데….

준하 아니에요. 그 정도는 저희가 다 부담해요.

혜자, 아직은 별생각 없는 듯 자리를 뜬다.

S# 40 교육실 (D)

희원 있고, 몇 명의 사람들 손에 영양제 상자 들려 있다.
혜자, 교육실로 들어오면.

희원 어르신도 반품하려고 오셨죠? 여기로 앉으세요.
그러니까 여섯 분 반품하시고…. 박 팀장 오면 바로 진행할게요.

그때, 병수 팀장, 커다란 박스 들고 들어온다.
그러다가 박스를 우당탕탕 놓치는데 어색하긴 하다.

희원 야 임마!!! 그 비싼 걸 놓치면 어떡해?
병수 죄송합니다.
희원 (박스 주워 소매로 닦으며) 이게 보통 약인 줄 알어? 너 이거 보여? 이 마크가 뭐야?
병수 나사(NASA)요.
희원 그래 임마! 이게 자그마치 미국 나사에서 개발한 거야. 우주비행사들이 음식 같지도 않은 걸 먹으면서 어떻게 200일 300일 막 2년 그렇게 버티는 줄 알아? 이 약 먹고 그런 거야. 미국 애리줘나에서 태어난 쌍둥이가 있었대. 그중 형이 우주비행사가 됐는데… 한번은 우주로 나가서 2년 동안 이 약만 먹다가 지구로 돌아와 보니까 얘네가 더 이상 쌍둥이가 아니네? 부자지간으로 보였다는 거 아냐. 왜? 우주비행사는 이 약을 먹어서 하나도 안 늙었거든. 내가 이거 구하려고 나사까지 인맥 만들면서 들어간 술값만 기백만 원이야.
병수 그러면 더 좀 구해오시지.
희원 이게 수량이 있다고 구해지는 것도 아니고, 아무한테나 팔 수 있는 것도 아니야.

병수 왜 못 팔아요?

희원 이게 다 좋은데 이거 먹으면 뼈가 약해져. 그래서 우주인들이 지구에 내리면 혼자 못 걷고 그러는 거야.

병수 그럼 뭐예요? 있으나 마나네.

희원 (한심하게 보는) 그러니까 걔네가 (가리키며) 우리가 파는 저 칼슘제를 같이 먹는다는 거 아냐…. 그게 딱 궁합이 맞으니까!!

Cut to

S# 41 복도 (D)

혜자, 복도로 나오는데,
한 손에는 칼슘영양제, 한 손에는 토성 사진 있고,
나사표시 선명한 영양제 들고 서 있다.

S# 42 교육실 (D)

희원, 슬쩍 밖에 한번 보다가

희원 (병수 머리 때리며) 아우 자식아!

병수 아 왜요?

희원 너는 이 생활이 몇 년째인데 연기가 안 늘어? 내가 너 때문에 걸릴까 봐 조마조마했다.

병수 태생이 착한 걸 어떡해요 그럼?

희원 누군 태생이 나쁜 놈이라 이거 하고 있냐?

병수 그러고 보면 준하 그거 대단해요? 어쩜 사기를 티도 안 나게 쳐. 아으…

생양아치 새끼….

희원 (걸리는 듯) 그런 소리 마라… 걔도 원래 이런 일 할 애 아니다…. (착잡하고 미안한) 어쨌든 걔 덕에 우리 먹고사는 거니까. 너도 준하한테 잘해!

병수 (입 삐죽)

S# 43 복도 (D)

혜자, 양손에 영양제 들고.
걸어가다가 후다닥 빠른 걸음으로 카메라 쪽으로 온다.
보면, 우현 두리번거리면서 오는.

우현 누님! 희선누님! 분명 여기 있었는데.

S# 44 창고 밖 복도 + 창고 안 (D)

우현, "희선누님" 부르면서 가고.

창고 안.
혜자, 창고에서 밖을 보고 있다가 우현 간 거 보고 안심하는데.
창고를 둘러보다가 한쪽에 L.A로 메모되어 있는 상자들 발견한다.

[FLASH BACK]
준하 메모해서 내일 바로 부칠게요. (쓰면서) L.A…

혜자 보면, 그 상자 밑으로 각종 상자들 다 'L.A'라고 메모되어 있다.

뭔가 심상치 않게 생각하는 혜자

그때 창고 문 열리면 준하 들어온다.

엉겁결에 뒷걸음치는 혜자.

준하, 아까 샤넬에게 건네받은 약상자를 L.A 메모 상자들 위에 놓고 나가려는데…

혜자 (OFF) 그거, 그 샤넬할머니 아들한테 보내준다는 약 아냐?

준하 (돌아보는)

혜자 근데…. 도대체 언제부터 챙겼는지 아주 창고에 꽉꽉 쟁여놨네.
(상자 대충 세어보며) 이게 다 몇 개야?? 한두 번이 아닌데?

준하 …

혜자 돈만 받고 한 번도 부친 적 없는 거 같던데 그건 약 파는 거랑은 죄질이 다르지. 그게 샤넬할머니한테 할 짓인가? 이럼 얼마나 받는데? 연봉 한 일억쯤 받아? 좋아서 한단 얘기가 이거였어?

준하 (웃으며 대충 넘기려는 듯) 부칠 거예요. 한 번에 부쳐야 싸니까…

혜자 (O.L) 천직이네. 이게. 말 잘하는 건 진작에 알고 있었는데 거짓말까지 잘하는 건 몰랐네 내가. (박스 막 챙기며) 이거 다 내놔. 내가 부칠 테니까.

준하 (곤란) 저기 어르신….

혜자 (막 떨어뜨리면서 하나라도 더 박스 챙기려) 말리기만 해. 경찰에 확 신고해버릴 테니까.

준하 (곤란하게 됐다는 표정) …그거 못 부쳐요.

혜자 (확 째리며) 못 부치긴 안 부치는 거지!

준하 주소를 몰라요. 그 아드님.

혜자 뭐?

준하 (느물거리며 곤란하게 됐다는 듯, 머리 좀 긁적이더니) 그 아들, 없어요.

혜자 (응?)

준하 그 할머니 아드님, 정말 외국에 살고 있는지, 죽었는지 모른다구요. 집 나간 뒤로 연락도 없대요. 그래서 좋은 일 좀 한 거예요. 할머니… 아들이랑

연락된다고 한 뒤로 되게 밝아지셨거든요. (싱긋)

혜자 … 그, 그럼 돈은?! 돈은 왜 받았는데!…

준하 기브앤테이크…! 공짜가 어딨어요, 할머니는 아드님 생각에 행복하시고, 전 돈 벌어 좋고, 다 같이 좋자는 거죠,

혜자 너…. 어쩜…. (화나서 준하를 노려보다가) 내가 다 얘기할 거야. 그래서…

준하 (냉소 O.L) 네. 다 얘기하세요. 지금 샤넬할머니한테 가셔서 할머니 아드님 연락 끊긴 지 오래됐다, 죽었는지 살았는지도 모르겠다, 아니 아들은 잘 먹고 잘사는데 할머니한테만 연락 안 하는 걸 수도 있다…. 그렇게 얘기하세요.

혜자 (할 말이 없어서 준하 보다가) …그만해. 이런 거….

준하 왜 자꾸 멀쩡히 회사 다니는 사람한테 그만 다니라고 하세요?

혜자 멀쩡한데 아니잖아!… 나쁜 데잖아.

준하 (웃으며 능글능글) 그럼 어디가 멀쩡한 덴데요? 회사? 공무원? 어차피 다 똑같아요. 결국엔 포장만 그럴듯한 거지 다 자기 잘 먹고 잘 살려고 일하는 거지 누구 위해서 일하는 거 아니잖아요.

혜자 (변했구나…) 하…. 나, 다 말할 거야. 여기 할머니 할아버지들한테 다 말해서 너 여기 못 다니게 할 거라구…!

준하 네 다 얘기하세요. 그거 듣고 줄줄이 환불한다, 안 온다 하면 어쩔 수 없죠 뭐. 앞으로 할머니나 이런데 오지 마세요.

혜자 …

준하 나쁜 데잖아요. 이제 아셨으니까 다시는 오시지 마세요.

혜자 그래 안 온다! 내 치사하고 더러운 꼴 보기 싫어서 안 나온다…

혜자, 문 열고 나가는데 준하는 잡지 않는다.

창고 앞 복도.

혜자, 나오는데 한 무리의 노인들 모여 있다.

준하와의 대화 내용 다 들었는지 싸한 표정으로 보고 있다가
혜자, 무슨 말 하려 하자 노인들 그대로 자리를 떠버린다.

S# 45 미용실 (D)

손님들 없는 미용실로 아빠가 들어온다.
아빠, 순간온수기 있는 쪽을 간다.
점화 스위치 돌리는데, 타타탁 소리만 날 뿐 불이 켜지지 않는다.
또 계속 타타탁 점화 스위치를 돌린다.

엄마 (OFF) 사람 불렀으니까 놔둬.
아빠 뭐 하러 돈 들여.

또 타타탁 점화 스위치만 오래 누르며 돌린다.

엄마 그거 아니야. 해봤어.

아빠, 또 타타탁 점화 스위치만 누른다.

엄마 (슬슬 짜증이 올라온다) 아 쫌 아니라고 그거. 아니라고 얘기하잖아.

아빠, 아무 소리 없이, 집 쪽 문으로 간다.
엄마, 짜증을 가라앉히려고 눈감고 그대로 서 있는.

S# 46 거리 일각 (D)

우울한 표정으로 걸어가던 혜자 앞을 막는 남자들

보면, 굴비 박, 낙지 윤, 배추 김, 고장 곽이다.

혜자 한숨 쉬고

(Cut to)

우울한 듯 무표정의 혜자, 녹음 부스 같은 곳에서 헤드폰 끼고

마이크 앞에 두고 서 있다.

하지만, 카메라 뒤로 빠지면, 녹음 부스가 아니라

공중전화기 박스 안이다.

성가 풍의 BGM.

빙 둘러싼 남자들

혜자, 녹음하는 컷컷 보인다.

혜자 (F) 고장 난 세탁기, 냉장고, 컴퓨터 사요.

(F) 배추가 왔어요. 싱싱한 배추가 왔어요.

(F) 그래 이 굴비야!

(F) 얘 영수야 낙지 먹어라~

S# 47 포장마차 (N)

지친 얼굴의 혜자, 계란에 배추, 낙지, 영양제까지 들고 들어서는데…

준하, 먼저 온 듯, 소주 마시고 있다.

혜자, 바로 가자미눈 돼서 준하를 찌릿 본다.

"흥"하며 준하 쪽에서 일부러 떨어져 앉고.

혜자 이모! 여기 우동 하나 주세요.~!

말없이 먹고 있는 둘.
혜자, 준하 의식하며 우동 먹는데…
준하는 무슨 생각을 하는 건지 묵묵히 고개 숙인 채로 연거푸 술만 들이마신다.
매우 지쳐 보이는 얼굴… 홍보관 때와는 다른 분위기다.
혜자, 노인 등쳐먹는 준하가 분명 미운데, 싫은데,
수척해진 얼굴이 자꾸만 신경 쓰인다. 힐끔…힐끔…
그러다 벌떡 일어나 잔 들고 준하 맞은편 의자에 앉는다.

준하 ! ……
혜자 (소주잔 보이며 따라 달라는 표정)
준하 (말없이 술 따라주고. 자기 잔에도 따르려는데)
혜자 (술 뺏어서 직접 따라주고) 안주가 바뀌었네? 돈 좀 버셨나 봐?
준하 (본다)
혜자 누님 형님들한테 사랑 듬뿍 받으셔서 형편 좀 나아지셨냐고.
준하 (한숨 쉬고 일어나는데)
혜자 보고 싶대!…
준하 !!!!!
혜자 혜자가,… 너 덕분에 정말 즐거웠대. 너랑 있으면 우동 한 그릇에 소주 한 병을 나눠 마셔도 좋았대….
준하 (눈빛 흔들리는)
혜자 근데 급하게 사정이 생겨서 연락도 못 하고… 떠나기 싫어했어. 혜자두…!

흔들리는 준하의 표정 위로

[FLASH BACK]

거리 일각 (2화)

준하 난 뭔가 내 스스로가 부족하다고 느껴선지 자꾸만 뭐든 제대로만 하려고 해요. 내가 한 무언가에 흠이 있으면 그게 바로 내 약점이 된다고 생각해서.

혜자 사랑이 부족하네. 난 내가 싫진 않아요. 내가 사랑스러워 미치겠어 까지는 아닌데 그냥 괜찮은 것 같애. 별로인 구석도 많은데 꽤 귀여운 것 같기도 하고…. 흐흐흥 (웃다가 헉!해서 혼잣말) 미친년… 큼…. 뭐 스스로를 사랑해 봐라 그런 얘기예요. 그럼 좀 관대해지니까….

포장마차 (1화)

혜자 … 너…. 너무 애틋해…. 너무 안됐어… 진짜 너무 안쓰러워…. 엉엉…

// 다시 현재

종알종알 얘기해대는 혜자.

아련히 과거를 기억하고 있는 준하.

혜자 … 미리 말해두지만 내가 스토커처럼 누군가의 뒤를 꼬치꼬치 캐물으려고 그런 건 아니고 서로의 안부를 묻는 과정에서 자연스럽게 나온 거거든. 알지 혜자. 독일 가 있는 내 조카손녀…. 우리 혜자가 독일에서 오면 속상해하겠네.

준하 (혜자 보며) 김혜자!

혜자 (헉! 심쿵)

잠깐 동안 투샷 갔다가

얼어있던 혜자에게

준하 독일에 있는 김혜자한테 전해주세요. 저 그 친구랑 동네에서 몇 번 마주친 거 뿐이구요. 우동 한두 번 같이 먹은 거 갖구 오바하지 말구 한국에 오든 말든 속상해하든 말든 제가 알 바 아니라고 전해주세요. 그리고 마지막으로 부탁드리는데 할머니도 더 이상 저 좀 궁금해 하지 말아주실래요? 다시는 보고 싶지 않습니다. (나가버리는)

혜자 (E) …. 내가 알던 준하 맞니? … 낯설고… 무서운 얼굴….

혜자, 섭섭하고, 분하고 그리고… 비참하다

S# 48 동네 전경 (N)

동네에 울려 퍼지는 혜자의 녹음 목소리.

혜자 (F) 고장 난 세탁기, 냉장고, 컴퓨터 사요.
(F) 배추가 왔어요. 싱싱한 배추가 왔어요.
(F) 그래 이 굴비야!
(F) 얘 영수야 낙지 먹어라~

S# 49 거실 (N)

거실로 들어오는 혜자,
엄마, 아빠, 자고 있는 듯 조용하고.
어디선가 새어 나오는 불빛. 영수 방이다.

S# 50　영수 방 (N)

영수, 자고 있고,
혜자, 들어온다.
좌식 책상에 놓인 컴퓨터와 그 옆에 켜진 스탠드 하나.
화면이 컴퓨터 모니터처럼 오른쪽에 채팅창이 뜨고.

[방제 무식사, 무화장실, 무편집 48시간 잠방 도전!]
[참여인원 8명]

채팅창도 보다가 잠든 듯 아무런 글이 안 올라오는데

['혼돈의 카오스'님이 입장하셨습니다.]
[혼돈의 카오스 : 이방 무슨 방임?]
[쳐자는 거 보면 몰라 잠방이지]

그때 영수, 자세 바꾸면서 목 긁고.
그러곤 잠든 듯 자연스럽게 손이 바지춤으로 들어가자

[ㅋㅋㅋ]
[나인 줄]
[19금 걸자]
[영자 뜨면 영정이다]

그때 닫혔던 문 끼익 열리며 거실 불이 새어 들어오는데
그 불빛을 등지고 서 있는 누군가의 실루엣.

[헐 누구임?]

[쟤 좀 깨워주세요]

[기술 가르쳐서 공장 보내요!]

[깨우면 별사탕 100개]

혜자 (한참 쳐다보다가) 전기세 1원도 못 버는 주제에… 컴퓨터나 끄고 자던가….

누군가 천천히 컴퓨터를 끄러 다가오자 얼굴이 보이는데 할머니 혜자.

[헉! 곤지암 귀신이다]

[할머니네]

[아무것도 안 해도 할머니가 더 재밌다]

혜자 (화면을 물끄러미 보다가) 뭐야…방송 중이네? (눈 가늘게 뜨고 읽으며) 48시간 잠방 도전? 잠방이 뭐야…

[잠만 자는 방송]

[쳐 누워서 별사탕 버는 방송임]

[개편한 세상]

혜자, 채팅창이 잘 안 보이는 듯 눈을 가늘게 뜨고 봤다가 그래도 안 되겠는지 아예 화면 앞에 와 앉고, 그래도 안 보이자 화면에 바짝 다가앉고.

혜자 (채팅창 천천히 읽으며) 잠만 자는 방송… 그걸 왜 봐?

[ㅋㅋㅋ]

[근데 할매 몇 살?]

[틀니임?]

[백악기부터 살았을 것 같다]

[어른한텐 연세라고 하는 거다]

[선비충 극혐]

혜자 (채팅창 보다가) 나? 몇 살이냐고? (가만히 있다가) … 스물다섯.

[ㅋㅋㅋㅋ]

[ㅋㅋㅋㅋㅋ]

[헐!!]

순간 채팅창에 'ㅋㅋㅋ'로만 도배되고
별사탕 터지고 난리 나는데 혜자만 평온하게 양손으로 턱 괴고 화면 보는 데서.

Episode 6

S# 1 영수 방 (D)

돼지우리 같은 방에서 아무렇게나 자고 있는 영수.
미간에 주름 잔뜩 잡고 발을 꼼지락꼼지락… 화장실이 가고 싶다.
하지만 '48시간 잠방' 이란 타이틀 때문에 참는.
영수, 한계인 듯 몸을 조금씩 뒤틀다가

영수 (벌떡 일어나서 캠으로 오며) 아 왜 불러요 진짜! 나 48시간 갈 수 있었는데 이렇게 방해하기 있기 없기? 아 진짜 이거 니들이 계속 말 시켜서 못 한 거다. 내가 안 한 거 아니야.

영수, 컴퓨터 앞에 왔는데, 돌아가서 딴 곳을 비추고 있다.

영수 어! 이거 왜 이래? 아씨!!

영수, 다시 카메라 자기가 보이게 돌려놓는데.

영수 진짜 주작 아니다!! 저절로 돌아간 거야. 별사탕 쓸어 모을 수 있었는데. 얼마나 터졌나?

영수, 마우스 클릭하는데.
〈별사탕 : 11,250개〉

영수 마 만개!! 야야 이거 어느 형님이 쏜 거야?

[어제 할머니 오셨었다]

[할머니가 하드캐리했음]

영수 할머니? 혜… 아니… 할머니! 다시보기 다시보기!

영수, 다시보기 클릭해서 화면 본다.

// 모니터 영상
모니터 속 술 취한 혜자 뒤쪽으로 잠든 영수가 보인다.
혜자, 모니터 쪽에 다가가 앉아서 채팅창과 토크 중이고.

혜자 (눈 가늘게 뜨고 채팅 읽으며) 그래. 진짜 스물다섯이라니까. 투에니빠이브 오케이? (채팅 잘 안 보이는 듯 다가와서 한 자 한 자 읽으며) 안 믿나 본데 늙는 거 한순간이야 이것들아. 니들 이렇게 이딴 잉여인간 방송이나 보고 있지? 어느 순간 나처럼 된다? 나도 몰랐어. 내가 이렇게 늙을 줄…. 에이씨… (짜증 나서 앉아 있다가 채팅창 한 자 한 자 읽으며) 뭐? 틀.딱.충. 개.극.혐? 야 나도 니들 같은 찐따시키들 개.극.혐!! (다시 읽는) 별사탕 쏜다고! 야 쏘지마. 그걸로 니들 엄마 음료수라도 사드려!

['지옥에서 온 스물다섯'님 별사탕 100개를 선물했습니다!]

혜자 말 지겹게 안 듣네! 쏘지 말라고!!

[별사탕 계속 터지는]

혜자 쏘지마! 쏘지마!

계속 채팅장 대박 나며 별사탕 터지고 난리가 난다.

// 다시 영상을 보고 있는 영수.

두 눈에 폭포수 같은 눈물이 흐른다.

혜자 (OFF) 오빠~ 밥 먹어.

S# 2 혜자 집 거실 (D)

모여서 아침 먹는 혜자와 가족들.
식탁 위에 온갖 달걀국, 달걀찜, 달걀말이… 낙지에, 굴비 등 반찬 그득하다.

아빠 (엄마 보며) …오늘 무슨 잔치야?
엄마 (혜자 가리키며) 녹음하고 돈 대신 받아 왔대잖아.
혜자 (칭찬받고 싶은) 장하지? 우리 딸이 최고지? (계란말이 먹어보며) 에헤! 이거 딱 보니까 텍스춰가 찜용 계란인데 말이를 하셨네. 조만간 아빠 좋아하는 꼴뚜기 스케줄 잡혀 있거든. 아빠 원 없이 먹게 해줄게.
엄마 (밥 먹으며) 그래 아빠 입만 입이지.
혜자 에이 뭘 또. 우리 또 문 여사님을 위해서 내가 쇼핑 스케줄 다 잡아놨어.
엄마 아유 됐네. 그 돈 너나 쓰셔~

영수, 휴대폰으로 별사탕 세어보며 좋아라하며 나온다.

영수 (앉으며) 이거 조만간 건물주 되겠는데? (혜자 보며) 이거이거 어렸을 때 업어 키운 걸 이렇게 보답하나?
혜자 (어이없는) 두 살 차이에 업어 키우냐? 헛소리 그만하고 이제라도 좀 나가서 가정에 도움이 좀 돼보는 게 어때?
영수 (휴대폰 보며 낄낄) 풋! 난 그런 푼돈은 취급 안 해. 인생은 한방이지.
엄마 (밥 먹으며) 한 방 맞기 전에 조용히 밥 먹어라.

영수 (바로 휴대폰 치우고 수저 들고) 넵.

혜자 엄마, 아무 소리 말구 나랑 밥 먹구 같이 백화점 가. 내가 다 사줄게.

혜자, 기운차고 생기 있어 보이는 얼굴이다.

S# 3 동네 어귀 (D)

홍보관 차 기다리고 서 있는 할머니, 할아버지들 모습.
그때 준하가 운전하는 홍보관 봉고차가 할머니들 앞에 서고.
준하, 봉고차에서 내려서 차에 타는 노인들을 부축해주는데
그런 준하의 모습을 멀리서 가자미눈하고 보고 있는 혜자.

[FLASH BACK]
5화
자신에게 충고하는 혜자에게 차갑게 대하는 준하.

준하 한국에 오든 말든 속상해하든 말든 제가 알 바 아니라고 전해주세요.

// 다시 가자미눈 혜자
할머니들 웃으며 도와주는 준하를 째리는 혜자

혜자 … 나쁜 놈…. 자고 일어나면 나처럼 폭삭 늙어있어라…. (하다) 이 정돈 말고… 한 마흔 정도…

노인들 다 태운 봉고차 떠나는데 혜자, 계속 그쪽 째려보는.

S# 4 홍보관 입구 (D)

모시고 온 할머니, 할아버지들과 입구로 들어서는 준하.
우현, 신나서 나왔다가 혜자가 없자 눈으로 찾고.

우현 … 희선 씨는….
준하 … (상업적 웃음) 글쎄요. (할머니1 부축하며 들어간다) 어르신. 오늘따라 화사하시네요.

입구로 나오던 희원, 준하를 부른다.

희원 샤넬 할머니는?
준하 글쎄요…? 안 나오셨던데요?
희원 (뭔가 생각하다가) 정리 끝나는 대로 회의 좀 하자?
준하 네.

S# 5 홍보관 내 회의실 (D)

홍보관 직원들, 희원, 연아, 병수 기타 등등 회의실로 들어온다.
희원, 연아, 병수, 다른 직원들 의자에 앉는데.
준하, 뒤늦게 들어오는데 앉을 자리가 없다.
희원, 병수의 뒤통수를 때린다.

희원 임마! 니가 왜 거기 앉아 있어. 비켜!

병수, 뒤통수 만지며 일어나면,

다른 의자랑 다른 고급스런 의자 놓여 있다.

희원 이 팀장 여기 앉아.

준하 (앉으면)

병수 나는?

희원 거기 있잖아 앉아.

병수, 보면, 작은 목욕탕 의자 놓여 있다.

병수, 구시렁거리며 앉는데 목만 겨우 회의 테이블 위로 올라온다.

병수 (벌떡 일어나는) 너무하는 거 아니야?

희원 뭐가 너무해? (실적표 들고) 봐봐! 니가 낸 실적이랑 이 팀장이 낸 실적이랑! 이래도 너무해?

병수 (다시 쪼그려 앉는/ 테이블 위로 머리만 올라오는)

희원, 직원들에게 보험 브로셔 나눠주고.

병수 (브로셔 표지 읽으며) 100세 시대 종신보험… 어우 무섭네. 저 노인네들 100살까지 본다 생각하니까.

준하 (그런 병수 한심하게 봤다가 브로셔 넘겨보는데)

희원 요새 준하 덕분에 판매실적이 나쁘진 않은데 그래도 우리가 좀 더 글로벌한 회사로 나아가기 위해서는 새로운 수익모델이 절대적으로 필요하다 이거지.

준하 (대충 뒤적이며) 여기 오시는 노인 분들 보험 들기 쉽지 않으실 텐데….

희원 그러니까 거기에 내 조카가 있다는 거 아냐. 조건 다 맞춰줄 수 있어

준하 보험료는요?

희원 우리가 내주는 거지. 그거 얼마나 한다고… 아직까지 홍보관이라 그럼 노

인 등쳐먹고 쌈짓돈 뺏는다고 생각하는 인식도 없앨 겸….

준하 그렇다 쳐도 이게 수익모델은 아닌 것 같은데요. 보험으로 신규 유입은 가능해도 결국엔 그분들한테 물건 파는 게 목적인데…. 그건 또 다른 문제잖아요.

희원 (당황) 어… 어?

병수 (O.L) 할머니들 쌈짓돈 좀 뜯더니 모든 걸 다 돈벌이로만 보시네. 가끔은 돈 안 돼도 좋은 일 좀 하세요 네?

준하 (병수 보는데)

병수 여기서 계약 건수 좀 나오면 보험사에서도 가만있진 않겠지. 휴지 쪼가리라도 지원해주고 하지 않겠어?

희원 그지 그지. 내 말이 그 말이야.

준하 (병수 똑바로 쳐다보며) 그럼 열심히 해보세요. 그거라도. (일어나 나가고)

병수 (피식)

희원 (괜히 분위기 풀려고) 그래 다들 파이팅 넘치는 모습 아주 좋아. 하하하

S# 6 백화점 또는 쇼핑몰 (D)

그릇 행사 중인 좌판에 서 있는 혜자와 엄마.
엄마, 프라이팬 손바닥으로 통통 치면서.

엄마 난 이걸로 할게.

혜자 거 선물이라니까…. 센스없이 주방용품을 고르냐?

엄마 프라이팬 바꾸고 싶었어. 이게 내 선물이야.

혜자 나중에 후회해도 나 모른다.

엄마 엄마 이거 계산하고 상품권 받아올게. 여기서 좀 있어.

혜자 어.

엄마, 프라이팬 들고 가고,
혜자, 이 물건 저 물건 살펴보고 있는데.

(E) 따르릉 울리는 비상벨.
혜자, 사람들 돌아보며 뭐지? 하고 있는데,
몇 사람들 갑자기 뛰기 시작하면, 사람들 우왕좌왕한다.
혜자도 당황해서 빠른 걸음으로 걷는다.

S# 7 엘리베이터 안 (D)

혜자, 겁먹고 당황한 표정으로 후다닥 엘리베이터에 탄다.
아직 넉넉한 엘리베이터 공간.
혜자, 뒤로 우르르 사람들 엘리베이터에 타고,
엘리베이터, 만원 표시 뜨며, 만원 경고음 뜨는데.
아무도 내릴 생각을 안 한다.
혜자, 뭔가 이상한 시선을 느껴, 사람들 쳐다보면,
다들, 혜자를 바라보고 있다.
마치 당신이 내려야지. 내릴 사람은 당신밖에 없어. 다 늙어 염치도 없네 하는 듯한 눈빛들.

S# 8 백화점 (D)

엄마, 비상벨 소리에 정신없이 뛰어 혜자를 찾기 시작한다.
어디에도 없는 혜자.
엄마, 엘리베이터 앞으로 가는데.

엘리베이터에서 혼자 내린 혜자, 멍하게 서 있다.
그런 혜자를 보는 엄마.
비상벨이 뚝 끊기고, 방송이 나온다.

방송 (F) 안내 말씀드립니다. 현재 기기의 오작동으로 인해 비상벨이 울렸습니다. 심려와 걱정을 끼쳐드려 죄송합니다.

엄마 놀랐지? 괜찮아?

혜자 응. (하지만 괜찮지 않은)

S# 9 동네 일각 (D)

말수가 없어진 혜자.
그 옆에 엄마, 전화 받으면서 걷는다.

엄마 네네 금방 갈게요. 네. (끊는) 손님 와서 기다린대. 엄마 먼저 갈게.

혜자 쉬는 날이잖어.

엄마 그러게? 파마 손님이래. 천천히 와.

엄마, 빠른 걸음으로 간다.
걷던 혜자, 힘든 듯 한쪽 평상에 걸터앉아 숨 돌리고.
그때 저쪽에서 보행 보조기 천천히 밀며 걸어오는 할머니 모습.
그리곤 혜자 옆쪽에 앉아 숨 돌리고는 혜자와 가볍게 목례.
저쪽에 지팡이 짚고 천천히 걸어오던 할아버지도 평상에 앉고.
점점 노인들로 채워지는 평상. 혜자 왠지 기분 별로고.
그때 저쪽에서 요구르트 아줌마가 카트 밀고 오고.

아줌마 아이고 나오셨어들. (요구르트 하나씩 까서 빨대 꽂아 나눠주며) 잡수세요들. 사레 안 걸리게 천천히들 드세요. (혜자에게도 건네고)

혜자 (멍하니 가만히 있는데)

아줌마 처음 뵙는 분이네? (웃으면서 요구르트 쥐어주고 카트 끌고 가고)

혜자, 손에 들린 요구르트를 멍하니 본다.
그리곤 평상에 쪼로록 앉은 노인들을 번갈아 보고…
그때 한 자그마한 할머니 혜자 앞에 서서 요구르트와 혜자를 번갈아 본다.
혜자, 뭔 상황인지 몰라서 시선 돌리는데 한 할머니, 혜자만 뚫어지게 본다.

혜자 (상황 파악하고) 아… 원래 이 자리…

할머니 (끄덕끄덕)

혜자 (얼른 일어나고) 죄송해요. 몰랐어요.

할머니 (자리에 앉아서도 혜자 손에 들린 요구르트를 본다)

혜자 (!!) 아… (요구르트 건네고) 전 처음이라… 드세요. 입 안 댔어요.

할머니 (요구르트 받아서 행복한 얼굴로 쪽쪽 빨아먹고)

혜자, 이래저래 짜증 나는 표정.
자리 뜨는데 여전히 평상에 앉아서 요구르트 빨고 있는 노인들.

S# 10 마트 앞 (D)

마트 앞을 걸어가는 혜자. 우울해 보인다.
그때 트럭에서 물건 내리던 마트 사장이 혜자에게 아는 척.

사장 어. 그분 맞으시죠? 맞으시네, 인상착의가. 계란이 왔어요 그 목소리.

혜자 아… 네….

사장 계란 최 대표한테 말씀 많이 들었어요. 저기 위쪽 미용실에 사신다길래 안 그래도 한번 찾아뵈려고 했었거든요.

혜자 절… 왜요?

사장 아니 목소리가 너무 정감 있고 좋아서. 저희 이번 분기 주제가 '어머니의 손맛'인데 젊은 여직원한테 녹음을 시켰더니 영 느낌이 안 살아서요. 혹시 괜찮으시면 저희 마트 판매 멘트도 좀 녹음해주실 수 없나 해서….

혜자 (손사래) 아우. 제가 무슨… 아니에요. 그냥 그때도 제가 못 한다고 못 한다고 하는데 그 달걀 사장님이 너무 험악하게 생기셔서….

사장 (O.L) 섭섭지 않게 사례는 할게요.

혜자 (바로 입 푸는) 뚜루루루루루. 아아! 췍췍. 마이크 테스트. (마트로 들어가며) 가시죠

S# 11 마트 외경 / 마트 안 일각 (D)

마트 사무실에서 종이 보며 마이크로 녹음 중인 혜자.

혜자 (잘하는) 지금 정육 코너에서 양념 된 불고기가 600그람에 만 이천 원에 판매되고 있습니다. 엄마의 손맛이… 역시 끝내줘요! 건강한 재료 건강한 음료 참참두유가 1+1 행사 중입니다. (꿀꺽꿀꺽) 그래 이 맛이야!!

사장 (만족스러운 표정) 아니 어머니 왕년에 성우 하셨어요? 진짜 잘하시는데요?

혜자 (괜히) 살짝 목감기 기운이 있어서…. 괜찮았어요?

사장 낼모레 참치랑 횟감 싱싱한 거 들어오는데 그때도 멘트 녹음 좀 부탁드릴까 하는데….

혜자 (괜히) 스케줄 확인을 해봐야 해서 확답은 못 드리겠는데… 긍정적으로 검토해 볼게요.

사장 자 그럼 얼마를 드리면 되려나…. 얼마 정도 생각하세요?

혜자 아… (고민하다) 혹시 돈 대신 물건으로 가져가도 될까요?

사장 네? 아 그럼 저희야 좋죠.

S# 12 마트 안 (D)

욕심부려서 이것저것 마트 카트에 꽉꽉 챙겨 넣는 혜자.

혜자 (큰 세제도 챙기며) 엄마 수건 빨 때 써야 되니까… (하다 생리대 코너로) 오오 생리대. 세일하네. (평소대로 훑으며) 울트라 날개 중형… 울트라…

아줌마 (혜자 쪽 보며) 뭐 찾으셔. (하나 보여주며) 요새 젊은 애들 이거 쓰던데. 우리 딸도 이거 써요. 샘플 많이 붙여 드릴 테니까 손녀분한테 써보라고 하셔.

혜자 (멈칫!!!!)

아줌마 (의아한 듯) 왜요? 샘플 더 드려요?

혜자 (당황) 아… 아니에요. 됐어요…. (자리 뜨려는데)

아줌마 왜 이거 좋은데. 샘플 두 개 더 붙여드릴게. 이걸로 가져가셔.

혜자 아뇨. 수고하세요…. (서둘러 카트 밀고 가려는데 무거워서 낑낑…)

그때 샤넬할머니, 성인용 기저귀 보고 있는
혜자랑 얘기하던 아줌마, 샤넬할머니 쪽으로 다가가고.

아줌마 (성인용 기저귀 가리키며) 이거 얇으면서도 흡수력도 좋고 좋아요.

혜자 (소리 난 쪽을 보다가 샤넬할머니 발견하고)

샤넬 (이미 표정 안 좋은데)

아줌마 (샘플 하나 들고 늘려서 샤넬 할머니에게 대보며) 어르신은 날씬하시니까 스몰 이거 입으심 되겠네.

샤넬 (혜자와 눈이 마주친다. 아줌마 손 탁 치며) 뭐 하는 거예요! 사람을 뭘로 보고… (자리 뜨고)

아줌마 (황당하단 표정) 뭐야… 도와줘도 난리네….

혜자, 샤넬할머니 있던 곳 가보는데 진열된 성인용 기저귀가 눈에 들어온다.
황급히 마트를 나서는 샤넬을 물끄러미 보는 혜자.

S# 13 동네 입구 (D)

휴지며 세제며 바리바리 싼 비닐봉지를 양손에 낑낑대고 들고 오는 혜자.
그때 혜자 지나쳐서 저 앞쪽에 서는 홍보관 봉고차.
준하, 차에서 얼른 내려서 봉고차에서 내리는 할머니들 부축해주고.
그리곤 다시 운전석에 타려다 혜자와 눈이 마주쳤는데 그냥 차에 타고 가버리는.

혜자 저 봐 저 봐. 어른보고 인사도 안 하는 거. 아주 무릎 꿇려놓고 삼강오륜부터 다시 가르쳐야 돼 저 자식은… (하다 서운한 표정으로 차 떠난 쪽 보는)

그때 각자 집 쪽으로 흩어져 걸어가던 할머니들.

할머니0 (혜자 아는 척하며) 요새 왜 안 나와요? 어제는 무슨 가순가 와서 노래도 뽑아주고 그랬는데….

혜자 (별 관심 없다) …그냥 재미도 없고. 그때도 한번 어떤가 보러 간 거였어요

할머니0 오늘은 샤넬인가 개넬인가도 안 나오고… 자꾸들 안 보이면 그냥 허전해서….

혜자 (응?) 샤넬 할머니는 왜요? 어디 아프대요?

할머니0 몰라요. 밉상일 정도로 깔끔떨고 그러더만… 뭐가 또 불만인지….

혜자 얼굴 위로

[FLASH BACK]
S# 12에서 성인용 기저귀 코너에 있던 샤넬.

S# 14 혜자 집 앞 (D)

혜자, 물건 들고 올라오는데 저쪽에서 뛰어 내려오는 우현.

우현 누님. 이리 주세요. (짐 건네받으려는데)
혜자 (안 주고) 그쪽이 왜 저쪽에서 나와요? 저쪽은 우리 집인데?
우현 오늘도 안 나오셨길래 편찮으신가 해서….
혜자 괜찮았는데. (얼굴 보며) 확 편찮아지네요…. (서둘러 가면)
우현 (따라가며) 누님의 그 어디로 튈지 모르는 매력이 절 더 빠지게 만드네요….

혜자와 우현, 실랑이하며 올라오는데
미용실 앞에서 기다리던 영수, 혜자 보더니 반색하고 달려온다.

영수 야 김혜… (우현 보고는) 할머니! 어디 갔다 와? 기다렸잖아.
혜자 (영수 뒤로 숨으며) 오빠! 저 할아버지가 자꾸 쫓아와!… 어떻게 좀 해봐!
영수 오케이! 내가 이 할아버지 떼어내 주면 뭐 해줄 건데?
혜자 해달라는 거 다 해주께. 아 얼른!! (영수 밀고는 미용실 쪽으로)

영수, 막상 난감하다는 듯 뒷머리 긁으며 우현 앞을 막아선다.
우현, 윗옷을 벗고는, 팔뚝을 걷어붙이는데,
보면, 찌글찌글한 호랑이 문신 보인다.

우현 이보게 젊은이… 어른들끼리 할 얘기가 있어서 그러니 좀 비켜주겠나?

영수 (쩔끔) 전 오빠… 아니… 손자인데요. 저랑 얘기하시죠….

우현 아… 손자…?…. (후다닥 팔 내리며 문신 가리는)

영수 돌아가시죠? 싫다잖아요.

우현 술 좀 하나?

영수 돌아가시라니까요.

우현 삼겹살은?

영수 맛있는 데 압니다.

앞장서서 가는 영수.

S# 15 미용실 (N)

엄마, 파마 로뜨 대야에 넣고 문질러 씻고 있는데
혜자, 양손에 짐 들고 들어와서 내려놓고.

엄마 뭐야 또 그건. 마트라도 털었어?

혜자 멘트 녹음해주고 받아왔지 뭐. (하다 바깥쪽 시선 주며) 길게 할 얘기도 아니구만. 어딜 또 가는 거야?

엄마 영수? 뭐 하는데?

혜자 … 그냥 내가 뭐 하나 시켰어.

엄마 얼른 들어오라 그래. 맨날 가게 앞에 나와 앉아서 하품 쩍쩍해대고 있으니 연탄가스 사고 때문에 반푼이 됐다고 동네에 바로 소문났어.

혜자 (신경 쓰이는… 봉지 두고 다시 나가며) 내가 다녀와서 이거 정리할 테니까 냅둬 그냥. (나가고)

S# 16 고깃집 (N)

영수, 불판에 익어가는 고기에 눈을 고정하고.

영수 할아버지… 지금 혜자… 아니… 우리 할머니는… 할아버지를 만나고 그럴 상황이 아닙니다.

우현 나도 매번 그랬지. 여자 만날 상황이 아니었어… 그렇게 40년이 흘렀네.

영수 …… 뒤집으셔야 돼요. 큼…. 그건 할아버지 사정이시구요. 암튼… 우리 할머니는 못 만날… 사정이 있습니다….

우현 근데 삼겹살로 되겠어?… 돼지갈비도 먹지?

영수 딩동…

우현 (기다리다가) …댕은?

영수 아직 댕까지는 아니구요. 우리 할머니를 만나려면… 몇 가지 테스트가 필요합니다.

우현 (끄덕) 그 정도야 예상했네.

영수 (삼겹살 우적우적 먹으며) 그럼… 저 메뉴판에서 위에서 두 번째 있는 메뉴를 주문해 보시죠. 아무래도 시력이 어느 정도는 돼야… 할머니 얼굴이라도 제대로 알아보죠.

우현 (끄덕) … 음…. (눈 가느다랗게 뜨고… 땀 삐질 하다가 손 번쩍 들어올리며) 여기 주문!

영수 (매섭게 바라보는 눈)

우현 … 저… 메뉴에 위에서 두 번째에 있는… … 꽃등심 2인분 주시게.

영수 (박수 짝짝) 댕댕댕 딩동댕! 1단계 통과… (하는데 머리 팍 맞는)

우현 (영수 뒤쪽을 흠칫거리며 공손히 집게 두 손으로 놓는데)

영수, 돌아보면 뒤에 서 있던 혜자, 다시 영수 머리 한 대 팍!!

S# 17 혜자 집 외경 / 영수 방 (N)

혜자, 열 받아서 팔짱 끼고 앉아 있는데
영수, 혜자 앞에 무릎 꿇고 앉아 있고.

혜자 그 상황에서 고기가 넘어가냐? 차… 뭐? 꽃등심?

영수 (조용히 고개 숙이고 있는데 뭔가 자꾸 힐끗거리는)

혜자 왜? 딱 니 미래 같아서 친근하고 그렇디?

영수 (역시 조용… 힐끗힐끗)

혜자 야 김영수. 대답 안 하냐? (하다 영수 옆쪽에 휴대폰 발견. 집어 들고)

보면 실시간 방송 중인 영수.
혜자한테 혼나는 걸 그대로 내보낸 듯 채팅창에 글 올라오고 있고.

[지금 혼나는 거 실화냐?]

[나 엄마한테 혼날 때랑 존똑 ㅋㅋㅋㅋ]

혜자 야! 너 미쳤… 이걸 중계해?

영수 아니… 다들 너무 궁금해하길래….

혜자 누가? 어느 찐따가 너 혼나는 게 궁금하대?

영수 혼나는 거 말고… 너….

혜자 뭔 소리야. 나? 나를 왜? (하다 버럭) 야이씨! 너 내 얘기했어 여기다가?!

영수 니가 했잖아!

Cut to

모니터 앞에 넋이 나간 채 자기 주정방송 보고 있는 혜자.
별사탕 계속 터지자 화면 왼쪽 상단에 바로미터 게이지가 점점 차는.

영수　(신난) 방송 체질인가 봐 너.

혜자　(바로미터 보며) … 이건 뭐냐….

영수　적혀 있잖아. 영수 프로젝터 사주기 프로젝트. 축구 볼려고… 모니터는 너무 작고 외국 경기는 다 밤에 하는데 거실 TV로 볼려니까 눈치 보여서….

혜자　(마른세수하고 일어나며) … 이거 지워. 다른데 어디 올라간 데 있으면 그것도 다 찾아내서 지워….

영수　왜에. 이 영상 덕분에 지금 신규 유입이 얼마나 많은데. 야 이왕 이렇게 된 거 우리 같이 제대로 방송하는 거 어때? 내가 컨셉 생각해둔 게 있는데…

혜자　(O.L) … 재밌냐?

영수　(신난) 어. 재밌겠지?

혜자　(버럭) 야!!

영수　(움찔)

혜자　넌 내가 웃기냐? 이렇게 된 내가 웃기냐고? 넌 폭삭 늙은 니 동생이 불쌍하지도 않아? 이렇게 늙은 내가 웃기고 재밌어 그냥?

영수　… 아니 누가 그렇대… 이왕 이렇게 된 거…

혜자　이… 왕?

영수　아니… 늙게 된 거… 돈이라도 벌면 좀… 기분이 나아질 수도 있지 않을까… 하는…

혜자　(영수 얼굴 양손으로 잡고) 김영수. 룩앳미.

영수　(얼굴 잡힌 채 혜자 보고)

혜자　내 말 잘 들어봐. 오빠도 오빠가 바보인 건 알잖아.

영수　(끄덕끄덕) 알지.

혜자　근데 누가 동네 제일 사람 많은 곳에서 '김영수 바보다아!' 소리 지르고 다녀.

영수　또?!!

혜자　(답답) 아니. 지금 오빠가 나한테 방송하자는 얘기는 이 얘기나 다름없다고. 나도 내가 늙은 거 알고, 어쩔 수 없는 거는 아는데… 동네방네 얘기하고 다니는 건 싫다고. 언더스탠?

영수 … (끄덕끄덕)

혜자 지워. (나가는)

S# 18 **미용실** (N)

엄마, 잠이 안 오는지 불은 끈 채 미용실 소파에 앉아 있다.
TV 속 해외축구를 멍한 눈으로 보고 있는.
혜자, 들어온다.

엄마 (얼른 TV 소리 낮추며) 들렸어? 소리 줄인다고 줄였는데….

혜자 … 웬 축구?

엄마 그냥 틀어놓고 있는 거야. 갱년기라 그런지 요새 잠이 잘 안 와서….

엄마와 혜자, 골을 넣고 신나 하는 경기를 감정 없이 보고 있다.

혜자 (TV에 시선 고정) 엄마… 갱년기는 어때? 힘들어?

엄마 (TV에 시선) 힘들지. 한겨울 가만히 있는데도 얼굴에 열이 확 오르기도 하고… 자꾸 깜빡깜빡하고… 몸은 매일 물먹은 솜 마냥 무겁고… 짜증도 많이 나고.

혜자 … 그래서 아빠한테 그러는구나….

엄마 아빠랑은 그전부터 그랬고. 왜? 어디 안 좋아?

혜자 (절레절레) 아니. 그냥 궁금했어. 여기서 얼마나 더 나빠질까….

엄마 …

혜자 요즘 아침마다 일어날 때 좀 놀라. 하루가 다르다는 게 이런 말이구나. 어젠 분명 저기까지 걸었는데 오늘은 숨이 가빠. 과연 얼마나 더 나빠지는 건가 궁금해서. 화장실 가는 것도 자기 맘대로 안된다며 늙으면… 나도 좀 더 차례차례 늙었으면 받아들이는 게 쉬웠을까 싶은 거지 그냥….

엄마 다시 애기 때로 돌아가는 거지. 일어서는 거 하나까지 누구 도움을 받아야 되는… 그냥 그렇게 생각하면 단순해져. 다시 돌아가는구나. 이제 누군가의 도움 없인 살 수 없구나….

혜자 … 애기는 귀엽기나 하지…. (일어나서 들어가며) 주무세요.

엄마 (TV에 시선 주다가 집으로 들어간 혜자 쪽에 시선)

S# 19 혜자 방 (N)

멍하니 누운 혜자.

누운 채로 다리를 위로 들어보는데 버겁다.

혜자 (다리 내리고 한숨) 후우… (멍하니 천장 보는)

S# 20 혜자 집 외경 (D)

엄마 (OFF) 혜…(멈칫) 이모오!!

S# 21 미용실 (D)

혜자, 잠 못 잔 듯 푸석한 얼굴로 나오는데 어제 마트 주인이 와있고.

주인 (목례) 오늘 방송 가능하신가 해서… 근데 떼꾼해 보이시네?

혜자 괜찮아요. 뭔 방송인데요?

S# 22 마트 안 (D)

혜자, 활어 코너 앞에서 마이크 잡고 생방송 중.

혜자 (마이크 잡은 채 수산 코너의 직원에게) 나 근데 이런 거 잘 못 해서… 내가 거짓말을 잘 못 해요. 근데 이런 데선 막 안 좋은 것도 좋다고 해야 되는데…. (생선 보며) 근데 이 광어는 참 좋긴 하다. 양식이죠? (놀라는) 자연산? 이 가격에 자연산? 난 진짜 가격 보고 양식인 줄 알았어요. 이럴 거면 노량진까지 차비 들여서 왜 가? 어머 세상에….

물건 사던 손님들, 혜자 멘트에 이끌려서 활어 코너에서 하나씩 집어 들고.
옆에 서 있던 마트 주인

주인 (조용히 혜자에게) 이런 건 어디서 배우셨어요?
혜자 (조용히) 그저께 어디 갔다가… 뭐 좀 괜찮았어요?
주인 (엄지척)

그때, 소란스러워지는 계산대
혜자, 그쪽 보는데
샤넬, 직원과 성인기저귀 들고 실랑이하고 있다.

직원 저흰 종량제 봉투밖에 없어요. 검은 봉지 안 쓰는데 어쩌라구요.
샤넬 아니 그럼 신문지에라도 싸주던가. 이걸 그냥 이렇게 주면 어떡해. 됐어요. 안 사요. (기저귀 밀어버리고 나가고)

직원 (짜증 내며) 아 노친네 진짜… 성깔하곤….

혜자 (보는 표정)

S# 23 중국집 외경 (D)

오토바이에서 내리는 현주.

헬멧 벗어 걸어놓고 배달통 들고 안으로 들어가고.

S# 24 중국집 (D)

현주, 혼자 볶음밥 먹고 있는 혜자 옆을 지나쳐서 물을 마시고.

혜자 야…

현주 (보다가) 어? 언제 왔어?

혜자 … 순간 흠칫하더라? 아직도 적응 안 되지 너?

현주 (아닌 척) 에이 무슨… 단체 손님 배달하고 와서 정신없어서 그런 거지.

혜자 아버지도 나 못 알아보시더라? 혹시나 하고 원래 하던 대로 볶음밥에 짜장 말고 춘장으로 달라고 했는데도….

현주 우리 아빠 요새 정신없어. 깜빡깜빡해. 노친네가…. (하다 흡!)

혜자 (별말 없이 볶음밥 먹고)

그때 문 열리며 샤넬 할머니, 미적미적 안으로 들어오고.

현주 (일어나며) 어서 오세요. 편한 자리에 앉으세요.

샤넬 (안쪽 자리에 앉고) 저 짜장면 하나 주세요.

혜자　(아는 목소리라 돌아보는데)

현주　네.

샤넬도 한쪽에 앉은 혜자를 알아보는데 시선 피하고.

혜자도 됐다 싶어서 그냥 볶음밥만 먹고.

현주　(샤넬에게 짜장면 주고) 맛있게 드세요.

샤넬, 짜장면 먹는데 자꾸 사레 들리는지 기침을 하는데

현주　물 좀 드릴까요? 아님 짬뽕 국물도 있는데….

샤넬　아뇨. 괜찮아요. (그러면서도 계속 쿨럭쿨럭)

현주　(혜자에게) 아는 사람이야?

혜자　(대충 끄덕끄덕)

근데 샤넬, 계속 사레 때문에 콜록거리자 현주 아예 물 갖다주는데

샤넬　아 됐다구요… (물컵 짜증스레 미는데 현주에게 물 튀자 민망) 그러게 왜 안 마신다는 사람한테…. (급히 백 뒤져서 오천 원 꺼내놓고 나가고)

현주　(혜자 보며) 나 뭐 잘못했냐? 물 준 게 그렇게 화낼 일이야?

혜자　(감이 오는 듯) 젊은 넌 설명해도 모를 것이다. (일어나며 현금 자리에 두고) 나 간다.

현주　어! 휴대폰… 저 할머니 건가 본데?

혜자　줘. 내가 가는 김에 갖다줄게.

S# 25　　동네 골목 (N)

앞서 바쁜 걸음으로 걸어가는 샤넬 할머니.
그리고 손에 휴대폰 쥔 채 샤넬 할머니 따라가는 혜자.

혜자　　(헉헉) 젊었을 때 경보선수였나… 뭔 걸음이 저렇게 빨라? 저기요~

샤넬, 불러도 못 듣는지 돌아보지도 않고 걸어가는.

S# 26　　모텔 앞 (N)

샤넬, '프라하 모텔'이라는 모텔 안으로 쑥 들어가 버리고.
따라오던 혜자.

혜자　　뭐야… 웬 모텔? 모텔에 왜…. (하다 손에 쥔 휴대폰 보고) 그래도 이건 줘야 되니까…. (미적미적 모텔 쪽으로) … 차… 젊어서 못 와본 걸… 이렇게 와 보네.

S# 27　　프라하 모텔 안 (N)

모텔 접수대에 주인이 없자 혜자 머쓱하게 서 있고.
그때 퇴실하는 듯 꽁냥대며 내려오는 젊은 커플,
혜자만 머쓱해져 괜히 시선 외면…
그때 객실 청소하고 내려오는 주인.

주인 네. 207호 할머니 찾아오셨어요?

혜자 207호… 아 혹시 그 예쁘장한 할머니…

주인 네 그 프라하 할머니. 친구분이세요?

혜자 (휴대폰 보여주며) 이걸 두고 가서… 근데 프라하 할머니는 뭐예요?

주인 아. 207호 할머니가 여기 장기투숙 중이시라… 1년 다 돼가지 아마.

혜자 (놀란) 1년이요?

주인 예전에 남편이랑 프라하로 신혼여행을 갔었다 그랬나… 뭐 돈 있는 양반이긴 한가 봐요. 다들 보리밥 먹던 그 옛날에 프라하로 여행을 다 가고. (하다 시선 주고) 아 오시네. 여기 친구분 오셨어요.

샤넬, 휴대폰 찾으러 나가려던 참인 듯 내려오다 혜자와 마주치고.
샤넬 얼굴에 당혹스런 표정이 스치는데

혜자 (휴대폰 내밀고) 이거… 아까 중국집에 두고 가셨길래….

샤넬 (낚아채듯 휴대폰만 들고 다시 올라가 버리고)

혜자 (멍하니 서 있는)

S# 28 홍보관 회의실 (N)

회의 테이블에서 보험 계약한 서류 정리 중인 희원과 병수.

희원 다섯 명? (병수 째리는데)

병수 그럼 형이 나가서 해봐. 다들 귀 잘 안 들리는 노친네들이라 같은 얘기를 수십 번 해야 돼. 그리고 한 얘기 돌아서면 까먹고… 아으… 차라리 약을 팔고 말지….

희원 (병수 달래는) 야야. 첫술에 배부른 게 어딨어. 그리고 방금 나 다섯 명이나 했어? 이렇게 얘기한 거다. 니가 오해한 거야 임마.

그때 준하 회의실로 들어오는데 빈손이고.

희원 (준하 손 보며) 어째 손이 가볍네?

준하 아… 보험. 꼭 그거 해야 돼? 그냥 내가 그만큼 물건 팔면 되잖아.

병수 (혼잣말) 약 쪼가리 팔아서 몇천을 언제 벌어….

준하 (몇천? 보는데)

희원 (얼른 무마시키며) 그래. 뭐 우리 이 팀장 판매실적이야 항상 탑이니까. 물건 팔면서 시간 나면 한 번씩 보험도 홍보해주고 하라고. 그 얘기야 그냥. (병수에게 '조심해라' 눈짓) 저기 근데 요새 샤넬 할머니 안 보이신다? 큰 손이 사주셔야 매출이 확 뛰는데… 가서 좀 모셔 오지?

준하 … 무슨 애야? 억지로 업어서 데려오게?

병수 내가 한번 모시고 와 봐요? 대신 내가 모시고 와서 내가 실적 올려도 딴말 안 하기로. 콜?

준하 … 도박, 내기 이런 거 좋아했다더니 아직도 못 끊었나 보네. 사람 갖고도 내기하는 거 보니까.

병수 왜 쫄리나? 쫄리면 뒈지시던지.

준하 (피식, 희원에게) 나 퇴근이요. (나가고)

희원 그래~ 내일 보자. 준하야~ 야 병수야 너 왜 그러냐. 매번.

병수 (장갑 내던지고) 아 저 새끼 하는 게 띠껍잖아요. 어린 노무 새끼가… 지나 나나 떳떳하지 못한 일 하는 건 마찬가진데 지만 무슨 고고한 척….

희원 얘기했잖아 준하는 우리 같은 과가 아니라고… 나중에 봐. 누가 오래 남나. (병수 목덜미 툭툭 치는)

병수 (대충 뭔 의민지 알고 씩 웃는)

S# 29 혜자 집 거실 (N)

혜자, 복잡한 표정으로 집으로 들어오는데
소파에 기대앉아 TV 보는 영수와 바닥에서 신문 펴고 발톱 깎는 아빠.

아빠 늦었다….

혜자 응. 현주 좀 보고 오느라고…. (영수에게 쇼핑백 던지고) 야.

영수 뭔데? (열어보는데 소형 프로젝터 나오고) 와!! 프로젝터!! 대박!! 이거 나 주는 거야? 진짜? 오예오예!! (방으로 들고 들어가고)

혜자 좋댄다….

아빠 돈이 어딨어서….

혜자 마트에서 방송한 돈이랑 있던 돈이랑 해서….

아빠 너 쓰지.

혜자 늙으니까 갖고 싶은 것도 없고 그러네… (소파에 기대앉아 아빠를 물끄러미 보다가) 엄마한테 좀 잘해….

아빠 (뒷모습 보이며 발톱만 깎고)

혜자 갱년기 때는 원래 별거 아닌 거에도 짜증이 난대… 아빠 성격이 좀 답답하냐?

아빠 …

혜자 뭔 말을 해도 대답도 없고. (자기 발톱 보고) 키는 갈수록 줄어드는 거 같은데 발톱은 잘만 자라고….

아빠 … 깎아줄게. (돌아보고)

혜자 됐어. 내가 할 수 있어.

아빠 하는 김에. 눈도 잘 안 보인다면서….

혜자 아빠가 사준 돋보기 끼고 깎으면 되지.

아빠 (혜자 발 끌어다 또각또각 깎아주는)

혜자 (멍하니 아빠 그 모습을 보고) … 미안해….

아빠 ……

혜자 발톱을 깎아주는 아빠와 혜자 모습.

S# 30 영수 방 (N)

혜자, 방문을 여는데 영수 방 한쪽 벽에서 상영되는 영화.

영수 좋지? 완전 짱이지? 영화관 같지 않냐?

혜자 (보니까 괜찮다) 와… 생각보다 선명하네? (옆에 스윽 앉고, 멍하니 보다가) 이거 트는 거 복잡해?

영수 아니 휴대폰이랑도 연결돼. 그럼 어디든 쏘기만 하면 극장인 거지.

혜자 … 그럼 나 좀 도와줘.

영수 (신난) 콜콜콜콜!! 뭐든 콜!

S# 31 동네 전경 / 프라하 모텔 207호 (D)

촌스러운 꽃 벽지의 모텔.
한쪽에 마련된 작은 테이블에서 편지를 쓰는 샤넬.
한 자 한 자 쓰더니 흰색 봉투에 잘 접어서 넣고.

(E) 노크 소리

샤넬 네~ (일어나서 문 쪽으로)

샤넬 문 여는데 문 앞에 서 있는 혜자.

샤넬 (당혹) … 뭐예요?

혜자 잠깐이면 돼요.

샤넬 할 얘기 없으니까 가세요. (문 닫고)

S# 32 프라하 모텔 207호 앞 (D)

닫힌 문 앞에 서 있는 혜자. 그리고 뒤에 뻘쭘한 영수.
혜자, 그래도 문에 노크를 하고.

영수 가라잖아….

혜자 (쳐다보고) 이러니까 니가 연애를 못 하는 거야.

그때 딸깍 열리는 문.

샤넬 (경계) 뭔데요?

S# 33 프라하 모텔 207호 안 (D)

꽃무늬 벽지 위에 덧댄 침대 시트 위로 쏴지는 프로젝터.
90년대 프라하 풍경이 담긴 영상들.
샤넬, 놀란 듯 영상을 보고…

샤넬 (혼잣말하듯) 아 저기… 저 광장… (이어지는 영상보고) 어머… (점점 젖어 드는 눈가)

혜자, 그런 샤넬을 보는.

S# 34 프라하 모텔 앞 (D)

영수, 추위에 떨며 어정쩡하게 서 있고.

영수 아 언제 나와. 추워 죽겠구만….

그때 부르릉 소리 내며 오토바이 타고 배달통 들고 온 현주.

현주 … 여기서 뭐 하냐?
영수 넌 뭔데?
현주 (배달통 보여주는데)
영수 모텔에?
현주 (모텔로 올라가려는데)
영수 (가로막고 배달통 가로채고) 여자애가 겁도 없이… 줘 내가 갔다 올게.
현주 됐거든?
영수 내가 안 됐어.
현주 맨날 주문하는 단골이야.
영수 단골이고 뭐고 내가 싫어. 앞으로 이런데 배달 오지 마. 아부지 바쁘시면 나 불러.
현주 아 뭐래.
영수 (배달통 들고 올라가고)
현주 (심쿵 사운드) 아 뭐야… 또… 진짜 그지같애. (막 발 동동) 아 짜증 나아. 왜 두근거리는데 왜에? 씨이… 저게 멋있어? 코 질질 흘리면서 저러는 게?

그때 배달통 들고 내려오는 영수.

군만두 접시는 옆구리에 끼고 우적우적 먹으며 내려온다.

영수 야 무슨 짜장면 두 개 시켰는데 군만두 서비스냐? 가게 거덜 낼 일 있어?

현주 그걸 니가 왜 먹냐?

영수 먹고 싶으니까. (계속 우적우적 먹고) 근데… 원래 너네 집 짜장면에 양파 넣냐? 나 양파 못 먹어서 양파 안 넣는 너네 집 짜장면만 먹는 건데…? 아까 보니까 니네 짜장면에도 양파가 있던데?

현주 뭐래…. (오토바이 타고 가버린다)

현주, 혼자 오토바이 타고 가면서… 얼굴 벌게지고…

현주 양파 안 들어가는 짜장면이 어딨냐… 바보 같은 놈….

S# 35 프라하 모텔 207호 (D)

찻잔에 잔 받침까지 해서 혜자에게 차를 건네는 샤넬.

혜자 (두 손으로 받고) 감사합니다.

샤넬 … 고마워요.

혜자 근데 여기 무섭지 않으세요? 댁으로 가시는 게….

샤넬 남편 죽고, 하나 있는 아들 미국 가고 나니까 집이 너무 썰렁해서… 그래서 하루만 여기서 자야지 자야지 하던 게 벌써 일 년이 넘었네요. 207호예요. 남편이랑 프라하에서 묵었던 호텔 호수가….

혜자 아… 그래서….

샤넬 이런 얘기 희선 씨랑 이 팀장한테 밖에 안 한 건데….

혜자 이 팀… (준하 얘기다) 아… 두 분… 되게 친하신가 봐요.

샤넬 외로운 사람은 외로운 사람을 알아보게 되어 있어요. 이 팀장도 워낙 외로운 사람이다 보니까… 할머니 돌아가시고 혼자 됐는데 아버지 일까지….

혜자 아버지 일이요?

[FLASH BACK]

4화

준하와 아버지의 싸움을 목격하던 혜자

S# 36 홍보관 (D)

희원, 노인들 모아놓고 설명하고 있다.

희원 어르신들! 세월을 제일 먼저 느끼는 게 뭘까요? 눈이에요. 눈이 제일 먼저 나빠져. 이제 나쁜 거 그만 보라고 그러나? 근데 눈 안 좋아지는 거 나이 먹어서 그런다 생각하시죠? 그거 아니에요. 관리를 안 해서 그래요. 방법을 모르니까. (병수 가리키며) 얘도 원래는 이만한 안경 끼고 다녔다고. 근데 지금은 독수리 눈이야. 저기 창밖에 저게 뭐야?

병수 저기 뾰족한 거요? 저거… 남산타워.

희원 남산타워? 여기서 전철을 타도 20정거장 넘게 걸리는 남산타워가 보여? 또 뭐 보여?

병수 아 저게 뭐더라… 마니산에 있는 건데?

희원 참성단?

노인들 (놀랍다는 듯 수군수군)

병수 (풋 웃는)

희원 왜?

병수 참성단 앞에서 사진 찍다 바람 불어서 가발 날아갔어.

희원 봤죠? 얘 6개월 전까진 안경 꼈다니까. 근데 이 약을 먹었어요. 이게 눈에 좋은 성분은 다 들었거든.

이후 물건 파는 모습들 보인다.

S# 37 동네 공원 (D)

혜자, 벤치에 앉아 기다리고 있는데 저 멀리서 오는 우현.
양복에 중절모, 한 손에 장미꽃까지 들고 자기 냄새 확인하며 오고.

우현 (목소리 깔고) 희선 님께서 친히 저를 보자고 하시니….

혜자, 웃는 얼굴로 일어나더니 신속하게 장미꽃 바닥에 버리고,

혜자 (구령) 뒤로 돌앗!

우현 (자기도 모르게 뒤로 도는데) 하낫둘!

혜자 그대로 돌지 말고 들어요. 듣자 하니 그쪽이 경찰서 쪽과 연이 좀 있다던데… 나쁜 쪽으로.

우현 (돌아보려) 아 누님… 그건 제가 설명을….

혜자 (고개 못 돌리게 하고) 홍보관의 이준하 팀장에 대해서 좀 알아봐 줘요. 특히 아버지랑 사이에 무슨 일이 있었는지….

우현 (끄덕끄덕)

혜자 하나도 빠짐없이 자세히.

우현 (끄덕끄덕) 그럼 그 대가로 저랑 데이트….

우현, 돌아보는데 이미 사라지고 없는 혜자.

우현 … 치명적이야… 역시….

S# 38 준하 집 문 앞 (N)

준하, 손에 비닐봉지 들고 집으로 오는데 뜯겨있는 문 자물쇠.
준하, 아버지가 왔다 간 걸 직감한다.

S# 39 준하 집 안 (N)

준하, 집 안으로 들어가는데 샅샅이 뒤진 듯 난장판이 된 집안.
준하 열 받은 표정으로 비닐봉지를 내던지고.
그 안에서 푸슈슉 터지는 맥주.

우현 (E) 제 동생들 시켜서 물어보니까 사정이 좀 복잡하드라구요.

S# 40 동네 공원 (N)

우현, 얘기하고 있는데 여전히 앞만 보고 있고
혜자는 우현의 뒤통수를 보며 얘기를 듣는 상황.

우현 들어보니까 불쌍하더라고. 할머니 지키겠다고 자해까지 했나 보던데 그 길로 할머니 돌아가시고 자기는 무고죄로 고소당하고….

혜자 (마음이 무겁다)

우현 역시 남자는 이쁘게 생기면 팔자가 쎄. 나처럼….

혜자 (O.L) 잘 들었고. 이 얘긴 절대 다른 사람한테 하면 안 되는 거 알죠?

우현 왜…

혜자 이건 우리 둘만의 비밀로 하자구요.

우현 (좋아라) 둘만의 …비…밀… 훗!

우현, 혼자 좋아서 들떠 하는 표정 뒤로 혜자, 짱돌 들려다 참는.

S# 41 준하 집 앞 (N)

혜자, 준하 집 앞을 서성이는데 불이 꺼져있고.

혜자 아직 안 들어왔나?

S# 42 프라하 모텔 앞 (N)

준하, 기다리는데 샤넬 할머니, 손에 봉투 들고 내려오고.

준하 (꾸벅 목례)

샤넬 (미소) 목 안 추워. 목도리라도 하나 하지. (자기 목도리 풀어서 해주려는)

준하 (마다하며) 아직 젊은데요 뭐. 요새 뭐하고 지내세요?

샤넬 그냥 뭐… TV도 보고… 산책도 하고….

준하 … 나오세요. 심심하시잖아요.

샤넬 … 친구 생겼어.

준하 누군데요?

샤넬 있어. 담번에 소개시켜줄게. (하다 편지봉투 꺼내며) 여기. 매번 부탁해서 미안해.

준하 아… (봉투 받고) 그 주소로 보내면 되는 거죠?

샤넬 응. 그리고 혹시… 또 답장 온 건 없지?

준하 아… 아직… 곧 오겠죠. (편지봉투 주머니에 챙겨 넣는데)

병수 (OFF) 아. 이제 좀 스토리가 나오네.

준하와 샤넬 돌아보는데 병수, 서 있고.

병수 따로 용돈도 주고받고 하시는구나.

준하 (샤넬에게 웃으며) 들어가세요. 내일 모시러 올게요.

샤넬 (주저하다가 준하 성화에 들어가려는데)

병수 어르신! 조심하세요. 이런 놈이 진짜 무서운 놈이에요. 괜히 우수에 찬 듯 말이야 보호본능 일으키고.

준하 (샤넬 밀어서 올려보내고) 괜찮아요. (병수에게) 할 말 있으면 내일 홍보관에서 얘기하시죠. (먼저 가려는)

병수 현장 들키니까 내빼는 거 봐라.

준하, 그냥 무시하고 가려는데 저쪽에서 숨 헐떡이며 오는 혜자.

혜자 여기… 있을 줄 알았… 어 … 아이고 죽겠다….

준하 …

혜자 저기… 할 말이 있으니까….

병수 저기 어르신도 조심하세요. 그놈 사기꾼이에요.

혜자 (병수 보는데)

병수 그냥 나 같은 사짜 사기꾼이 아니고 전과 있는 사기꾼. 요새도 법원 들락

날락하지 않나?

준하 (무시하고 가려는데)

혜자 그럼 그쪽은 얼마나 착하고 깨끗하게 살았는지 얘기 좀 해봐요. 내가 들어줄게.

병수 (어이없다는 듯 웃는데)

혜자 털어서 먼지 안 나는 놈 없고 다 오십보백보야. 다 한두 가지 죄는 짓고 살아요. 서로 같은 회사 동료끼리 으쌰으쌰 잘해볼 생각은 안 하고 말이야….

병수 (피식) 난 애비 때리고 할머니 잡아먹은 저런 패륜 새끼랑은 안 놀아요….

준하 (눈 돌아서 달려들려는데)

혜자 (병수 뺨을 먼저 날렸고)

준하 (놀라서 보는데)

혜자, 또 한 대를 때리려는데 이번엔 병수, 그 손 잡아채며 노려본다.
그러다가 "에이 씨…"하며 밀쳐내 버리는 바람에 혜자 넘어질 뻔 한다.
그 모습 보고 준하, 주먹 날리려 병수에게 달려드는데
혜자, 준하 팔을 잡는다.

혜자 (눈물 그렁그렁해서) 안 돼… 또 그럼 진짜 안 돼…

준하 (팔 잡힌 채 혜자 보며 거친 숨만 몰아쉬고)

S# 43 번화가 일각 주차장 (N)

아무 말 없이 서 있는 준하. 화를 가라앉히고 있는 분위기.

혜자 (눈치 보다가) 나는… 내가 그쪽을 오해했다고 얘기해주고 싶어서….

준하 …

혜자 나도 오늘에야 들었어. 힘든 일 겪은 거… 그래서 기자도 그만두고….

준하 그런 일 없었어도 내가 기자가 된다는 보장이 있어요? 내가 원래 이런 놈이면요? 열 받으면 주먹부터 들이대고 지 성질 하나 못 다뤄서 미친놈처럼 사고 치는 놈이 진짜 나란 놈이면….

혜자 (달랜다) 아냐. 그런 사람 아닌 거 내가 알아.

준하 아버지란 인간도 그따위고 어머니란 인간도 자기 힘들다고 갓난애 버리고 간 인성인데… 자식이라고 제대로겠어요, 어디?

혜자 너에 대해서 그런 식으로 말 하지 마!!

준하 (버럭) 할머니나 그런 식으로 말하지 마세요!!

혜자 (놀라서 보고 있는데)

준하 제발 좀 내 인생이 최악이란 걸 알려주지 말라구요! 안 그래도 죽지 못해 겨우겨우 사는데 옆에서 자꾸만 넌 지금 최악이다… 더 나아져야 한다. 무책임하게 얘기하지 마세요. 이게… 살아있는 사람의 눈으로 보이세요? 이게 사는 거냐구요!

혜자 ……

준하 … 손녀한테도 전해주세요. 니가 아는 이준하는 죽었다고. (가버리고)

혜자 (표정)

S# 44 **혜자 집 외경 / 혜자 방** (N)

혜자, 터덜터덜 걸어 들어와 가라앉듯 방의 이불속으로 꺼지는.
그때 바깥쪽에서 들리는 아빠의 술 취한 흥얼흥얼 노랫소리가 들리고.

엄마 (OFF) 씻고 자. 양말만이라도 벗고 자든가….

아빠 (술 취해서 E) 봄 나알은 간다~

엄마 (OFF) 도대체 그놈의 양말은 직접 벗는 적이 없지. 나 죽으면 내 제사상에 인심 쓰듯 벗은 양말 올릴 거야?

혜자, 이불을 머리끝까지 뒤집어쓰고 양손을 모은다.

혜자 (E) 딱 한 번만… 다시 돌아가서… 모든 걸 원래대로 되돌려놓을 수 있다면… 제발 딱 한 번만….

간절히 기도하는 모습
혜자의 시선. 눈을 감는 것과 동시에 화면 밝아진다.

S# 45 혜자 집 외경 / 혜자 방 (D)

창문을 통해 햇빛이 쏟아져 들어오고.
부스스 이불 안에서 일어나는 혜자.

혜자 … 언제 잠들었지?

혜자, 살짝 문 열어보는데 평소와 같이 조용한 집안.

S# 46 미용실 (D)

혜자, 엄마 눈치 보며 미용실로 들어서는데
이미 머리 하러 온 할머니 손님들 와 있고.
엄마도 평소처럼 할머니 머리 해주고 있고.
혜자, 엄마 눈치 보며 아무 데나 빗자루로 잘린 머리카락 쓸고 있는데

할머니1 혜자야. 나 커피 한 잔 도고. 나는 단 거 싫어하는 거 알제? 커피 하나, 프림 하나, 설탕 세 개.

혜자 네. (자연스럽게 뒤쪽으로 가며) 커피 하나, 프림 하나… (!!!. 다시 튀어나오며) 방금 뭐라 그러셨어요?

할머니2 아유 아직 젊은디 벌써 깜빡깜빡 하는 겨? 커피 두 개… 프림 하나…

혜자 (놀라 혼잣말) 젊어? 내가…?

혜자, 고개를 천천히 돌려 미용실 거울을 보는데
젊어진 혜자다!!

S# 47 미용실 밖 (D)

혜자 (E) 꺄아아아악!!!

지나가던 동네 사람 흠칫 놀라고.
밥풀이도 컹컹 짖고.

S# 48 미용실 안 (D)

혜자, 무슨 골 넣은 선수처럼 할머니들과 포옹하고 엄마한테 뽀뽀하고 난리.

엄마 아 왜 이래. 얘가….

혜자 (자기 얼굴 막 당겨보고 만져보고) 나 나 젊어 보이지? 그지? 할머니 나 봐봐. 나 몇 살로 보여요?

할머니1 몇 살로 보이긴. 이팔청춘 아가씨로 보이제.

혜자 (기쁨의 비명) 꺄아아악!! (할머니1 안고 난리)

다들 왜 저러나 싶은 분위기로 혜자를 보는.

S# 49 혜자 방 (D)

혜자, 방으로 들어오는데 정신없어서 온데 다 부딪히며 들어오고.
하지만 하나도 안 아픈 듯 거울 앞으로 돌진.
그리곤 거울에 바짝 붙어서 자기 얼굴을 본다.

혜자 어떻게 된 거지… 왜 갑자기?

혜자, 이불을 훅 뒤집어쓰고 손을 모은다.

혜자 진짜 기도가 통한 건가? 진짜? (이불 확 걷어내고 다시 거울 앞에 앉아서) 하긴… 하루아침에 늙기도 했는데 하루아침에 젊어지… 아니 원래대로 돌아가는 게 왜 말이 안 돼? (거울 보다가 웃음 터지는)

S# 50 동네 골목 (D)

배달 중인 현주 오토바이를 막아서는 혜자.

현주 아 미친… 칠 뻔했잖아!
혜자 야야. 나 봐봐. 나 혜자야.
현주 (어이없는) 뭐 어쩌라고.

혜자 (신나서 뛰어가며) 나 혜자라고!!

현주 왜 저래? 영수한테 옮은 거야?

S# 51 편의점 (D)

상은, 알바하며 재고 채워 넣고 있는데
갑자기 유리창에 척 붙는 혜자 얼굴.

상은 아 놀래라… 가시나야….

혜자 (우다다 들어와서) 야 나 혜자야. 스물다섯 혜자.

상은 (좀 무서워하며 보다가) 왜? 또 고백했다 까였나?

혜자 뭔 고백?

상은 그 남자. 기자 한다던 남자한테… 까여서 미치뿟나?

혜자 (순간 생각나는) 아… 준하… 그래 준하… 맞아 준하…!! (다시 뛰쳐나가고)

S# 52 홍보관 앞 (D)

홍보관 건물 앞에서 숨 몰아쉬는 혜자.
근데 홍보관 건물 아직 '임대문의' 붙어있고.

혜자 아… 그렇지… 아직 준하 사건이 일어나기 전이니까 홍보관도 없겠네…
(숨 몰아쉬다) 그럼 또 어디로 뛰어야 되지?

S# 53 준하 집 앞 (D)

우다다다 뛰어서 준하 집 앞에 도착한 혜자.
준하 집 마당에서 식혜 만드는 준하 할머니, 혜자 알아보고.

준하할머니 아. 그 미용실 아가씨.
혜자 (너무 숨차서 안녕하세요가 안 나오는) 아녀… 쇼.
준하할머니 준하 나가고 없는데… 오늘 늦게나 들어올 텐데 아르바이트하고… 왜 이렇게 숨이 차. 물이라도 한 잔 줄까? (안으로 들어가고)

할머니, 물컵에 물 갖고 나와서 혜자에게 건네는데
혜자, 돌아가신 준하 할머니를 보니 괜히 마음이 뭉클…

혜자 (물 받으며) 감사합니다. 할머니… 오래오래 사세요.
준하할머니 아이고. 감사합니다~

S# 54 학교 운동장 (D)

운동장에서 축구하던 초등학생들, 뭔 일인가 해서 축구 멈추고 보고 있는데
신난 강아지처럼 운동장을 뛰어다니는 혜자. 그러다 멈춰서고.

혜자 뛸 수 있어! 뛰어져!! 내 맘대로 다리가 움직인다고!!

달리다가 운동장 일각의 계단을 뛰어오르고

혜자 무릎에서 소리도 안 나!! 예에에에쓰!!!

그러다 우뚝 멈춰선 혜자.

혜자 (좋은 날 노래, 목청껏) 나는요 오빠가 좋은거얼~

그러다 혜자, 뭔가 결심한 듯 눈이 빛나더니
빨리 뛰기, 계단 내려가기, 노래를 한꺼번에 삼단 합체!

혜자 (계단을 우다다다 뛰어 내려가며 노래한다, 3단 고음 시작) 암인마드리이~이~이~~

마지막 3단 고음에서 다리 풀리며 우당탕 넘어지는 혜자.
그대로 흙바닥에 무릎에서 피나는데도 누워서 배실배실 웃는다.

혜자 (웃으며) 이렇게 좋은 나~알….

S# 55 혜자 집 외경 / 미용실 앞 (N)

혜자, 평상에 앉아서 퇴근하는 아빠를 기다린다. (양쪽 무릎에 밴드)
그때 혜자 앞으로 서는 택시. 아빠가 내린다.
멀쩡한 걸음걸이로 혜자에게 웃으며 걸어오는 아빠.

혜자 (일어나서 반갑게 부르려는데 목이 멘다.)
아빠 (사랑스런 표정으로 웃으며) 우리 딸 왜 나와 있어?
혜자 (택시도 멀쩡한 아빠의 다리도 반갑다. 눈물이 나서 아빠 확 끌어안는다)
아빠 우리 딸 아빠 기다렸구나. 역시 우리 딸밖에 없네. 어때? 아빠랑 우동 한 젓가락 하러 갈까?

혜자 (아빠 팔짱 끼고 끄덕)

S# 56 포장마차 안 (N)

혜자와 아빠, 우동 나오길 기다리며 얘기 중.

아빠 (혜자를 물끄러미 보고)

혜자 (순간 흠칫! 다시 늙었나!?) 왜왜? 뭐 이상해? (얼굴 만져보는데)

아빠 아니 우리 딸 예뻐서.

혜자 아 놀래라… 쫌….

그때 포장마차 앞을 지나는 과자봉투 든 준하가 보이고.

혜자 어?! (일어나려는데)

주인 (우동 내주며) 우동 나왔습니다. 단골손님이라 곱빼기 써비스!

혜자 (가기 뭐하고) 아… 네…. (그러곤 입에 욱여넣기 시작)

아빠 체해. 천천히 먹어.

혜자 (계속 욱여넣고… 물 마시고)

S# 57 포장마차 밖 (N)

혜자, 입에 우동 가락 하나 걸고 뛰쳐나오고.

혜자 (안쪽 향해) 아빠 나 잠깐 어디 좀 들렀다 갈게~

혜자, 우다다다 뛰기 시작하는…

S# 58 준하 집 앞 (N)

혜자, 뛰어오는데 이미 들려오는 우당탕 소리.
집에서 나오는 준하와 준하 할머니의 모습이 보이고.

혜자 … 뭐야 … 무슨 일이야….

말리는 준하 할머니를 뿌리치고 집 밖으로 나가는 준하.

준하할머니 (울며) 준하야… 아이고… 준하야….

혜자, 심상찮다 생각하고 얼른 준하 간 쪽으로 따라가고.

S# 59 동네 빈집 (N)

빈집으로 들어선 준하, 한쪽에 놓여 있던 벽돌을 손에 든다.
그리곤 머리를 향해 내려찍으려는데 준하 손을 잡는 손. 젊은 혜자고.
뛰어온 터라 숨 몰아쉬며 고개 젓는다.

혜자 (눈물 그렁그렁) … 준하야….
준하 (혜자를 알아보고 좀 놀란 듯 멈칫)
혜자 그러지 마. 아프잖아. 아파할 거잖아. 두고두고 아파할 거잖아.
준하 (그런 혜자를 보다가 고개를 떨구고)

우는 준하를 품에 안고 우는 혜자.
준하, 혜자 품에서 펑펑 목놓아 우는…

S# 60　빈집 옥상 (N)

옥상에 올라와 앉은 혜자와 준하.
앞에 맥주와 간단한 안주 놓여 있고.

준하　(피식) … 아 시원하긴 한데… 좀 쪽팔리네.

혜자　(티셔츠에 묻은 눈물 자국 가리키며) 이건 콧물이다 백퍼.

준하　(머쓱해서 맥주만 마시는데)

혜자　귀여웠어. 봐줄 만했어.

준하　(혜자 보다가) 난 진짜 바다 건너 제주도 빼곤 안 살아본 곳이 없어. 매번 사고 치는 아버지 때문에 초등학교 6년을 다 다른 학교에서 다녔으니까….

혜자　힘들었겠다… 친구도 못 사귀고….

준하　그래서 어딜 이사 가든 언제든 떠날 수 있는 곳이란 생각밖에는 못 해서…. 동네에 정을 붙인다는 얘기가 이해가 안 가더라고… 근데 약간 알겠어.

혜자　왜. 난 우리 동네 좋아하는데… 너무 말이 많은 것만 빼면…그래도 여기 봄 되면 꽤 괜찮아. 꽃도 많이 피고. 예뻐. 봐줄 만해.

준하　그래? 그럼 같이 보자.

혜자　(보는데)

준하　(혜자 보며) 봄. 같이 보자고.

혜자　(순간 두근두근…맥주만 콸콸 부어 넣고) 아… 취기 오르나부다… 열나네… 가… 가자…. (일어나는)

S# 61 미용실 앞 (N)

혜자 데려다주는 준하. 괜히 미용실 앞으로 올수록 보폭이 느려지고…

혜자 조심해서 가….

준하 그래.

혜자 (문 앞에 서서) 들어간…다?

준하 (끄덕끄덕)

혜자 (문 여는데)

준하 내일 봐.

S# 62 미용실 안 (N)

혜자, 문 닫고 들어와서 문고리 잡은 채 그대로 문 앞에 붙어있는.
붕 뜬 마음에 몸이 안 움직이는 상태.

혜자 (조용히 중얼중얼) 어떡해… 내일 봐래… 미쳤어 내일 봐가 뭐야. 아… 진짜….

그대로 문에 붙은 채 발 동동대는 혜자 모습 길게.

S# 63 혜자 집 외경 / 미용실 앞 (D)

미용실 문 열리고, 원피스 차려입은 혜자 나오고.
평소보다 화장도 더 신경 쓴.
혜자, 그래도 혹시나 해서 콤팩트 꺼내서 화장 확인하는데 혜자 옆쪽으로 들어오는 할머니들 머리.

할머니1 혜자 데이또 가나.

할머니2 아유 좋을 때여. 실컷 혀. 실컷.

혜자 (귀밑머리 귀 뒤로 넘기며) 데이트는 무슨… 아니에요….

할머니1 누긴데? 잘 생겼나?

혜자 … 뭐 …못생기진 않았어요.

할머니3 남자는 무조건 덩치가 좋아야 혀. 키는 크고?

혜자 (좀 잘난 척) 아유 뭐 되게 크진 않고… 한 187정도? 어디 가서 빠지는 키는 아닌 것 같긴 하더라구요. 뭐 전 잘 모르겠어요. 남들이 잘생겼다 그러니까 그런가 보다 하는 거지….

할머니1,2,3 (뭔가 재수 없다는 표정으로 혜자 보는)

S# 64 동네 어귀 (D)

혜자 기다리고 있는 준하 모습.
그런 준하 모습을 한쪽에 숨어서 지켜보고 있는 혜자.

혜자 잘 생겼어… 아주… 훤칠해. 합격!

혜자, 훔쳐보다 준하에게 걸리고.

준하 (알아보고 웃는)

혜자 (심쿵해서 녹는)

S# 65 몽타주

혜자와 준하 데이트하는 모습

오락실
둘이 게임하며 즐거워하는 모습.

커피숍
혜자와 앉아서 웃으며 얘기 나누는 준하.
혜자, 손짓발짓 해가며 흥분해서 얘기하다가 갑자기 깨달은 듯 조신해지고.
준하, 그런 혜자 보고 웃고.

레스토랑
음식 먹는 둘
와인 너무 빨리 마셔버려 민망해하는 혜자.
그 모습 사랑스럽게 보는 준하.

길거리
꽃가게 앞을 지나가던 혜자와 준하.
혜자 혼자 풍경 보며 걷고 있는데
준하, 잠깐 뒤처지더니 꽃다발 갖고 와서 내밀고.
혜자, 꽃다발 받고 행복해하는 얼굴.

S# 66 길거리 또는 골목 어귀 (N)

혜자와 준하, 같이 나란히 가로등이 켜진 밤거리를 걷고.

둘의 손이 살짝살짝 스치는 걸 서로도 의식하기 시작하자
어느새 말이 없이 걷고 있는.
혜자, 쑥스러우니까 괜히 꽃다발 냄새 맡는데 콧구멍에 꽃술 끼고.

준하 (보고) 들어줄까? 무거우면?
혜자 아 아니…. (계속 준하 몰래 코로 바람 내보내며 꽃술 빼보려는) 안 무거훠… 흐응….

그때 저쪽에서 자전거 타고 오는 아저씨.
혜자, 꽃술 빼느라 미처 못 보는데
준하, 혜자가 안 피하자 혜자 손잡고 끌어당기고.
순간 손 잡히자 놀란 혜자, 준하 쳐다보고.
준하는 괜히 다른데 보며 계속 속은 잡고 걷고.
둘이 손잡고 말없이 걷는 길…

준하 … 그때 그 일은 해결됐어?
혜자 어? 무슨 일?
준하 그때 시계 찾으러 왔을 때… 포기할 수 없는 일이라 그랬던 것 같은데.
혜자 (아빠 일이구나) 아… 응. 덕분에. 저기… 나한테 하나만 약속해 줄 수 있어?
준하 (보는데)
혜자 너 꼭 기자 된다고 약속해줘.
준하 (의아한 듯 보는데)
혜자 그냥 약속해줘. 이유는 묻지 말고.
준하 … 그래. (하다) 그럼 너는….
혜자 (O.L) 아 근데 그렇다고 나한테도 아나운서 되라고 하는 건 좀 가혹한 거 알지?
준하 그 얘기하려던 거 아닌데?

혜자 그럼 뭔데?

준하 니 말대로 난 꼭 기자 될 테니까… 넌 내 여자 친구 돼줘. 이유는 묻지 말고….

혜자 (고백받아서 쑥스러운) 아 뭐야아…. (몸 배배 꼬는)

준하 (웃으며) 왜? 싫어? (혜자 보다가) 뭐야 왜 울기까지 해.

혜자 (의아) 내가? (뺨을 만져보는데 눈물이다) 어머. 나 왜 울어? 나 기뻐서 우는 건가?

준하 (좀 의아하게 보는데)

혜자 (점점 멈출 수 없게 눈물이 나기 시작하는) 나 왜 눈물이 계속 나지? 이상하네? (점점 울기 시작하는) 이상해…. 준하야 나….

준하 (혜자 보며) 괜찮아?

혜자 (펑펑 우는) 왜 이러지? 나 왜 이러는 거지?

그때 화면 전체가 팟…팟… 마치 뭔가의 연결이 끊어지려는 듯…

혜자 (순간 뭔가를 깨달은 듯한 표정. 눈을 조용히 감는다)

준하 (다가와서 혜자 보며) 어디 아파? 병원 갈까?

혜자 (조용히 고개 가로젓고는 눈을 뜬다. 준하를 눈물 가득한 눈으로 한참을 보다가 팔을 벌리고) 나… 한 번만 안아 봐도 돼?

준하, 그런 혜자를 꼭 안아주는데

혜자 준하야. 내가 다시 돌아가도… 나 잊으면 안 돼.

준하 … …

혜자 나는… 여기 이 기억으로만 사는데… 니가 날 잊어버리면….
나 너무 속상할 거 같아.

다시 마주 보는 둘.

준하 (별말 없이 미소 띤 채로 혜자 눈물을 손으로 닦아준다)

혜자 (울면서 입은 웃으며) 야… 나 할머니 됐어!… 웃기지?… 나도 웃기다… 나이 꿈에서 깨면 또 할머니로 돌아갈 거야.

준하 …… ……

혜자 미안해 준하야… 미안해….

준하, 다시 혜자 안아주면
혜자, 준하 품에서 엉엉 우는…

S# 67 혜자 방 (N)

누워 잠든 늙은 혜자, 주름진 눈가로 흐르는 눈물…
혜자, 울면서 일어나 앉는다.
마치 애처럼 엉엉 끄억끄억 목 놓아 우는 모습…

S# 68 혜자 집 외경 / 혜자 방 (D)

새 지저귀는 소리 들리고 방안으로 햇빛이 들어차는데
혜자, 눈물이 번져 번들번들한 얼굴로 그대로 방 안에 앉아 있다.
너무 울어 힘이 빠진 듯 축 늘어진 혜자.

혜자 (쉿소리) 이렇게 돌아올 줄 알았음 뽀뽀까지 해볼걸… 씨… (하다) 아 목말라…. (천천히 몸 일으키고)

S# 69 영수 방 (D)

영수, 자는데 영수 빰을 찰싹찰싹 때리는 혜자.

영수 (눈 뜨는데)

혜자 칠대삼이다. 딴말하면 팔 대 이

영수 (상황 파악 안 되고) 뭐가 팔 대 이….

혜자 (영수 또 찰싹) 구대일. 니 방송 나가는 대신 별사탕 구 대 일로 나누자고. 이 이상 협상은 없고. 첫 방은 오늘 저녁. 준비해라. (나가는)

영수 (어안이 벙벙해서 입가에 흘린 침 닦는)

S# 70 혜자 집 앞 (D)

혜자, 마당에 나와 삐걱대는 몸으로 아침체조를 한다.
이미 늙은 나에게 나중은 없다는 표정.

S# 71 프라하 모텔 앞 (D)

샤넬 할머니, 프라하 모텔에서 나오면서 계속 자기 뒤태를 신경 쓰고.
사람들이 지나가자 자꾸 윗옷을 잡아당겨 엉덩이를 가리는데.
그때 할머니 앞에 나타난 혜자.
샤넬 할머니, 혜자를 알아보고 미소 짓는데.
혜자, 뒤로 돌아서 두툼한 엉덩이를 보여주고는.
엉덩이를 툭툭 친다. 나도 입었다는 표시.

혜자 전 커버도 했어요.

샤넬 할머니, 감동한 표정.
[Sound Effect_B.G - 초코파이]

S# 72 동네 어귀 (D)

준하, 할머니 할아버지들 태우고 동네 어귀로 왔는데
샤넬 할머니와 혜자, 기다리고 있고.
샤넬 할머니, 자꾸만 혜자 뒤로 숨는데

혜자 타요. 우린 날씬해서 티도 안 나.

혜자, 샤넬 할머니 먼저 태우고 자기가 타려는데 준하, 그런 혜자를 룸미러로 보는.

혜자 (올라타며 반갑게) 좋은 아침입니다!!

S# 73 몽타주 (D)

// 홍보관 커리큘럼 중 하나인 노래 부르기 시간.
혜자, 어느새 사람들 사이에 섞여서 노래 부르고 있고.
샤넬 할머니도 끌어들여서 같이 노래 부르고 노는.

// 같이 간식 먹는 시간에 주변 노인들도 챙기고 잘 섞이는 혜자.

S# 74 홍보관 로비 (D)

샤넬, 어느새 혜자 팔짱까지 끼고 홍보관 돌아다니고.

샤넬 이리 와봐요. 저쪽 가면 진짜 꽃이 너무 예뻐….

혜자 (같이 가려다 로비 한쪽에 덩그러니 앉은 할아버지 발견)

할아버지, 턱에 한 턱받이가 흘러내렸고…

샤넬 아… 저 사람은 신경 안 써도 돼.

혜자 저 턱받이만 좀 고쳐드리고…. (다가가는데)

샤넬 어우 가지 마요. 성격이 얼마나 고약한데. 씻지도 않는지 냄새도 심하고….

혜자 (괜찮다는 시늉하며 다가가는데 냄새 심하자 흠칫. 하지만 웃으며) 이것 턱받이만 바로 해드릴게요. 괜찮으시죠?

할아버지 (초점 없는 시선으로 밖을 보는)

혜자 (턱받이 고쳐주고) 됐다. 뭐 더 필요한 건 없으세요?

할아버지 …

혜자, 대답이 없자 가려다가 할아버지 손목의 시계를 발견!
혜자 눈 커지고.

[FLASH BACK]
1화
혜자가 주웠던 그 시계.

2화
아빠를 구하고 고장 나버린 시계.

시계수리공2 (고개 절레절레) … 못 고쳐요. 이거….

3화

혜자가 옥상에서 시계 던져버리는…

혜자 (약간 놀라는) 할아버지. 이 시계… 어디서….

그 순간 째깍 움직이는 초침!

경악하는 혜자의 모습에서.

눈이 부시게 1

1판 1쇄 인쇄 2023년 2월 7일
1판 1쇄 발행 2023년 2월 23일

지은이 이남규, 김수진

발행인 양원석 **편집장** 차선화 **책임편집** 김애영
디자인 김유진, 김미선
영업마케팅 양정길, 윤송, 김지현, 정다은, 박윤하

펴낸 곳 ㈜알에이치코리아
주소 서울시 금천구 가산디지털2로 53, 20층(가산동, 한라시그마밸리)
편집문의 02-6443-8861 **도서문의** 02-6443-8800
홈페이지 http://rhk.co.kr
등록 2004년 1월 15일 제2-3726호
ISBN 978-89-255-7690-9 (04680)
978-89-255-7688-6 (세트)